Почерк
МАСТЕРА

МАРИО

ПЬЮЗО

Счастливая СТРАННИЦА

МОСКВА
«ЭКСМО-ПРЕСС»
2000

УДК 820(73)
ББК 84(7США)
П 96

Mario PUZO
THE FORTUNATE PILGRIM

Перевод с английского А. Кабалкина

Серийное оформление
художника *С. Курбатова*

Серия основана в 2000 году

Пьюзо М.
П 96 Счастливая странница: Роман./Пер. с англ. — М.: Изд-во ЭКСМО-Пресс, 2000. — 384 с. (Серия «Почерк мастера»).

ISBN 5-04-006228-1

В этой книге нет ничего о вендетте и омерте, в ней нет жестокости и кровавых убийств, и тем не менее в ней есть все, что может и должен предложить читателю настоящий Мастер. Роман «Счастливая странница» разрушает стереотипное мнение о Марио Пьюзо как о летописце мафии. Книга об Америке периода Великой Депрессии и о судьбах итальянских эмигрантов, безусловно, показывает, что автор «Крестного отца» по праву относится к числу классиков литературы XX века.

УДК 820(73)
ББК 84(7США)

ISBN 5-04-006228-1

▼▲▼▲▼

Моей семье и Норману

Всякий человек с раннего детства до гробовой доски лелеет в сердце неукротимую надежду, что, сколько бы преступлений он сам ни совершил, от скольких бы ни страдал, скольким бы ни ужасался, в конечном счете судьба все равно обойдется с ним милосердно. Убеждение это — святая святых для любого человеческого существа.

Саймон Уэйл

ЧАСТЬ I

ГЛАВА 1

Ларри Ангелуцци гордо пришпоривал свою черную как смоль лошадь, проезжая по дну каньона, образуемого двумя серыми стенами жилых домов. Малолетние ребятишки, по привычке сбившиеся в кучки на лентах тротуара, разделенных мостовой, забывали про игры, взирая на всадника в немом восхищении. Он описывал в воздухе широкую дугу своим красным сигнальным фонарем; копыта лошади высекали искры, стукаясь о рельсы, и выбивали дробь по булыжнику Десятой авеню; за лошадью, всадником и фонарем медленно тащился в северном направлении длинный товарный поезд, покинувший станцию Сент-Джонс-Парк на Гудзон-стрит.

В 1928 году Нью-йоркские Центральные железные дороги все еще перегоняли свои поезда на север или на юг прямиком по городским улицам, высылая вперед верхового сигнальщика, которому полагалось предупреждать транспорт о приближении поезда. Пройдет совсем немного лет — и этому наступит конец, так как над головами людей протянется путепровод. Но Ларри Ангелуцци, еще не зная, что ему суждено стать последним живым дорожным указателем, крохотной зарубкой в истории города, красовался в седле прямо и надменно, на манер заправского ковбоя из западных прерий. Шпорами ему служили каблуки тяжелых белых башмаков, сомбреро — фуражка с козырьком, украшенная форменными пуговицами. Штанины его синих рабочих брюк были перехвачены на лодыжках сверкающими велосипедными зажимами.

Он гарцевал душным летним вечером по каменному городу, воображая, что вокруг простирается дикая пустыня. Женщины предавались сплетням, рассевшись на деревянных ящиках, мужчины пыхтели сигарами, застыв на углах улиц, дети рисковали жизнью, покидая свои асфальтовые острова, выложенные голубой плиткой, ради попыток взобраться на неторопливый поезд. Все это происходило в желтом дымчатом свете уличных фонарей, в белом отблеске витрин кондитерской лавки. На очередном перекрестке свежий ветерок с Двенадцатой авеню, этого закованного в бетон берега реки Гудзон, освежал скакуна и наездника и охлаждал пыл раскалившейся черной махины за их спинами, оглашавшей город встревоженными свистками.

На Двадцать седьмой стрит стена справа от Ларри Ангелуцци сменилась открытым пространством протяженностью в квартал. Здесь приютился Челси-парк, заполненный неясными фигурами сидящих на земле детей, собравшихся посмотреть бесплатное кино. В отдалении белел огромный экран, на котором Ларри Ангелуцци узрел чудовищного коня, несущего прямо на него всадника, залитого искусственным солнечным светом. Он почувствовал, как напряглась его лошадь при виде этих призраков-гигантов. Еще мгновение — и они достигли пересечения с Двадцать восьмой стрит, где вокруг них снова сомкнулись стены.

Ларри был почти дома. Впереди, на Тридцатой стрит, Десятую авеню пересекал пешеходный мост. Он проедет под этим мостом — и работа завершена. Он заломил фуражку и подбоченился. Все люди, запрудившие тротуары в районе Тридцатой и Тридцать первой стрит, — его родственники и друзья. Ларри пустил лошадь галопом.

Проезжая под мостом, он помахал рукой детям, свесившимся через перила над его головой. Потом, стремясь позабавить зрителей на тротуаре справа, он поднял лошадь на дыбы и повернул налево, где начиналась сортировочная станция под открытым небом — озаряемая снопами искр стальная равнина, протянувшаяся вдоль Гудзона.

Огромная черная труба за его спиной выпустила белые клубы пара, и, как по волшебству, мост вместе с облепившей его детворой исчез из виду. К бледным, почти незаметным звездам вознесся восторженный ребячий визг. Поезд въехал на станцию — и мост появился снова; мокрые от пара ребятишки посыпались по лестнице вниз.

Ларри привязал лошадь к столбу рядом с будкой стрелочника и уселся на скамейку, привалившись к стене будки. На противоположной стороне Десятой авеню оживал любимый, до мелочей знакомый ему мир, словно нарисованный на плоском экране.

Недалеко от угла Тридцатой стрит располагалась пекарня с прилавком мороженого, украшенным разноцветными гирляндами, вокруг которого толпились дети. Сам Panettiere[1] накладывал в бумажные стаканчики красные, желтые и белые кубики льда. Он не скупился, ибо был богат и даже посещал скачки, чтобы избавиться от лишних денег.

Чуть дальше, рядом с Тридцать первой стрит, находилась бакалейная лавка — ее витрина была завешана желтыми provolone[2] в промасленных шкурках и окороками prosciutto[3] в красочных обертках. Следующей в ряду была парикмахерская: в этот поздний час здесь уже не стригли, зато вовсю резались в карты, хотя ревнивый парикмахер не мог в любое время суток спокойно переносить вида свежеостриженной головы, к которой прикасались чужие ножницы. На мостовой мельтешили дети, шустрые, как муравьи; женщины, почти невидимые в темноте благодаря своим черным одеяниям, сбились в темные стайки у каждой двери, откуда в усыпанное звездами летнее небо поднимался сердитый гул.

Напоминающий гнома стрелочник перешел через пути и сказал:

— Сегодня поездов больше не будет, парень.

Ларри отвязал лошадь, запрыгнул в седло и снова заставил лошадь встать на дыбы. Взмывая вместе с ней в воздух, он видел, как ряд домов, эта западная стена гигантского города, вздымается вместе с ним, прогибаясь, как тонкий холст. В открытом окошке его собственной квартиры, на последнем этаже дома напротив, Ларри заметил неясную фигуру — видимо, это был его братишка Винсент. Ларри помахал

---

1 Булочник (*ит.*). — *Здесь и далее примечания переводчика.*

2 Свежекопченый мягкий итальянский сыр.

3 Итальянская ветчина.

ему, но ответа не последовало, и Ларри пришлось помахать вторично. Почти все окна в стене напротив были погашены: все толпились на улице, все глазели на него, на всадника. Он шлепнул лошадь ладонью по шее и галопом поскакал по булыжнику Десятой авеню к Тридцать шестой стрит, где располагалась конюшня.

•

Чуть раньше, когда еще только начинали сгущаться сумерки, а Ларри Ангелуцци седлал свою лошадь на станции Сент-Джонс-Парк, его мать, Лючия Санта Ангелуцци-Корбо, приходящаяся матерью также Октавии и Винченцо Ангелуцци, вдова Энтони Ангелуцци и супруга Фрэнка Корбо, мать троих его детей — Джино, Сальваторе и Эйлин — готовилась покинуть свою пустую квартиру, чтобы, спасаясь от удушающей летней жары, провести вечер с соседками за беседой, то и дело переходящей в ссору, заодно сторожа детей, играющих в темноте городских улиц.

Этот вечер прошел для Лючии Санты легко; лето вообще самое лучшее время года: дети не подхватывают простуду, не приходится заботиться о теплых пальто, перчатках, обуви для хождения по снегу, лишних деньгах, которые всегда нужны школьникам. Всем не терпелось побыстрее поужинать и, выскочив из душных комнат, окунуться в волну уличной жизни. Поэтому вечер прошел без традиционных стычек. В квартире было легко поддерживать чистоту, потому что она почти все время пустовала. Самое лучшее для Лючии Санты заключалось в том, что свободной по вечерам оказывалась и она сама; улица превращалась в место встречи, а соседки в летнюю пору становятся подругами. Завязав иссиня-черные волосы в узел и нарядившись в чистое черное платье, она захватила табуретку и спустилась с четвертого этажа, чтобы надолго разместиться на тротуаре своей авеню.

Рядом с каждым домом кипело подобие деревенской площади: повсюду стояли и сидели на табуретках и на ящиках кучки женщин в черных одеяниях. Было бы ошибкой считать их беседы простой болтовней. Нет, они припоминали тут старые истории, спорили о морали и о порядках в обществе, то и дело ссылаясь на то, как обстояло дело в горной деревушке в Южной Италии, из которой они удрали много лет тому назад. С каким наслаждением они предавались своим излюбленным мечтам! Если бы только их суровые отцы каким-то чудом оказались лицом к лицу с проблемами, которые приходится изо дня в день решать им! Или их матери, такие скорые на расправу! Какой поднялся бы крик, если бы они, дочери, осмелились на то, что позволяют себе эти американские дети! Если бы у *них* хватило наглости на подобное!..

О своих детях эти женщины говорили, словно о чужаках. Излюбленная тема — совращение невинных душ в новой стране. Взять хотя бы Феличу, живущую за углом, на Тридцать первой! Что она за дочь, если не прерывает медового месяца, узнав от собственной мамаши о болезни своей крестной? Шлюха, да и только! Нет, здесь говорят без обиняков. Сама мамаша Феличи выложила все как на духу. А что это за сын — бедняга, видите ли, не смог подождать с женитьбой еще годик, ослушался родного отца! Что за непочтительность! Figlio disgraziato[1]... В Италии такое ни за что не могло случиться! Отец убил бы зазнавшегося сынка — да, убил! А уж как поступили бы с дочерью... В Италии — мать Феличи сыплет проклятиями, голос ее дрожит, хотя все это случилось три года назад, крестная благополучно оправилась от болезни, и теперь внуки стали отрадой ее жизни — ну, в Италии мать вытащила бы такую шлюху из ее брачного чертога, за волосы приволокла бы к больничной койке! Ах, Италия, Италия! Как изменился мир — и, разумеется, к худшему. Что за безумие их обуяло, почему они бросили такую страну? Там всем распоряжались отцы, там дети уважали своих матерей.

Каждая дожидается своей очереди, чтобы поведать собственную историю о наглых, забывших о повиновении детях; рассказчицы в них предстают терпеливыми героинями, а дети — плюющимися ядом люциферами, спасением для которых становится настоящая итальянская дисциплина — ремень для правки бритв или тонкая скалка tackeril. В конце каждого рассказа звучит реквием: mannaggia America — будь проклята Америка! И все же здесь, в душной летней ночи, в их голосах слышится надежда, сила, которой отроду не бывало на родине. Ведь тут у них есть банковские счета, дети умеют читать и писать, а внуки, если все пойдет хорошо, и подавно сделаются профессорами. Они притворяются приверженками традиций, ибо сами виновны в том, что втоптали их в пыль.

Правда же состояла в том, что эти деревенские женщины из горной Италии, чьи отцы и деды уми-

---

[1] Непутевый сын (*ит.*).

рали в тех же лачугах, где рождались, успели проникнуться любовью к лязгающей стали и камням огромного города, к грохоту поездов на сортировочной станции через дорогу, к яркому свету, полыхающему вдали, за Гудзоном. Детство их прошло в одиночестве, на столь скудной земле, что людям приходилось селиться там на горных склонах вдали друг от друга в попытках выжить.

Отвага стала залогом их освобождения. Они были первопроходцами, хотя никогда не совались в американские прерии и ни разу не чувствовали под ногами настоящей, голой земли. Да, они оказались в диком, еще более печальном краю, где все говорят на незнакомом языке и где их собственные дети превращаются в представителей чуждой расы. Такова цена, и ее приходится платить.

Слушая эти разговоры, Лючия Санта хранила молчание. Она дожидалась свою подругу и единомышленницу, тетушку Лоуке. Пока же она отдыхала, сберегая силы для долгих часов счастливых препирательств, которые ждали ее впереди. Вечер только начался, и они не разойдутся до полуночи — иначе комнаты не успеют остыть. Она сложила руки на коленях и повернулась лицом к легкому ветерку, доносившемуся с реки, омывавшей Двенадцатую авеню.

Маленькая, кругленькая, миловидная женщина, Лючия Санта находилась в самом расцвете здоровья, умственных и физических сил; она была отважна и не ведала трепета перед жизнью со всеми ее опасностями. Впрочем, то было вовсе не безрассудство, тем более не бесшабашность. Она была сильна, опытна, она всегда оставалась настороже, у нее было все необходимое, чтобы нести на плечах величайшую ответственность — воспитание многочисленных птенцов, прежде чем они достигнут зрелости и выпорхнут на свободу. Единственной ее слабостью был недостаток природной хитрости и пронырливости, которые помогают людям гораздо лучше, нежели добродетель.

Когда ей было всего семнадцать лет, то есть более двадцати лет тому назад, Лючия Санта покинула Италию, отчий дом. Она пересекла темный океан шириной в три тысячи миль и оказалась в чужой стране, среди чужого народа, где ей пришлось жить с человеком, которого она знала только в невинном детстве, когда они играли вместе.

Покачивая головой от осознания собственного безумия, соединенного с гордостью, она частенько рассказывала свою историю.

В один несчастный день ее отец со смесью жестокости и жалости поведал ей, своей любимой дочери, что ей не приходится рассчитывать на постельное белье в качестве приданого. Его хозяйство слишком бедное, он по горло в долгах. В дальнейшем жизнь станет еще тяжелее. Вот так-то... Оставалось надеяться разве что на мужа, который от любви к ней утратит рассудок.

В ту же самую минуту она лишилась всякого уважения к отцу, отчему дому, родной стране. Невеста без белья — что может быть постыднее? Разве что новобрачная, встающая с незапятнанного кровью супружеского ложа. Ведь тут не поправишь дело даже хитростью, подгадав с первой брачной ночью под первый день месячных. Впрочем, мужчины прощают и такое. Но кто возьмет в жены девушку с печатью безнадежной нищеты?

Лишь настоящему бедняку дано понять стыд бедности — он острее, чем стыд за самое тяжкое прегрешение. Ведь грешник, не устоявший перед побуждениями потайных сторон своей натуры, в каком-то смысле победитель. Что касается бедняков, то они терпят полное поражение: и от собственного мира, и от padrones[1], и от судьбы, и от самого времени. Они превращаются в попрошаек, зависящих от чужого снисхождения. Для бедняков, прозябавших в нищете на протяжении долгих столетий, благородство честного труда в поте лица — всего лишь легенда. Добродетель способна привести их только к унижению и новому стыду.

Лючия Санта была беспомощна, и ей оставалось только гневаться на мир в юношеском бессилии. Тут и подоспело письмо из Америки; парень с соседней фермы, ее товарищ по младенческим играм, предлагал ей соединиться с ним в новом краю. Предложение достигло ее по всем правилам — через обоих отцов. Лючия Санта попыталась вспомнить, как выглядит тот парень...

И вот солнечным итальянским деньком Лючию Санту и еще двух деревенских девиц ведут в городскую управу, а затем в церковь рыдающие родители, тетушки, сестрицы. Три девушки, вышедшие замуж по доверенности, поднимаются на борт корабля и плывут из Неаполя в Америку, уже сделавшись по закону американками.

Это время пронеслось для Лючии Санты как во сне: она ступила на землю из камня и стали, в ту же ночь очутилась в постели с незнакомцем, приходившимся ей, впрочем, законным супругом, подарила этому незнакомцу двоих детей и была беременна третьим, когда он имел неосторожность погибнуть

---

[1] Хозяева (*ит.*).

от случайности, без каких не может обойтись строительство нового континента. Она приняла все это, ничуть не жалея саму себя. Конечно, она горько сетовала на свою участь, но с иной целью: она просто молила судьбу быть к ней милостивой.

Даже тогда, молодой беременной вдовой, не зная никого, к кому можно было бы обратиться за помощью, она не поддалась ни ужасу, ни отчаянию. Она была наделена нередко встречающейся у женщин титанической силой, помогающей им преодолевать окружающую враждебность. И все же она не камень; судьба не ожесточила ее — зато она сделала это с друзьями и соседями, теми самыми, которые сошлись сейчас так близко, чтобы провести в дружеском единении летний вечер.

О, молодые жены и матери, все вы, итальянки, очутившиеся на чужой земле! Какими вы были закадычными подругами, как бегали друг к дружке вверх-вниз по лестницам и в соседние дома! «Cara[1] Лючия Санта, попробуй-ка вот этого!» — новой колбаски, пасхального пирога с пшеницей, топленым сыром и яичной глазурью, пышных ravioli[2] с особенной мясной начинкой и томатным соусом в честь дня семейного святого. Сколько лести, сколько похвал, сколько выпитого вместе кофе под исповедь и обещания стать крестной новому малышу, который вот-вот родится! Однако стоило произойти трагедии — и, после соболезнований и мимолетной волны жалости, мир повернулся к Лючии Санте своим подлинным ликом.

Приветствия встречных стали холодны, многочисленные без пяти минут крестные матери пропали

---

[1] Дорогая (*ит.*).

[2] Итальянское кушанье, напоминающее пельмени.

из виду. Кому захочется дружить с молодой, полнокровной вдовой? Ведь она станет взывать о помощи — а мужья так слабы... Жизнь в многоквартирных домах протекает скученно; молодая женщина без мужчины — это ли не опасность? Она примется высасывать деньги и добро, подобно вампиру, сосущему кровь. Здесь крылась не злоба, а лишь предусмотрительность бедняков, которую легко предать осмеянию, если не понимаешь страха, в котором она коренится.

Лишь одна подруга выдержала испытание — тетушка Лоуке, старая бездетная вдова. Она поспешила бедняжке на помощь, стала крестной матерью сиротке Винченцо и, когда пришло время конфирмации, купила крестному сыну чудесные золотые часы, что придало Лючии Санте сил: ведь такой прекрасный подарок — знак уважения и веры в ее успех. Впрочем, примеру тетушки Лоуке никто не последовал, и, когда минуло время траура, Лючия Санта уже взирала на мир новыми, умудренными глазами.

Время лечит раны — теперь все они снова друзья. Кто знает — возможно, молодая вдова и поторопилась с резкими суждениями, ибо те же самые соседки — правда, преследуя собственные интересы, — помогли ей найти нового мужа, который кормил и одевал бы ее детей. Те же соседки устроили для нее шумную свадьбу. Но нет, теперь Лючия Санта не позволит миру ее обмануть.

К этому душному летнему вечеру одни ее дети успели вырасти и могли не опасаться больше превратностей жизни, другие уже вышли из младенческого возраста, если не считать Лену; у нее на сберегательной книжке отложены кое-какие денежки; по прошествии двадцати лет борьбы, настрадавшись вдоволь, Лючия Санта Ангелуцци-Корбо достигла, наконец, относительного благополучия, доступного беднякам, которые кладут на это столько сил, что, добившись даже немногого, приобретают уверенность, что схватка выиграна и что теперь можно чуть передохнуть, ибо жизни ничего не угрожает. Она уже прожила целую жизнь; вот и вся история.

Довольно. Вон идет тетушка Лоуке — значит, все в сборе. Лючия Санта навострила уши, готовясь нырнуть в водоворот болтовни. Тут она заметила свою дочь Октавию, шагающую к ним от угла Тридцатой стрит, мимо Panettiere с его красным стеклянным ящиком с пиццей и запотевшими чанами с мороженым. Через мгновение Лючия Санта потеряла дочь из виду: ее заслонил деревянный бочонок Panettiere, в который тот швырял медные центы, и серебряные пятаки, и десятицентовики. Ее захлестнул мимолетный, но яростный гнев: почему, спрашивается, ей не дано владеть таким богатством, почему судьба так благосклонна к этому уроду-булочнику?.. Потом она перевела взгляд на жену Panettiere — старую, усатую, уже не способную рожать, — бдительно сторожившую деревянную сокровищницу с медными и серебряными монетками, на ее морщинистое лицо и злобно поблескивающие в темноте глазки...

Лючия Санта почувствовала, как рядом с ней, бедро к бедру, усаживается на табуретку Октавия. Это неизменно раздражало мать, но Октавия может оскорбиться, если она отодвинется, так что лучше смириться. Какая же красавица ее Октавия, даже когда она одевается, как эти американки! Мать улыбнулась старухе Лоуке, и в улыбке этой была одновременно гордость и насмешка. Октавия, смиренная, молчаливая, внимательная, заметила эту улыбку, поняла ее смысл и в который раз подивилась про себя характеру матери.

Ну, разве по плечу ее матери понять, что она, Октавия, хочет стать такой, какими эти женщины не станут никогда в жизни! С глуповатой и понятной любому осмотрительностью, свойственной юности, она носила нежно-голубой костюм, скрывавший ее бюст и округлость бедер. На ее руки были натянуты белые перчатки, в подражание школьной учительнице. Брови ее были черны, густы, не выщипаны. Но напрасно она поджимала свои пухлые алые губки, изображая суровость, напрасно придавала взгляду спокойную серьезность, — от ее облика все равно веяло чувственностью, от которой захватывало дух, — погибелью для женщин, сидевших и стоявших вокруг. Удовлетворяя страшную, темную потребность, — так рассуждала Октавия, — женщина губит в себе все остальные стремления, и она чувствовала жалость, смешанную с испугом, к этим женщинам, угодившим в беспробудное рабство к собственным детям и к неведомым ей наслаждениям супружеского ложа.

Нет, не такой будет ее участь. Она сидела с опущенной головой, внимательно прислушиваясь, подобно Иуде; она притворялась правоверной, но на самом деле помышляла об измене и бегстве.

Теперь, когда ее окружали одни женщины, Октавия осмелилась снять жакет; оказавшаяся под ним беленькая блузка с тоненьким галстуком в красный горошек была куда соблазнительнее, чем она воображала. Никакие ухищрения не могли скрыть ее округлую грудь. Ее предназначенное для поцелуев лицо, завитки ее черных как смоль волос, ее огромные влажные глаза — все противоречило степенности ее одеяния. Такую привлекательность не под силу создать хитростью — здесь правила бал восхитительная невинность.

Лючия Санта забрала у нее жакет и, аккуратно сложив, перебросила через руку: она — мать, она каждым движением утверждала свою власть. Однако главной здесь была все же не властность, а стремление к примирению, ибо вечер этот начался для матери и дочери со ссоры.

Октавии хотелось поступить в вечернюю школу, чтобы выучиться на учительницу. Лючия Санта отказывала ей в родительском дозволении. Нет! Если она после работы станет еще бегать в школу, то сляжет от переутомления.

— Зачем, зачем это тебе? — недоумевала мать. — Ведь ты такая хорошая портниха, ты зарабатываешь много денег...

На самом деле причиной отказа было суеверие. Знает она эту пагубную дорожку: в жизни не найдешь счастья; стоит ступить на новую тропу — и тотчас угодишь в яму. Лучше довериться судьбе. Но дочь слишком молода, чтобы понять ее.

Неожиданно Октавия робко сказала ей:

— Я хочу быть счастливой.

При этих ее словах мать не смогла сдержать ярости и презрения. А ведь она всегда защищала дочку в ее чудачествах — пусть, мол, читает свои книжки, пусть носит щегольски скроенные костюмы, хотя появляться в них — все равно, что нацепить лорнет. Сейчас же мать передразнила дочь с ее безупречным английским и голоском недалекой пустышки:

— You want to be happy![1] — После этого, перейдя на итальянский, она со свинцовой серьезностью молвила: — Благодари бога, что вообще жива.

---

[1] Ты хочешь быть счастливой! (*англ.*)

Теперь, обдуваемая прохладным вечерним ветерком, Октавия приняла предложенное матерью перемирие и сидела с достоинством, сложив руки на коленях. Вспоминая недавнюю ссору, она ломала голову над загадкой: как у матери получается говорить на таком прекрасном английском языке, когда она передразнивает своих детей? Уголком глаза Октавия наблюдала за Гвидо, смуглым сыном Panettiere, который, завидя в сгущающейся тьме теплого летнего вечера светлое пятно ее блузки, приветственно помахал ей рукой. Вот он несет ей в своей смуглой, крепкой ладони высокий бумажный стакан апельсинового лимонада со льдом, вот он вручает его ей и, чуть ли не кланяясь, торопливо пробормотав что-то вроде «не испачкайся», торопится обратно к киоску, чтобы помогать папаше. Октавия улыбается, делает из вежливости несколько глотков и передает стакан матери, которая питает слабость к прохладительным напиткам и жадно, как ребенок, выпивает все до дна. Старухи тем временем продолжают жужжать.

Из-за угла Тридцать первой стрит показался ее отчим, катящий перед собой детскую коляску. Октавия наблюдала, как он прошелся по авеню от Тридцать первой к Тридцатой и обратно. Материнская ирония повергала ее в изумление, нежность же отчима к малышке смущала ее. Ведь она ненавидела его, считала жестоким, подлым, воплощением зла. У нее на глазах он бил ее мать, тиранил пасынков. В неясных воспоминаниях Октавии о раннем детстве его ухаживание за матерью слишком близко соседствовало с днем гибели ее родного отца.

Ей захотелось взглянуть на спящую малютку, сестренку, к которой она питала пылкую любовь, пусть та и была дочерью отчима. Однако тогда пришлось бы говорить с ним, смотреть в его холодные голубые глаза, угловатое лицо, а это было бы невыносимо. Она знала, что отчим ненавидит ее так же люто, как она — его, что они боятся друг друга. Он ни разу не посмел ударить ее, хотя иногда поднимал руку на Винни. Впрочем, она не возражала бы, чтобы он иногда отвешивал пощечину пасынку, при условии, если бы он проявлял отцовские чувства более разнообразными способами. Но нет, он приносил подарки для Джино, Сала, Эйлин, но для Винсента — никогда, хотя Винсент еще ребенок. Она ненавидела его за то, что он никогда не брал Винсента на прогулку или постричься, в отличие от собственных детей. Она боялась его, потому что он был ей непонятен — зловещий, таинственный незнакомец из книжки, голубоглазый итальянец с лицом Мефистофеля; а ведь ей было отлично известно, что он всего лишь неграмотный крестьянин, нищий, ничтожный иммигрант, просто напускающий на себя невесть что. Однажды она увидела в вагоне подземки, как он делает вид, будто читает газету. Она поспешила рассказать об этом матери, покатываясь от презрительного хохота. Однако мать изобразила невеселую улыбку и ничего не сказала.

Одна из женщин в черном рассказывает о мерзкой молодой итальянке (естественно, рожденной уже в Америке). Октавия не пропускает ни единого слова. «Да, да, — распаляется рассказчица, — они были женаты уже несколько недель, у них уже кончился медовый месяц. О, как она его любила! В доме его матери она сидела у него на коленях. Когда они ходили в гости, она играла с его рукой — вот так... —

Искривленные руки с уродливыми пальцами любовно сплетаются у нее на коленях — и верно, какое бесстыдство! — Потом они пошли потанцевать в церковь. Какие дурни эти молодые священники, ведь они даже не говорят по-итальянски! Муж выиграл приз — он первым вошел в дверь. Он получил приз и замертво рухнул на пол. У него оказалось слабое сердце. Мать всегда предупреждала его об осторожности, всегда о нем заботилась. Но слушайте же! Молодой, танцующей с другим мужчиной, сообщили о случившемся. И что же, она мчится к любимому? Нет, она визжит! «Нет, нет, не могу!» — кричит она. Она боится смерти, как дитя, а не как разумная женщина. Любимый валяется в собственной моче, он совсем один, но она больше его не любит. «Я не стану на это глядеть», — повторяет она.

Тетушка Лоуке, лукаво облизываясь, сразу ухватывает двусмысленность.

— Ах, — говорит она, — уж когда это было живое, она на это смотрела, будьте уверены!

Авеню вздрагивает от хриплого взрыва хохота, в котором сливаются все голоса; из других женских компаний в сторону веселящихся бросают завистливые взгляды. Октавия чувствует отвращение, она гневается на мать, которая тоже не удержалась от довольной усмешки.

Но тут начались вещи посерьезнее. Лючия Санта и тетушка Лоуке завели отдельный разговор, вспоминая в подробностях старую, поросшую быльем историю о скандале, разразившемся лет двадцать тому назад, еще за морем, в Италии, и вызвали тем всеобщий интерес. Октавии было смешно наблюдать, как ее мать подчеркнуто доверяет памяти тетушки Лоуке, а та отважно вступается за мать, словно и та и другая — по меньшей мере герцогини. Мать то и дело поворачивалась к старухе и почтительно спрашивала: «E vero, Comare?»[1], а та веско подтверждала: «Si, Signora»[2], не желая фамильярничать в присутствии почтенного собрания. Октавия прекрасно знала, как относятся друг к другу две женщины: мать навсегда осталась благодарна старухе за помощь в годину страшного несчастья.

Все это выходило слишком натянуто, и Октавии стало скучно. Она встала, чтобы взглянуть на малютку-сестричку, стараясь не смотреть на отчима. При виде девочки взор ее исполнился нежности; такой глубокой привязанности она не испытывала даже к Винсенту. Затем она заглянула за угол Тридцать первой стрит, увидела резвящегося там Джино и сидящего на парапете Сала. Она отвела Сала к матери. Где Винни? Она задрала голову и увидела его в окне их квартиры — темную, неподвижную фигуру, стерегущую их всех.

Фрэнк Корбо мрачно наблюдал, как его взрослая падчерица склоняется над его младенцем. Странный субъект с голубыми глазами, объект насмешек (где это видано, чтобы итальянец катал ребенка в коляске летним вечером?), неграмотный, молчаливый, он наслаждался красотой каменного города, тонущего в потемках, чувствовал ненависть, которую испытывает к нему падчерица, но не находил в своем сердце ответной ненависти. Его худое лицо с резкими чертами скрывало бессловесную, сжигающую его муку. Вся его жизнь была страданием по красоте, которую он чувствовал, не понимая, она была любовью, обо-

---

[1] Ведь так, кума? (*ит.*).

[2] Да, синьора (*ит.*).

рачивающейся жестокостью. Бесчисленные сокровища оставались для него недоступными, подобно теням, ибо он был не в состоянии отомкнуть для себя этот мир. Стремясь к свободе, он еще этой ночью с легким сердцем покинет город, семью. В ранний предрассветный час, в темноте, он запрыгнет в грузовик, едущий прочь из города, и исчезнет, не произнося ни единого слова, не ссорясь, не раздавая оплеух. Он станет работать в буро-зеленых летних полях, чувствуя умиротворение и восстанавливая растраченные силы.

О, как он страдал! Он страдал подобно глухонемому, который воспел бы красоту, представшую взору, но не может издать даже вопля боли. Он чувствовал, что любит, но не находил в себе сил расточать ласки. Слишком много людей спало вокруг него в квартире, слишком большие толпы сновали вместе с ним по улицам. Ему снились ужасные сны: из черной бездны выступали силуэты детей и жены, они кружили вокруг него, и каждый вытаскивал из собственного лба кинжал... Он вскрикивал и просыпался.

Уже поздно! Детям пора на боковую, но все еще слишком жарко. Фрэнк Корбо наблюдал за своим сыном Джино — тот носился по улице, поглощенный игрой, похожей на пятнашки, которую отцу не удавалось осмыслить, — точно так же ему не удавалось вникнуть в американский говор ребенка, в содержание книг и газет, в красоту летней ночи и в прочие радости мира, от которых он был оторван и которые окрашивались для него в болезненные цвета. О мир — великая загадка! Бесчисленные опасности, от которых ему пока удавалось уберечь своих отпрысков и остальную семью, в конечном итоге повергнут его и его любимых в прах. Собственные дети научатся ненавидеть отца.

И все же отец, хоть и не надеялся на спасение, катал коляску по тротуару взад-вперед, взад-вперед. Он не знал, что где-то в глубине его естества, в крови, в мельчайших, загадочных клетках его мозга уже зачат новый мир. Медленно, день за днем, страдание за страданием, одна утраченная красота за другой — но стены мира, внушавшего ему безотчетный страх, обрушатся, исчезнув в безвременье его помутненного сознания, чтобы смениться спустя год новым, фантастическим миром, в котором сам он будет и богом, и властелином, враги же его обратятся в испуганное бегство; те же, кого он любит, будут бесследно утрачены, однако он не станет горевать об утрате любви. Это будет мир такого хаотического страдания, что он потонет в экстазе, навсегда забыв былые страхи. Такой будет его наконец-то обретенная свобода.

Но это придет, как по волшебству, без малейшего намека или предупреждения. Пока, этой ночью, он был готов довериться земле, был готов посвятить целое лето плугу и борозде, как когда-то, давным-давно, мальчишкой — дома, в Италии.

Мир озаряет детей особым светом, и звуки его кажутся детям волшебными. Джино Корбо метался между пятнами света, отбрасываемыми фонарями, слышал, как за его спиной хохочут девчонки, и играл до того увлеченно, что у него разболелась голова. Он бегал по Тридцать первой стрит, пытаясь поймать других детей или захватить их в плен. Кто-то уже стоял, прижавшись к стене и вытянув руку. Один раз в ловушку угодил сам Джино, но тут такси удачно отрезало от него его противников, и он стремглав выскочил на свой тротуар. Завидев отца, он устремился к нему с криком:

— Дай мне цент на лимонное мороженое!

Сжимая в ладошке монетку, он помчался по Десятой авеню, замыслив блестящий маневр: сейчас он проскочит мимо матери и ее товарок, а потом... Но нет, тетушка Лоуке ухватила его за руку и едва не опрокинула; ее костлявые пальцы сомкнулись, как стальной капкан.

Его расширенные глаза пробежали по женским лицам; на некоторых лицах виднелись волосы, даже усы. Страстно желая вырваться, боясь, что игра без него затухнет, он напрягся, но тщетно. Тетушка Лоуке держала его мертвой хваткой, как паук муху, приговаривая:

— Отдохни-ка. Присядь рядом с матерью и отдохни. Не то завтра сляжешь. Гляди-ка, как колотится твое сердечко.

С этими словами она положила ему на грудь свою сморщенную клешню. Он отчаянно забился. Старуха вцепилась в него и проговорила, задыхаясь от любви:

— Eh, come e faccia brutta![1]

Он догадался, что она дразнит его уродцем, и это заставило его затихнуть. Он уставился на женщин. Все они смеялись, но Джино было невдомек, что они смеются над его пылом, над его горящими глазами.

Он плюнул в тетушку Лоуке притворным плевком итальянок, которым нужно продемонстриро-

[1] Какая ужасная рожа! (*ит.*)

вать во время свары безмерное презрение к сопернице. Таким путем он отвоевал свободу и тотчас набрал такую скорость, что мать, вознамерившаяся отвесить ему заслуженную оплеуху, едва задела его ладонью. Теперь за угол, по Тридцатой к Девятой авеню, по ней — до Тридцать первой, по Тридцать первой — назад к Десятой авеню — вот так-то! Описав вокруг родного квартала полный круг, он вклинится в играющих, появившись из темноты, застав их врасплох, и благодаря этому маневру рассеет противника.

Однако стоило ему рвануться к Девятой авеню, как мальчишки встали перед ним стеной. Джино ускорил бег и прорвался через заслон. Чья-то рука рванула его за рубашку, в ушах засвистел ветер. Мальчишки устремились было за ним по Девятой, но вот он нырнул в темноту на Тридцать первой — и они не посмели преследовать его здесь. Джино перешел на шаг и побрел от одного крыльца к другому. Он следовал уже вдоль четвертой стороны квадрата; ниже, у самой Десятой авеню, залитой желтым светом фонарей, носились, подобно черным крысам, его товарищи, захваченные игрой. Значит, он поспеет как раз вовремя.

Он немного передохнул и медленно пошел по направлению к ним. В одном из окон первого этажа он увидел маленькую девчонку, прислонившуюся к голубой стене; прямо над ее головой начинался белый мел. Она прятала глаза от холодного, искусственного света, озаряющего комнату, которая лежала за ее спиной совершенно пустая. Джино знал, что она не плачет, а играет в прятки, и что стоит ему немного подождать, комната наполнится визжащими девчонками. Но он не стал останавливаться; он не знал, что ему суждено навсегда запомнить эту одинокую девочку, прячущую глаза, прижавшись к бело-голубой стене; она навечно останется такой же, словно он, не остановившись, заворожил ее, и она на всю жизнь замерла у своей стенки.

Из очередного окошка струился слабый свет. Он вздрогнул. У окна комнаты, пол которой находился на уровне тротуара, сидела старуха-ирландка, положив голову на подушечку с торчащими во все стороны нитками и наблюдая, как мальчик крадется по пустой, замершей улице. В слабом желтом свете, сочащемся из окна, ее древняя голова походила на череп, а узкогубый рот казался обагренным кровью в отблеске красной свечки. Позади этого похоронного лица, в глубине комнаты чуть виднелись ваза, лампа, деревянное распятие, напоминающее обглоданный скелет. У Джино расширились глаза. Редкие старушечьи зубы обнажились в улыбке. Джино пустился во весь дух.

Теперь до него доносились голоса друзей. Он был уже совсем близко от освещенной Десятой авеню. Он сжался в комок у лестницы, ведущей в подвал, набираясь сил для решающего броска. Ему и в голову не приходило бояться темных подвальных окон, бояться ночи. Он забыл материнский гнев. Все его существование сводилось сейчас к этому мгновению — и к следующему, когда он ворвется в круг света и разомкнет его.

Паря над Десятой авеню, единоутробный брат малолетнего Джино Корбо, тринадцатилетний Винченцо Ангелуцци хмурился, вслушиваясь в доносящийся до него шепот летней ночи. Он сидел на подоконнике в глубокой задумчивости; за его спиной тянулась длинная вереница темных, пустых комнат; дверь, ведущая из коридора на кухню, была заперта. Он сам приговорил себя к затворничеству.

Его лишили мечты о лете, свободе, играх! Мать сообщила ему, что на следующее утро он приступает к работе у Panettiere, которая продлится до самой осени, когда он вернется в школу. Он станет таскать тяжелые корзины с хлебом, обливаясь потом на солнце и завидуя остальным мальчишкам, плещущимся в реке, играющим в бейсбол и в лошадки и цепляющимся за задки трамвая, чтобы прокатиться по городу. Ему не придется больше блаженствовать в теньке, уплетая мороженое, читая книжку или играя на медяки в «банкиров и брокеров» и в «семь с половиной».

Впередсмотрящий, угнездившийся в окне, зияющем в западной стене города, он впитывал все, что представало его взору, — ширь сортировочной станции с переплетением рельсов, бесчисленными вагонами без крыш, паровозами, изрыгающими снопы искр и издающими низкие, тревожные гудки. Дальше тянулась черная лента Гудзона, а за ней угадывался неровный берег штата Нью-Джерси.

Он подремывал на своем подоконнике, гордо не замечая шума голосов. Вдали на авеню показался красный сигнал живого дорожного указателя, прокладывающего путь товарному поезду со станции Сент-Джонс-Парк. Дети в каньоне под ним продолжали игру, и Винсент с мрачным удовлетворением приготовился к их радостным крикам, находя усладу в горечи, охватившей его из-за невозможности составить им компанию. Еще немного — и до него донесся визг детей, карабкающихся на мост, чтобы стать невидимками, утонув во влажном паре, вырывающемся из паровозной трубы.

Винсент был еще слишком юн, чтобы понимать, что меланхолия — врожденное свойство его характера, расстраивающее его сестру Октавию, которая пытается рассеять его грусть подарками и сладостями. Когда он был еще малышом, делающим первые шаги, Октавия клала его с собой в постель, рассказывала ему сказки, пела песенки, чтобы он засыпал, запомнив добрую улыбку. Однако ничто не смогло переделать его характер.

Снизу доносился воинственный бас тетушки Лоуке и сильный голос его матери, не дававшей подругу в обиду. Он с неудовольствием подумал о том, что эта старуха приходится ему крестной и что за золотую монетку в пять долларов, которую она преподносит ему на каждый день рождения, он вынужден расплачиваться поцелуем — что ж, он делает это, но только для того, чтобы не печалить мать. Он считал свою мать красавицей — пусть она растолстела и никогда не снимает траура — и неизменно слушался ее.

Иное дело — тетушка Лоуке. Сколько он себя помнит, она всегда вызывала у него лютую ненависть. Давным-давно, когда он еще возился на полу у ног матери, старуха задумчиво наблюдала за ним. Женщины при этом давали волю чувствам и, забывая об учтивости, которую соблюдали при посторонних, проклинали бесчисленные невзгоды, которые обрушивались на них год за годом. Через некоторое время крик сменялся молчанием. Женщины многозначительно рассматривали мальчугана, прихлебывая кофе. Потом тетушка Лоуке тяжело вздыхала, разевая пасть с побуревшими от возраста зубами, и с безнадежной, какой-то озлобленной жалостливостью произносила: «Ах, miserabile, miserabile![1] Твой отец умер еще до того, как ты родился...»

Это было кульминацией разговора; потом старуха переходила к другим темам, мальчик же в ужасе взирал на залитое бледностью лицо матери, на ее мигом покрасневшие глаза. Она нагибалась, чтобы погладить его по голове, но никогда не произносила ни слова.

Глядя вниз, Винсент видел, как его сестра Октавия встает, чтобы взглянуть на младенца. Ее он тоже ненавидит. Она предала его, она не возвысила протестующий голос, когда матери вздумалось запрячь его в работу. Тут всадник с фонарем въехал под мост, и Винсент узнал в нем своего брата Ларри, восседающего на черной лошади, как заправский ковбой.

Даже сюда, на высоту, доносилось громкое цоканье копыт по булыжной мостовой. Дети пропали из виду, скрылся и сам мост, окутанный паром из паровозной трубы. Высекая из рельсов снопы искр, поезд медленно втянулся на сортировочную станцию.

Было уже поздно. Ночной воздух принес городу желанную прохладу. Мать и остальные женщины забрали с тротуара свои табуретки и ящики, кликнули мужей и детей. Отчим двинулся с коляской к своему крыльцу. Наступила пора готовиться ко сну.

Винсент слез с подоконника, побрел через спальни на кухню и отпер дверь, чтобы впустить семейство домой. Потом он отрезал от итальянского батона толщиной в бедро три щедрых ломтя и от души сдобрил их сперва красным уксусом, а потом желтовато-зеленым оливковым маслом. Посыпав бутерброды

---

[1] Несчастный! (*ит.*)

солью, он отступил, с удовольствием рассматривая дело своих рук. Хлеб из грубопомолотой муки стал красным, с зелеными пятнами. Джино и Сал с восторгом слопают перед сном это угощение. Они будут жевать втроем. Он замер в ожидании. С улицы ворвался через открытые окна отчаянный, долго несмолкавший крик Джино.

Этот крик заставил Лючию Санту замереть с младенцем на руках. Октавия остановилась на углу Тридцатой стрит и повернулась в сторону Тридцать первой. Ларри, уже скакавший прочь на своей лошади, натянул поводья. Отец, чувствуя, как у него волосы встали дыбом от страха, чертыхаясь, устремился на крик. Однако то был всего лишь вопль истерического триумфа: Джино выскочил из темноты, застал соперников врасплох и теперь орал:

– Город сгорел, город сгорел, город сгорел!

Игра была сыграна, но он все повторял магическое заклинание и не мог сдержать бег. Сперва он нацелился на огромную фигуру матери, принявшей угрожающую позу, но, вспомнив, какое оскорбление нанес недавно тетушке Лоуке, изменил траекторию, влетел в дверь и понесся вверх по лестнице.

Лючия Санта, только что намеревавшаяся отодрать наглеца, почувствовала неуемную гордость за сына, нежность к нему, охваченному буйной радостью. Придет время, и она отучит его от излишней жизнерадостности. Пока же он избег наказания.

Неаполитанцы покинули погрузившиеся во мрак улицы города, по которым напоследок процокали копыта лошади — Ларри Ангелуцци поскакал назад в конюшню, что на Тридцать пятой стрит.

ГЛАВА 2

Семейство Ангелуцци-Корбо обитало в самом лучшем жилом доме на Десятой авеню. На каждом из четырех этажей было всего по одной квартире, поэтому окна выходили и на запад, на Десятую, и на восток, на задний двор, обеспечивая сквозную вентиляцию. Ангелуцци-Корбо, имея в своем распоряжении целый этаж, да еще верхний, использовали коридор перед своей дверью как склад. У стены стояли ящик со льдом, письменный стол, бесчисленные банки с томатной пастой и коробки с макаронами, потому что в квартире, пусть она и насчитывала шесть комнат, места для всего этого не хватало.

Квартира походила в плане на длинную букву Е с отсутствующей средней черточкой. Вслед за кухней — нижней «полочкой» — шли столовая, спальни и гостиная с выходящими на Десятую авеню окнами, вытянувшиеся в линию; роль верхней «полочки» играла небольшая спальня Октавии. Джино, Винни и Сал спали в гостиной, на кровати, которая на день поднималась к стене и завешивалась шторой. Дальше шла спальня родителей, а потом — комната Ларри; дверь последней открывалась в столовую, которую они звали почему-то кухней — здесь стоял огромный деревянный стол, за которым ели и вокруг которого протекала вся жизнь; последним помещением была собственно кухня с баком для кипячения белья, раковиной, плитой. По местным стандартам, квартира была слишком просторной и служила примером непрактичности, свойственной Лючии Санте.

Октавия положила малютку Эйлин на кровать матери и юркнула в свою комнату, чтобы переодеться в домашний халат. Когда она снова вышла, все

2 – 2269

трое мальчишек уже спали на разложенной посреди гостиной кровати. Она побрела через анфиладу комнат в кухню, чтобы сполоснуть лицо. Она застала мать в столовой — та терпеливо ждала, потягивая вино из маленького стаканчика. Октавия знала, что мать обязательно захочет довести до конца их недавние препирательства, после чего они, подобно заговорщицам, станут строить планы на будущее: домик на Лонг-Айленде, колледж для самого способного ребенка...

Лючия Санта первой сделала шаг к примирению. Она сказала по-итальянски:

— Сын булочника положил на тебя глаз. Думаешь, он преподносит тебе мороженое, а сам только и мечтает, чтобы ты и дальше молчала как рыба?

Собственная ирония доставила ей немалое удовольствие. Она на мгновение умолкла и прислушалась: из спальни донесся какой-то звук.

— Ты положила Лену на середину кровати? Она не скатится на пол?

Октавия была возмущена. Она бы еще простила подтрунивание, хотя матери было отлично известно, что она не желает иметь ничего общего с соседскими молодыми людьми. Но ведь имя «Эйлин» — это она придумала его для своей единоутробной сестренки! После долгих раздумий Лючия Санта согласилась: пришло время становиться американцами. Однако язык итальянца не может выговорить такое имечко. Невозможно, и все тут. Поэтому пришлось сократить его до привычного «Лена». Какое-то время Лючия Санта мужественно пыталась ублажать дочь, но в конце концов лишилась терпения и крикнула по-итальянски: «Это даже не американское имя!» Так малышка стала «Леной» — для всех, кроме детей: стоило им забыться, как они получали от Октавии звонкую затрещину.

Мать и дочь приготовились к схватке. Октавия пригладила свои кудряшки и вытащила из кухонного ящика маникюрный набор. Стараясь четко выговаривать слова, она презрительно произнесла по-английски:

— Я никогда не пойду ни за кого из этих торгашей. Им нужна женщина, с которой они смогут обходиться, как с собакой. Я не хочу, чтобы моя жизнь стала повторением твоей.

Сказав это, она принялась за кропотливую обработку ногтей. Сегодня она их накрасит — это еще больше разозлит мать.

Лючия Санта взирала на дочь с деланным, театральным спокойствием, тяжело сопя. В гневе они делались еще более похожими одна на другую: одинаковые влажные черные глаза, мечущие молнии, одинаковые миловидные лица, искаженные угрюмой злобой. Однако голос матери прозвучал неожиданно здраво:

— Ага! Вот, значит, как дочь разговаривает с матерью в Америке? Bravo[1]. Из тебя получится превосходная учительница. — Она холодно кивнула. — Mi, mi displace[2]. Но мне все равно.

Девушка знала, что еще одна грубость с ее стороны — и мать бросится на нее, как разъяренная кошка, не жалея тумаков. Октавии не было страшно, однако в разумных пределах она готова была проявлять почтительность; кроме того, она знала, что мать, глава семьи, полагается на нее, уважает ее и никогда

---

[1] Отлично (*ит.*).

[2] Мне очень жаль (*ит.*).

не примет сторону враждебного мира, чтобы нанести ей поражение. Она чувствовала себя виновной в вероломстве — ведь она считала, что жизнь матери проходит зря.

Октавия улыбнулась, чтобы придать резкости своей последующей тираде.

— Я хочу сказать, что не желаю идти замуж, а если пойду, то чтобы никаких детей. Не хочу отказываться от жизни только ради *этого.* — В последнее слово она вложила все свое презрение, а также страх перед неведомым.

Лючия Санта оглядела свою американскую дочку с ног до головы.

— Ах, — проговорила она, — бедное мое дитя...

У Октавии прилила кровь к лицу, и она умолкла. Мать думала о чем-то другом. Она встала, вышла в спальню и вернулась с двумя пятидолларовыми купюрами, вложенными в сберегательную книжку.

— Бери и побыстрее спрячь, пока не вернулись твои отец и брат. Занесешь на почту, когда пойдешь завтра на работу.

— Он мне не отец, — ядовито заметила Октавия.

Не сами эти слова, а таящаяся в них спокойная ненависть заставила ее мать тотчас разрыдаться. Ведь только она и старшая дочь помнили первого мужа Лючии Санты; только она и старшая дочь делили невзгоды прежней жизни. Он был отцом троих детей, но только Октавия, первый ребенок, сохранила память о нем. Хуже того, Октавия питала к нему пылкую любовь, и его смерть стала для нее страшным ударом. Мать знала все это; знала она и о том, что ее второе замужество уничтожило в сердце дочери былую привязанность к матери.

Мать тихо произнесла:

— Ты — молоденькая девушка, ты еще не понимаешь мира, в котором живешь. Фрэнк женился на безутешной вдове с тремя малолетними детишками. Он кормил нас, он защищал нас, когда никто не хотел даже плюнуть на наш порог — не считая тетушки Лоуке. А твой отец был вовсе не таким распрекрасным, как тебе мнится. Я многое могла бы тебе порассказать — но нет, он все же твой отец...

Слезы успели высохнуть, и Лючия Санта поспешила надеть привычную маску печали по пережитому, маску боли и ярости, которая неизменно приводила девушку в уныние. Они регулярно ссорились по этому поводу, и всякий раз оказывалось, что рана не хочет заживать.

— Какая от него помощь? — не унималась Октавия. Она была молода и не ведала жалости. — Ты заставляешь бедного мальчугана, Винни, горбатиться на этого вшивого булочника. Лето не принесет ему ни малейшей радости. А этот твой муженек только и может, что числиться привратником ради бесплатной квартиры. Почему бы ему не найти работу? Откуда такая неуемная гордыня? Кем он себя воображает, черт побери? Вот мой отец — тот работал. На работе он и погиб. Господи боже мой!

Она помолчала, чтобы не расплакаться. Следующие слова она произнесла уже более спокойно, словно надеясь убедить мать в своей правоте:

— А этот потерял работу на железной дороге, потому что слишком умничал. Босс сказал ему: «Чего это у тебя весь день уходит на путешествие за ведром воды?» Тогда он берет ведро и больше не возвращается. Надо же, до чего забавно! Он прямо-таки гордился этим своим подвигом. А ты не сказала ему ни единого словечка, ни единого! Я бы его выгнала вон, не пустила бы его на порог, и все тут! И уж, по крайней мере, не стала бы рожать ему очередного младенца.

Последние слова она произнесла с подчеркнутым пренебрежением, и по ее взгляду было ясно, что она-то никогда не позволила бы своему мужу совершать темный акт совокупления и обладания, который происходит в ночи. Теперь уж мать потеряла всякое терпение.

— Не говори о том, чего не понимаешь! — вскипела Лючия Санта. — Ты молода и глупа, но ты, видать, останешься глупой до самой старости. Боже, надели меня терпением! — Она одним глотком допила свое вино и устало вздохнула. — Я иду спать. Оставь дверь открытой для своего брата. И для моего мужа.

— Не беспокойся за нашего красавчика Лоренцо, — прошипела Октавия. Она принялась покрывать ногти лаком. Мать с омерзением уставилась на ярко-красный лак.

— Что еще там творится с Лоренцо? — спросила она. — Его работа кончается в полночь. Почему бы ему не вернуться домой? Все девушки уже разошлись по домам, не считая этих ирландских шлюх с Девятой авеню. Хвала Иисусу Христу, он губит только хороших, достойных итальянок, — добавила она с насмешливым пылом. В ее улыбке присутствовала гордость за сына.

— Ларри может остаться у Ле Чинглата, — холодно сообщила Октавия. — Сам мистер Ле Чинглата снова угодил в тюрьму.

Матери не надо было ничего объяснять. Семейство Ле Чинглата изготовляло собственное вино и продавало его у себя на дому в розлив. Короче говоря, они были самогонщиками, нарушителями запрета на торговлю спиртным. Только на прошлой неделе синьора Ле Чинглата прислала Лючии Санте три большие фляги — вроде бы в благодарность за то, что Лоренцо помог разгрузить тележку с виноградом. Кроме того, она была одной из трех девушек, которых обвенчали по доверенности много лет назад в Италии, — самой скромной и застенчивой из них. Что ж, ничего не поделаешь... Мать пожала плечами и удалилась в спальню.

Прежде чем лечь, она зашла в гостиную и накрыла троих сыновей простыней. Потом она выглянула в открытое окно, на темную Десятую авеню, которую все еще мерил шагами ее супруг.

— Фрэнк, уже поздно! — тихонько позвала она, однако он не поднял головы, не увидел ни ее, ни неба.

Наконец она улеглась. Но ей никак не удавалось уснуть, потому что ей казалось, что, бодрствуя, она каким-то образом держит под контролем действия мужа и сына. Ей было беспокойно, ей совсем не нравилось, что она не может заставить их покинуть мир, вернуться домой спать тогда, когда спит она.

Она протянула руку. Малютка неслышно спала у самой стенки.

— Октавия! — позвала она. — Иди спать, уже совсем поздно. Тебе завтра на работу.

В действительности все дело в том, что она не может спать, пока в доме хоть кто-то бодрствует. Непокоренная дочь прошла через спальню, не проронив ни словечка.

В душной темноте летней ночи, прислушиваясь к дыханию спящих детей, Лючия Санта задумалась о своей жизни. Выйдя во второй раз замуж, она заставила горевать своих первых отпрысков. Она знала, что Октавия винит ее за то, что она не убивалась по погибшему как полагается. Разве можно объяснить молоденькой дочери, девственнице, что ее отец, муж, с которым ты делила ложе, с кем ты приготовилась прожить остаток жизни, на самом деле не вызывал у нее большой привязанности?

Он был главой семьи, но ему недоставало предусмотрительности, ему было свойственно воистину преступное отсутствие заботы о семье; он был не против всю жизнь ютиться в трущобах, в нескольких кварталах от доков, где трудился. О, немало слез пролила она из-за него! Он не отказывался выделять деньги на еду, однако все остальное, что могло бы превратиться в сбережения, тратил на вино и на карты с приятелями. Он ни разу не дал ей ни цента на ее собственные нужды. Он уже и так проявил верх щедрости, переправив Лючию Санту через океан, к себе в постель, побирушку, не имевшую даже белья! О какой еще щедрости могла идти речь? Одного подвига хватит на всю жизнь.

Лючия Санта вспоминала все это со смутной досадой, зная, что это еще не вся правда. Дочь любила его. Он был красивым мужчиной. Он разгрызал своими белоснежными зубами семечки подсолнечника, и маленькая Октавия брала их у него изо рта, хотя брезговала такими же семечками, если их предлагала мать. Он тоже любил дочь.

Правда проста: он был добрым, трудолюбивым, но невежественным, пристрастным к удовольствиям человеком. Она относилась к нему точно так же, как относятся миллионы женщин к своим непредусмотрительным мужьям. Доверять мужчинам распоряжение семейными деньгами, доверять им право принимать решения, определяющие судьбу детей? Безумие! Мужчины на это неспособны. Хуже того — они попросту несерьезный народ. Она уже вела борьбу, направленную на узурпацию его власти, как действуют все женщины, — но наступил тот страшный день, и он погиб.

Конечно, она рыдала. О, как она рыдала! Горе усугублял ужас. Она горевала не столько по навечно оставившим ее губам, глазам, рукам, сколько по щиту, оберегавшему ее от враждебного мира; она выла по тому, кто приносил ее детям хлеб, по тому, кто выступал защитником существу, еще находившемуся у нее во чреве. Те вдовы, что рвут на себе волосы, царапают себе щеки, выкрикивают безумные проклятия, крушат все вокруг, а потом не снимают траура, чтобы ими мог любоваться весь мир, — нет, они не подлинные плакальщицы, ибо настоящее горе пронизано ужасом. Да, они лишились близкого человека. Но если ты любила, то полюбишь снова.

Его смерть была смешной, даже гротескной. При разгрузке судна проломился высокий трап, похоронив в речном иле пять человек и сколько-то там тонн бананов. Человеческие останки смешались с банановой кожурой. Их так и не смогли поднять.

Теперь она осмеливалась додумать грешную мысль до конца: он дал им больше своей смертью, чем давал при жизни. Сейчас, спустя много лет, она угрюмо усмехалась в темноте, удивляясь несмышлености, присущей молодости. Разве она могла позволить себе в молодости такие нечестивые мысли? А суд присудил каждому ребенку по тысяче долларов — даже Винсенту, еще не родившемуся, но уже слишком хорошо заметному чужому глазу. То были опекунские деньги — в этой мудрой Америке даже родителям не позволяют распоряжаться деньгами, принадлежащими детям. Сама она получила аж три тысячи долларов, о которых не догадывался никто на ее улице, не считая тетушки Лоуке и Октавии. Выходит, не вся жизнь пошла насмарку.

Сейчас не только говорить, но и помыслить было страшно о тех несчастных месяцах, когда она вынашивала Винни. Ребенок, чей отец погиб до его рождения, — все равно, что дьявольское отродье. Даже сейчас ее не покидал суеверный страх; даже сейчас, спустя тринадцать лет, на ее глаза навернулись слезы. Она оплакивала себя прежнюю, она жалела своего не родившегося еще младенца, а не по-дурацки погибшего мужа. Об этом Октавия не могла знать, этого ей было не дано понять.

А потом случилось нечто и вовсе постыдное: минул всего год после смерти первого мужа, всего полгода назад родился сын от этого мертвого мужа, а она — взрослая женщина! — впервые в жизни воспылала страстью к мужчине — тому, кому предстояло стать ее вторым мужем. Влюбилась!.. Только это была не одухотворенная любовь девушки или святой, не чувство героини из романтической истории, о которой полезно было бы поведать молоденькой девушке. Нет, ее «любовь» означала разгоряченные тела, нестерпимое томление, горящие глаза и щеки.

«Любить» — значило ощущать в себе его набухшую, пружинистую плоть. О, что за безумие, что за глупость для матери семейства! Хвала Иисусу Христу, теперь все это позади.

Кто же тот, кто ее воспламенил? Фрэнку Корбо исполнилось к тому времени тридцать пять лет, но он никогда не был прежде женат. Он был худ, жилист, голубоглаз; считалось странным, что он дожил до таких лет холостяком; странной была также его молчаливость, его одинокая гордыня — разве не смешно, когда задирает нос человек, совершенно беспомощный перед обществом и судьбой? Соседки, искавшие вдове спутника жизни и кормильца для четырех голодных ртов, считали его способным на любую глупость, но все же представили его ей как самого подходящего кандидата. Он работал в утреннюю смену в железнодорожном депо, вторая же половина дня была у него свободна для ухаживаний. Скандала не предвиделось.

Соседки, проявляя доброту, но одновременно заботясь и о собственном спокойствии, свели их, не сомневаясь, что из этого дела выйдет толк.

Ухаживал он за ней как невинный юноша, чем она была несказанно удивлена. Фрэнку Корбо были знакомы только холодные, торопливые шлюхи; он ляжет в супружескую постель, сгорая от любви, с мальчишеской пылкостью. Он преследовал ее, мать троих детей, так, словно она — девушка, превращаясь в глазах окружающих в еще большее посмешище. Под вечер он приближался к ней, когда она сидела у крыльца, охраняя спящих или резвящихся детей. Иногда он ужинал с ними, но уходил еще до того, как наступала пора укладывать детей. Наконец настал день, когда он предложил Лючии Санте стать его женой.

Она бросила на него лукавый взгляд, как на расшалившегося мальчишку. «Разве вам не будет стыдно рядом со мной, когда мой сын от предыдущего мужа все еще лежит в коляске?» — спросила она его. Ответом был тяжелый, злобный взгляд — тогда она увидела этот взгляд впервые. Он выдавил, что любит ее детей и ее. Даже если она не выйдет за него, он станет давать ей деньги на детей. Он хорошо зарабатывал на железной дороге и неизменно приносил детям мороженое и игрушки. Иногда он даже давал ей денег на одежду для детей. Она пыталась отказываться, но он рассердился и сказал: «Выходит, вы не хотите, чтобы мы были друзьями? Вы думаете, что я такой же, как остальные мужчины? Мне наплевать на деньги!» И с этими словами он принялся рвать в клочки грязные зеленые банкноты. Это зрелище почему-то вызвало у нее слезы. Она забрала у него деньги, и он никогда больше не делал ей подарков, так что через некоторое время ее охватило беспокойство, не слишком ли опрометчивым был ее отказ.

Как-то весной, в воскресный день, Фрэнк Корбо явился по приглашению на обед — праздничную трапезу итальянской семьи. Он принес с собой галлон терпкого домашнего итальянского вина и коробку пирожных с кремом — gnole и soffiati. На нем была чистая рубашка, галстук, костюм со множеством пуговиц. Он сидел за столом, окруженный детьми; он стеснялся, был неуклюж, он робел куда больше, чем они.

Спагетти были заправлены самым лучшим томатным соусом, который только умела делать Лючия Санта, тефтели имели форму идеальных шариков и были щедро приправлены перцем, чесноком и свежей петрушкой. На столе стояло также блюдо с темно-зелеными салатными листьями под оливковым маслом, красный уксус, грецкие орехи под вино. Над столом витал аромат зелени, чеснока, черного перца. Все наелись до отвала. Потом дети ушли играть на улицу. Лючии Санте следовало оставить их дома, чтобы избежать скандала, но она на все махнула рукой.

Так солнечным днем, в залитой солнцем длинной квартире, принадлежащей железной дороге, загородившись от несмышленыша Винченцо подушкой, они скрепили свой союз на кушетке гостиной; мать при этом почти не обращала внимания на голоса детей, доносившиеся с улицы.

О восторг, о вкус любви! После длительного воздержания распространившийся по гостиной звериный запах только возбуждал ее пыл, действовал на нее, как звонок, оповещающий о близком наслаждении. Даже сейчас, после стольких лет, память о том дне оставалась свежей. Уже в том любовном слиянии она взяла над ним верх.

Этот угловатый, противопоставивший себя всему миру человек рыдал у нее на груди, и она поняла тогда, при быстро гаснущем солнечном свете, что он никогда за свои тридцать пять лет не ведал настоящей, нежной ласки. Вынести это оказалось выше его сил. Он слишком поздно познал любовь и запрезирал себя за слабость. Но, памятуя о том дне, она многое, хотя и не все, прощала ему; она заботилась о нем так, как никогда не заботилась о первом своем муже.

Пока не родился его первый ребенок, все шло хорошо. Потом естественная любовь к Джино стала разъедать его, как рак, убивая любовь к жене, пасынкам и падчерице. С ними он сделался злым.

Зато за первый год супружества, в любовной доверчивости, он рассказал ей все о своем итальянском детстве. Его отец был бедным арендатором. Франке часто голодал, еще чаще мерз, но главное, чего он никак не мог забыть, — это как родители заставляли его обуваться в обноски, которые были ему малы и уродовали ему ноги, грозя переломать кости, смешать их в кучу. Он показывал ей свои ноги, словно говоря: «Я от тебя ничего не скрываю; зачем тебе было выходить замуж за мужчину с такими ногами?» Она только смеялась в ответ. Но она забыла про смех, когда узнала, что он всегда покупает себе двадцатидолларовые туфли из замечательной коричневой кожи: так мог поступать только сумасшедший!

Его родители были редкостными в Италии людьми — крестьянами-пьянчугами. Они заставляли его ишачить на ферме и кормить их. Когда же он влюбился в деревенскую девушку, они запретили ему вступать с ней в брак. Тогда он сбежал и неделю жил в лесу. Когда его нашли, он превратился почти что в животное. Он был совсем не в себе, и его поместили в психиатрическую лечебницу. Выйдя оттуда через несколько месяцев, он отказался возвращаться домой. Он эмигрировал в Америку и тут, попав в самый густонаселенный город мира, жил в полнейшем одиночестве.

Теперь он следил за собой и больше никогда не болел. В одинокой жизни, заполненной тяжким трудом, он обрел покой. Пока он не попадал в душевную зависимость от другого человека, ему ничего не угрожало, как пребывающему в неподвижности предмету не страшны опасности, сопряженные с движением. Однако любовь, вернувшая его к жизни, снова заставила его взглянуть в лицо опасности, и, быть может, именно в тот день он осознал каким-то шестым, животным чувством, что проявил непростительную, роковую слабость.

Теперь, спустя двенадцать лет, прожитых вместе, муж был с ней так же скрытен, как всю жизнь со всеми остальными людьми.

Кто-то подошел к двери. Кто-то возится в кухне. Потом шаги в коридоре, на лестнице — и снова все стихло. По какой-то загадочной, ведомой ему одному причине муж снова вышел на улицу.

Ночь. Ночь... Ей хочется, чтобы муж лежал рядом с ней в постели. Ей хочется, чтобы старший сын был сейчас дома. Ей хочется, чтобы все спали в мирной квартире, как в замке, вознесенном над землей на высоту четвертого этажа, надежно защищенные от мира камнем, бетоном, сталью. Ей хочется, чтобы все спали, спали в темноте, вдали от опасностей, чтобы она могла не нести больше караул и тоже погрузиться в забытье.

Она вздохнула. Ей не дано отдохнуть. Завтра ей предстоит ссориться с Фрэнком из-за работы привратника, скандалить с Ле Чинглата, зашивать одежду детям, топить мыло для стирки. Она прислушалась к дыханию детей, спящих вокруг, — Лены на кровати рядышком, троих мальчиков в соседней комнате, Октавии, оставившей открытой дверь в свою спальню из-за духоты. Она присоединила свой вздох к еле слышной какофонии сна и тоже забылась.

Октавия вытянулась на своей узенькой кроватке. Вместо ночной рубашки на ней была надета синтетическая комбинация. Комната была слишком мала, чтобы в ней поместилась какая-нибудь мебель, кроме стола и стула, зато имелась дверь, которую она могла при желании захлопнуть.

Ей было слишком жарко, она была слишком молода, чтобы просто взять и заснуть. Поэтому она мечтала — мечтала о своем родном отце.

О, как она его любила, как обозлилась на него, что он посмел погибнуть, не оставив ей никого, кого она могла бы любить! Под конец дня она всегда встречала его у крыльца, всегда целовала его в грязную щеку, заросшую такой твердой черной щетиной, что она ранила себе губы. Она тащила наверх его пустую корзинку для еды и иногда выклянчивала у него страшный клыкастый крюк портового грузчика.

Потом, уже дома, она ставила перед ним тарелку для ужина, аккуратно клала рядом с тарелкой самую прямую вилку, самый наточенный нож, подставляла ему самую начищенную рюмку для вина, сверкающую, как алмаз. Она так суетилась, что уставшей за день Лючии Санте приходилось шлепком отгонять ее от стола, чтобы она не мешала подавать еду. Ларри, сидевший на своем высоком детском стульчике, никогда не вмешивался в этот ритуал.

Даже сейчас, по прошествии стольких лет, дожидаясь прихода сна, она едва не зарыдала. Почему он не поостерегся? Она была готова упрекнуть его в тягчайшем грехе, уподобившись матери, которая частенько повторяла: «Он не заботился о семье. Он не заботился о деньгах. Он не позаботился и о собственной жизни. Он был беззаботен во всем».

После смерти отца в их доме поселился этот тощий голубоглазый чужак с перекошенным лицом. Второй муж матери, отчим... Даже ребенком она никогда не любила его, недоверчиво принимала от него подарки, цепко держа Ларри за руку и прячась за спину матери, пока отчим, никогда не терявший терпения, не добирался до нее. Как-то раз он хотел ее приласкать, но она вся сжалась и увернулась от его руки, как зверек. Его любимым ребенком был Ларри — пока не начали появляться его собственные дети. По той же причине, что и ее, он никогда не любил Винсента — негодяй, ненавистный, ненавистный...

Однако даже сейчас она не могла винить мать за то, что она второй раз вышла замуж, не могла ненавидеть ее за причиненное ею всем им горе. Она знала, почему мать вышла за этого злого человека. Она-то знала...

То был один из самых ужасных моментов в жизни Лючии Санты; в горестях, преследовавших ее после смерти мужа, были повинны друзья, родственники, соседи. Все они в один голос убеждали Лючию Санту доверить заботу о только что родившемся малютке, Винсенте, богатой кузине Филомене, жившей в Нью-Джерси. Хотя бы ненадолго, пока мать не окрепнет. «Ты облагодетельствуешь эту бездетную пару. Ей, Филомене, можно доверять, она ведь твоя двоюродная сестра из Италии. Ребенку будет у нее хорошо. А потом богатый муженек Филомены наверняка согласится быть ребенку крестным отцом и обеспечить ему будущее». Как они щебетали, как жалели ее, какие нежности расточали: «Мы так тревожимся за тебя, Лючия Санта! Ты так исхудала! Ты еще не оправилась после родов. Ты все еще оплакиваешь любимого мужа, ты никак не можешь разделаться с адвокатами. Тебе необходим отдых. Займись-ка собой — для блага детей. Что будет с ними, если ты не выдержишь и умрешь?» К тому же они не скупились на угрозы: «Смотри, твои дети погибнут или попадут в приют. Их даже не смогут отправить назад к дедам и бабкам, в Италию. Побереги свою жизнь, единственную защиту для детей». И так снова и снова. Кроме того, ребенок вернется к ней уже через несколько месяцев — нет, уже через месяц, через несколько недель. Тут разве угадаешь? Филомена станет приезжать за ней по воскресеньям — ведь ее муженек разъезжает на «Форде»! Они отвезут ее в свой расчудесный домик в Джерси посмотреть на малютку Винченцо. Она будет у них почетной гостьей. Остальные двое детей смогут отдохнуть за городом, на свежем воздухе. Ла-ла-ла!

Вот как было дело. Как она могла переспорить их всех, собственных детей, саму себя? Даже тетушка Лоуке кивала в знак согласия своей дряхлой головой.

Одна лишь маленькая Октавия рыдала, повторяя как заведенная: «Они не вернут его нам». Все потешались над ней из-за ее страхов. Мать улыбалась, гладила Октавию по коротко остриженной черноволосой головке и уже сама стыдилась своей нерешительности.

«Только на время, пока я не оправлюсь, — пообещала она дочери. — Потом Винченцо вернется домой».

Совсем скоро мать уже недоумевала, как она

умудрилась отдать ребенка. Конечно, отчаяние, охватившее ее при вести о смерти мужа, и грубость, с которой акушерка извлекала на свет Винченцо, совсем лишили ее сил. Однако мысленно она так и не смогла себя простить. Она так стыдилась своего поступка, так презирала саму себя, что потом, всякий раз, когда ей предстояло принять нелегкое решение, она вспоминала те дни, чтобы удостовериться, что больше не проявит малодушия.

Итак, крошка Винсент пропал. Чужая Филомена явилась за ним днем, когда Октавия была в школе; когда же та прибежала домой, колыбель его была пуста.

Она обливалась слезами, она голосила изо всех сил, и Лючии Санте пришлось отвесить ей пару сокрушительных пощечин — сначала левой рукой, потом правой, так, что у нее зазвенело в ушах, — приговаривая: «Вот теперь тебе есть из-за чего плакать». Да мать рада избавиться от ребенка! Октавия ненавидела ее. Какая же она бездушная, прямо как мачеха!

А потом наступил страшный и одновременно прекрасный день, когда она снова полюбила мать, снова стала ей доверять. Частично она, несмотря на малолетство, сама была свидетельницей происходящему, частично узнала из бесчисленных пересказов — во всяком случае, теперь ей казалось, что она наблюдала происходящее от начала до конца. Еще бы не рассказывать о таком! Это сделалось семейной легендой, об этом взапуски болтали вечерами и обязательно вспоминали за рождественским столом, грызя грецкие орехи и запивая их вином.

Волнения начались уже спустя неделю. Наступило первое воскресенье, а Филомена не появилась, а значит, не появился и автомобиль, на котором Лючия Санта могла бы отправиться в гости к сынишке. Филомена ограничилась телефонным звонком бакалейщику: уж на следующей неделе она непременно приедет, а пока, в знак благонамеренности, сожаления из-за неудачного стечения обстоятельств и примирения она переводит ей пять долларов.

В то мрачное воскресенье Лючия Санта не видела белого света. Что посоветуют соседки этажом ниже? Те стали подбадривать ее, призывать не воображать разных глупостей. Однако она с каждым часом становилась все угрюмее.

Ранним утром в понедельник она молвила Октавии:

— Беги! Быстро на Тридцать первую стрит, за тетушкой Лоуке.

— Я опоздаю в школу!.. — заикнулась было Октавия.

— Сегодня ты не пойдешь в свою расчудесную школу, — был ответ. Девочка расслышала в нем неприкрытую угрозу и пулей вылетела из дому.

Явилась тетушка Лоуке — платок на голове, синий вязаный жакет до колен. Угостив ее церемониальным кофе, Лючия Санта заявила:

— Тетушка Лоуке, я собираюсь к малышу. Пригляди за девчонкой и за Лоренцо, сделай такое одолжение. — Она помолчала. — Филомена вчера не приехала. Как ты считаешь, мне надо туда съездить?

Многие годы после этого Лючия Санта утверждала, что, вздумай тетушка Лоуке отговорить ее, она бы в тот день никуда не поехала; теперь она на всю жизнь в долгу перед старухой за честный ответ. Тетушка Лоуке, качая дряхлой головой, как ведьма, охваченная нечаянным раскаянием, произнесла:

— Я дала вам дурной совет, синьора. Люди болтают теперь много такого, что мне вовсе не нравится.

Лючия Санта умоляла ее продолжать, но тетушка Лоуке не согласилась, сославшись на то, что слышит одни сплетни, которые не дело пересказывать взволнованной мамаше. Впрочем, кое-что наводит на размышления: обещание прислать пять долларов. Беднякам не следует доверять подобной благотворительности; лучше съездить самой, поглядеть и всех успокоить.

Серым зимним утром мать отправилась к парому «Вихоукен» на Сорок второй стрит и впервые с тех пор, как приплыла из Италии, пересекла водную гладь. В Джерси, подойдя к автобусу, она ткнула водителю в нос клочок бумаги с адресом; потом она тащилась пешком много кварталов, пока какая-то добрая женщина не взяла ее за руку и не привела к самому дому Филомены.

До чего хорош домик — но в нем обитает дьявол! У домика была заостренная крыша — в Италии она не видела ничего подобного; можно было подумать, что это игрушка, а не жилище взрослых людей. Домик был беленький, чистенький, с белыми ставенками и козырьком над крылечком. Лючией Сантой овладела робость. Столь зажиточные люди наверняка не станут водить за нос такую бедную женщину, как она. Мало ли по какой причине им не удалось выполнить обещание и приехать за ней в воскресенье? Помявшись, она заставила себя постучать по столбику крыльца. Потом она шагнула вперед и постучалась в дверь дома. Она стучала и стучала...

Тишина вызывала у нее страх: неужели в доме никого нет? У Лючии Санты подкосились ноги. Потом в доме раздался детский плач, и ей стало стыдно собственных дичайших подозрений. Терпение! Детский плач превратился в испуганный крик. У нее помутилось в голове. Она толкнула дверь, промчалась через коридор, взлетела по лестнице; крики доносились из спальни.

До чего же хорошенькой была эта комната! У Винченцо никогда уже не будет ничего подобного. Вся она была голубой: голубые занавески, голубая люлька, белая игрушечная лошадка на голубом столике. Красота красотой, но сынишка успел обмочиться, и некому было переодеть его, некому унять его испуганный крик.

Лючия Санта схватила его на руки. Стоило ей ощутить в руках этот теплый живой комок, самой намочить руки и платье, увидеть сморщенное розовое личико и черные волосики на головке, как ее обуяла дикая, ни с чем не сравнимая радость. Только смерть разлучит ее с родным дитя! Она огляделась в немой ярости дикого зверя и поняла, что все здесь устроено надолго. Тогда она открыла шкаф и нашла одежду, чтобы переодеть младенца. Пока она возилась с ним, в комнату ворвалась Филомена.

Вот это была драма так драма! Лючия Санта не преминула обвинить родственницу в бессердечии. Как она могла оставить ребенка одного?! Филомена гневно протестовала: она отлучилась всего на минутку, чтобы помочь мужу открыть лавку. Ее не было всего-то пятнадцать минут — какое там, всего десять! Что за злосчастное совпадение! Разве самой Лючии Санте не приходится то и дело оставлять ребенка одного? Бедняки не могут уделять детям должного внимания, даже если им этого очень хочется

(Лючия Санта фыркнула, услыхав, что Филомена причисляет к беднякам и себя); им приходится позволять детям плакать вволю.

Однако для матери не существовало логики, она была ослеплена безысходной злобой, она не могла выразить переполняющих ее чувств. Ребенок надрывался один-одинешенек в доме, и его собственная плоть и кровь поспешила ему на выручку. Что бы он вообразил, если бы после стольких слез над ним склонилось чужое лицо? Но все эти блестящие доводы лишь пронеслись у нее в голове, вслух же Лючия Санта произнесла:

— Нет, тут всякий бы сказал, что раз это не ваша кровиночка, вы преспокойно оставляете его одного. Идите в лавку помогать мужу. Я забираю ребенка домой.

Филомена разбушевалась. Сразу вылезла наружу ее сварливость. Она закричала:

— Как же наш договор? Как я появлюсь на глаза подругам, раз мне нельзя доверить вашего ребенка? А все, что я накупила, — выходит, это выброшенные деньги? — Потупив взор, она добавила: — Мы обе знали, что речь идет о большем.

— О чем? О чем? — таращила глаза Лючия Санта.

Вот когда все выплыло наружу! За кажущейся добротой крылся недобрый замысел. Соседушки во весь голос уверяли Филомену, что со временем безутешная вдова, вынужденная собственным трудом добывать пропитание для своих детей, перестанет предъявлять претензии на сына и позволит Филомене усыновить его. Они изворачивались, не называли вещи своими именами, но давали ей понять, что сама Лючия Санта уповает именно на такую счастливую развязку. Открытым текстом такое, ясное дело, не скажешь — нельзя же не принимать во внимание ранимость чувств. Однако ответом Лючии Санты был всего лишь оглушительный хохот.

Тогда Филомена запела по-другому. Взгляните на новую одежду, на эту замечательную комнату! Ему предстоит остаться единственным ребенком в семье. У него будет все: счастливое детство, университет, карьера адвоката или врача, а то и профессорское звание. Лючия Санта не может и мечтать о таком будущем для сына. Кто она такая, если начистоту? У нее нет ни гроша. Она обречена до конца жизни колупаться в грязи...

Лючия Санта слушала ее, обратившись в камень, ужасаясь каждому слову. Когда же Филомена сказала: «Вы же понимаете, я стала бы каждую неделю переводить вам деньги», мать отшатнулась и, прицелившись, как ядовитая змея, плюнула в лицо Филомене, хотя та была старше ее возрастом. Потом она, сжимая ребенка в руках, бросилась прочь из этого дома. Филомена преследовала ее, осыпая проклятиями.

Так выглядело в рассказах завершение истории, неизменно сопровождавшееся смехом. Однако Октавия отлично помнила и то, о чем никогда не рассказывалось: возвращение матери домой с маленьким Винсентом на руках.

Она вошла, дрожа от холода: спящий младенец был закутан в ее пальто. Ее обыкновенно бледное лицо было багровым от злости и отчаяния. Тетушка Лоуке сказала:

— Входи. Кофе готов. Садись. Октавия, подай чашки.

Малыш Винсент разревелся. Лючия Санта попыталась его успокоить, но он только все больше расходился. Мать, снедаемая угрызениями совести, сделала отчаянное движение, словно собираясь выбросить дитя, после чего сунула его тетушке Лоуке. Старуха стала ворковать с малышом своим надтреснутым голосом.

Мать присела к кухонному столу, упала лицом на ладони. Когда вошла Октавия с чашками, она произнесла, не поднимая головы:

— Вот девочка, знающая правду. Давай вместе посмеемся.

Она стала гладить дочь по голове сведенными от ненависти пальцами, делая ей больно.

— Слушай, так будут кричать в будущем и твои дети. Мы — звери. Звери!

— А-а-а... — напевала тем временем тетушка Лоуке. — Кофе, горячий кофе... Успокойся же!

Но ребенок надрывался по-прежнему.

Мать сидела неподвижно. Октавия видела, что страшная злость на весь свет, на судьбу лишила ее мать дара речи. Лючия Санта чернела от горя и, стараясь сдержать слезы, изо всех сил терла глаза.

Тетушка Лоуке, боясь обращаться к матери, принялась журить дитя:

— Ну, плачь, плачь! Вот прелесть! Тебе так легче, да? Что ж, ты имеешь на это право. Прекрасно, прекрасно! Громче!

Но тут ребенок утих и разулыбался, глядя на беззубую, сморщенную физиономию, словно явившуюся к нему из незапамятных времен, из Зазеркалья.

— Так быстро кончились слезки? — вскричала старуха в притворном гневе. — Нет уж, давай реви! —

Она слегка тряхнула малыша, но Винсент по-прежнему улыбался, словно передразнивая ее, выставив напоказ такие же беззубые десны.

И тогда старуха впервые произнесла нараспев, голосом, полным печали:

— Miserabile, miserabile. Твой отец умер еще до того, как ты родился.

Эти слова окончательно лишили мать самообладания. Она впилась ногтями себе в лицо, и кухню огласил пронзительный крик; щеки ее украсили две кровоточащие царапины.

— Приди в себя, Лючия, выпей кофе, — закудахтала старуха.

Ответа не прозвучало. Прошло много времени, прежде чем мать снова подняла почерневшее лицо. Воздев руки в черных рукавах к потолку, она произнесла проникновенным тоном, в котором сквозила неуемная ненависть:

— Я проклинаю господа!

Наблюдая за матерью, исполненной сатанинской гордости, Октавия испытывала к ней небывалую любовь. Но и теперь, спустя много лет, ей делалось стыдно, стоило ей вспомнить сцену, последовавшую дальше. Лючия Санта забыла о всяком достоинстве и сыпала грязными ругательствами.

— Тсс! Тсс! — шипела тетушка Лоуке. — Опомнись, ведь тебя слушает твоя малолетняя дочь.

Но мать уже выскочила вон из дверей и помчалась вниз по лестнице, изрыгая оскорбления в адрес добрых соседушек, которые тотчас щелкали замками, стоило ей ударить кулаком в очередную дверь.

— Дьявольские отродья! — голосила она по-итальянски. — Шлюхи! Детоубийцы!

Она носилась вверх-вниз по лестнице, и из ее рта вылетали такие непристойности, что она сама удивилась бы, что они приходят ей на ум: она призывала своих невидимых слушательниц сожрать кишки их родителей, обвиняла их в животных побуждениях и поступках. Она была точно в бреду. Тетушка Лоуке сунула Винсента Октавии и побежала вниз по лестнице. Схватив Лючию Санту за длинные волосы, она затащила ее обратно в квартиру. Хотя та была несравненно моложе и гораздо сильнее, она страдальчески заломила руки и беспомощно рухнула на стул.

Совсем скоро она напилась кофе; совсем скоро она успокоилась, опомнилась. Ее ждало слишком много трудов. Она гладила Октавию по голове, приговаривая:

— Откуда же тебе, ребенку, было понять такое зло?

И все же, когда Октавия попросила ее не выходить второй раз замуж, напомнив, что она один раз уже знала истину, предупреждая, что Филомена попытается лишить их Винни, мать встретила ее слова смехом. Отсмеявшись, она сказала:

— Не бойся. Я твоя мать. Никому не позволено причинять зло моим детям. Пока я жива, вам ничего не угрожает.

Мать крепко держала в руках весы власти и справедливости; ничто не могло разрушить эту семью. Чувствуя себя в полной безопасности, Октавия наконец уснула. Последнее, что пронеслось перед ее мысленным взором, — мать, вернувшаяся от Филомены с Винсентом на руках, пылающая гневом, торжествующая, но проклинающая саму себя за то, что посмела выпустить его из рук.

Семнадцатилетний Ларри Ангелуцци (одна лишь мать называла его Лоренцо) считал себя взрослым мужчиной. У него были для этого все основания: он был широкоплеч, роста был скорее среднего, чем маленького, имел сильные загорелые руки.

Уже в тринадцать лет он бросил школу, чтобы развозить на запряженной лошадью телеге жидкое моющее средство от фирмы «Вест-Сайд Уэт Уош». Ему полностью доверяли и сбор денег, и уход за лошадью, и разбирательства с клиентами. Он таскал тяжелые бадьи на верхние этажи и никогда не задыхался. Все думали, что ему, по крайней мере, лет шестнадцать. Замужние женщины, чьи мужья с утра пораньше торопились на работу, тоже были им довольны.

Один раз, доставив заказ, он утратил невинность — радостно, с охотой, с неизменным дружелюбием, отнесясь к этому как к обыкновенному делу, просто как к детали своей работы, наравне со смазкой колес телеги маслом; это стало для него наполовину удовольствием, наполовину обязанностью, ибо женщины чаще были не слишком молоды.

Работа живым дорожным указателем, когда он скакал на лошади по городским улицам впереди поезда, казалась ему героической; кроме того, ему платили за это хорошие деньги, хотя дело было простенькое; впереди маячила должность тормозного кондуктора или даже стрелочника — отличные места, на них можно проработать всю жизнь. Впрочем, Ларри был честолюбив; ему уже хотелось сделаться боссом.

Он приобрел очарование взрослого, прирожденного покорителя дамских сердец. Улыбаясь, он обнажал жемчужно-белые зубы. У него были крупные, но правильные черты лица, совершенно черная шевелюра, густые черные брови и длинные ресницы. Ему было присуще естественное дружелюбие — казалось, он и представить себе не может, что кто-то способен отнестись к нему плохо.

Он оставался хорошим сыном и неизменно отдавал матери зарплату. Вернее, кое-что он все же оставлял для себя, кое-что припрятывал. Но ведь ему уже семнадцать лет, и он живет в Америке, а не в Италии...

В нем не было тщеславия, но ему нравилось гарцевать по Десятой авеню верхом на черной лошади, прокладывая путь медленно громыхающему позади поезду и размахивая фонарем, чтобы предупредить мир о надвигающейся опасности. Он неизменно веселился, проезжая под пешеходным мостом из дерева и стали, нависшим над авеню там, где ее пересекает Тридцатая стрит, и оказываясь в родных местах, в родной деревне; здесь он поднимал лошадь на дыбы, чтобы порадовать детвору, дожидавшуюся его и паровоза, не скупящегося на белые облака пара. Иногда он останавливал лошадь у тротуара, и вокруг него тотчас начинала толпиться молодежь, клянча разрешения прокатиться, — особенно девушки. Братец Джино всегда наблюдал за этой сценой, подобно знатоку живописи, любующемуся картиной: он никогда не подходил слишком близко, а держался в сторонке, выставив одну ногу слегка вперед, откинув голову слегка назад, с блещущим в глазах восхищением. Он до того боготворил своего старшего брата-всадника, что лишался в такие моменты дара речи.

Несмотря на трудолюбие и редкое для столь юных лет чувство ответственности, у Ларри был один недостаток: он не мог пропустить ни одной девушки. Они сами шли ему в руки. Любительницы поскандалить приводили своих дочек к Лючии Санте и устраивали безобразные сцены, крича, что он ходит с ними до ночи и обещает жениться. Ла-ла-ла... Он славился своими успехами, он был местным Ромео, однако все пожилые дамы квартала питали к нему благосклонность. Ведь он знает, что такое настоящее уважение. Он выглядит, как юноша, получивший воспитание в самой Италии. У него прекрасные манеры, вполне естественные, как и его дружелюбие; он всегда готов оказать помощь, так необходимую беднякам с их вечными невзгодами; он пригоняет грузовик, чтобы помочь семейству переехать на новую квартиру, он навещает — пусть посещение и длится совсем недолго — старую тетушку, угодившую в больницу «Белльвю». Самое главное, он с непритворным увлечением участвует во всех событиях местной жизни — свадьбах, похоронах, крестинах, бодрствовании у постели умирающего, причастиях, конфирмациях; а ведь большинство молодых американцев презрительно относятся к священным правилам их племени. Старухи с Десятой авеню не могли им нахвалиться; они твердили, что он всегда знает, что делать, неизменно чувствует, что по-настоящему важно. Ему даже доверили честь, какой никогда прежде не доверяли такому молодому итальянцу: попросили быть крестным отцом сыну папаши и мамаши Гаргиос, дальней родни. Правда, этому решительно воспротивилась Лючия Санта: он слишком молод для подобной ответственности; небывалая честь окончательно вскружит ему голову.

Ларри слышал, как Джино крикнул: «Город сгорел!», видел, как он несется по улице, как люди тянутся с тротуара по домам. Он затрусил в сторону Тридцать пятой стрит и вскоре перешел на галоп, наслаждаясь свистом ветра в ушах и стуком лошадиных копыт по булыжнику. Конюх подремывал; Ларри сам поставил лошадь в стойло; теперь он свободен.

Он направился прямиком к дому Ле Чинглата, находившемуся всего в одном квартале, на Тридцать шестой. Синьора Ле Чинглата подавала страждущим анисовую водку и вино у себя на кухне, взимая плату за каждый опорожненный стакан и отпуская в кредит завсегдатаям. У нее никогда не собиралось больше пяти-шести клиентов одновременно; это были по большей части итальянцы-чернорабочие, холостяки или мужчины, чьи жены так и не приехали из Италии.

Мистер Ле Чинглата отсиживал очередной тридцатипятидневный срок — неизбежное зло при его рискованном занятии. «Ах, эта полиция, — неизменно произносила по такому случаю синьора Ле Чинглата. — Они прибивают моего мужа к кресту». Она славилась набожностью.

Когда Ларри вошел в квартиру, там сидели всего трое мужчин. Один из них, смуглый сицилиец, ободренный отсутствием мужа хозяйки, отдыхающего в тюрьме, приставал к ней, дергал за юбку, когда она шмыгала мимо, и распевал неприличные итальянские песенки. Его поведение было всего лишь незамысловатым распутством, а злонамеренность — злонамеренностью мужлана, смахивающей на ребячество. Ларри присел за столик к мужчинам. Ему нравилось разговаривать по-итальянски с солидными мужчинами. Синьора приветливо улыбнулась ему, он ответил ей лучезарной улыбкой, и его уверенность в том, что он — ровня присутствующим, показалась сицилийцу оскорбительной.

Приподняв густые брови в насмешливом изумлении, он крикнул по-итальянски:

— Синьора Ле Чинглата, неужели вы обслуживаете детей? Неужели мне придется пить вино в компании сосунка?

Женщина поставила перед Ларри стакан с вишневой содовой, и сицилиец обвел присутствующих озорным взглядом, в котором читалась мука.

— Ах, изивините, — почтительно проговорил он на ломаном английском. — Она ваша сын? Ваша племянник? Она охараняет вас, пока ваша муж немного скрывается? О, изивините моего! — И он так оглушительно расхохотался, что даже закашлялся.

Синьора — пышная, пленительная, непреклонная — не усмотрела в его словах ничего забавного.

— Хватит! — прикрикнула она. — Прекрати или ищи другое место, где выпивать. Лучше помолись, чтобы я не рассказала мужу о твоем непочтительном поведении.

— Это ты поблагодари бога, чтобы никто не сказал твоему мужу о твоем поведении, — отозвался сицилиец с неожиданной серьезностью. — Почему бы тебе не отвергнуть ребенка и не попробовать настоящего мужчину? — Сказав это, он стукнул себя в грудь обоими кулаками, как оперный певец.

Синьора Ле Чинглата, не ведающая стыда, но потерявшая терпение, внятно произнесла:

— Лоренцо, спусти его с лестницы.

Это была неслыханная фраза, и понимать ее можно было только в том смысле, что скандалиста надо уговорить убраться подобру-поздорову. Ларри завел было примирительный разговор, дружелюбно скалясь. Однако сицилиец, не вынесший оскорбления, нанесенного его чести, вскочил и проревел на своем ломаном английском:

— Ах ты, плюгавая американишка, дерьмо от собаки! Это *твоя* спустит *меня* с лестницы? Да я тебя съем живьем!

Широкое лицо сицилийца, украшенное бородой, было изборождено морщинами, свидетельствующими о возрасте, и не вызывало ничего, кроме почтения. Ларри испытал детский ужас, словно ударить противника значило то же самое, что поднять руку на собственного отца. Но сицилиец шагнул к нему, и Ларри нанес ему короткий удар в лицо. Сицилиец рухнул на кухонный пол. Страх тотчас оставил Ларри, и теперь он чувствовал всего лишь жалость и вину, что так унизил этого человека.

Сицилиец не собирался давать волю кулакам, он был совершенно безобиден. Он просто хотел помять его, молокососа, преподать ему урок; он напоминал медведя, лишенного и намека на кровожадность. Ларри поднял его, усадил на стул, подсунул стаканчик анисовой водки, бормоча слова примирения. Однако побежденный выбил стакан у него из рук и вышел вон.

Дальше все шло как по писаному. Посетители приходили и уходили. Некоторые играли в бриск старой колодой карт, любезно предоставляемой заведением.

Ларри сидел в уголке, подавленный происшествием. Однако мало-помалу он стал чувствовать себя иначе. Он сделался горд собой. Люди станут думать о нем с уважением, как о человеке, с которым надо быть настороже, но вовсе не злом или подлом. Он сравнивал себя с героем ковбойских фильмов, с каким-нибудь Кеном Мейнардом, который никогда не бил поверженного врага. Он блаженно обмяк, но тут синьора Ле Чинглата заворковала с ним по-итальянски своим волнующим, флиртующим голоском, кровь снова забурлила в жилах, и он очнулся. Вот он, долгожданный момент!

Синьора Ле Чинглата извинилась, сообщив, что сходит за вином и анисовкой. Она вышла из кухни и устремилась через вереницу комнат к самой дальней спальне, которая запиралась на ключ. Ларри поспешил за ней, бормоча, что поможет ей донести бутылки, словно иначе она рассердится на него за юношескую самонадеянность. Она же, услышав, как щелкнул за спиной замок, всего лишь наклонилась, чтобы дотянуться до огромного багрового сосуда, одного из многих, выстроившихся вдоль стены. Воспользовавшись прекрасной возможностью, Ларри обеими руками задрал ей подол вместе с нижними юбками. Она повернулась к нему, не стыдясь просторных розовых трусов и голого живота, и с притворным порицанием хмыкнула:

— Eh, giovanotto![1]

Огромные пуговицы на ее платье выскользнули из петель, и она опрокинулась навзничь на кровать, подставляя ему свои роскошные груди с большими сосками и избавляясь от ненужных трусов. Ларри заработал изо всех сил. Вскоре он в изнеможении откинулся на кровать и зажег сигарету. Синьора, тщательно застегнувшись и вновь обретя респектабельность, взяла в одну руку кувшин, в другую — стройную бу-

---

[1] Но-но, парень! (*ит.*)

тылку с прозрачной анисовкой, и они вдвоем вернулись к клиентам.

В кухне синьора Ле Чинглата принялась разливать вино, хватая стаканы теми же руками, которыми она только что ласкала его. Она принесла Ларри еще один стаканчик его напитка, но он, чураясь ее нечистоплотности — надо же, даже не помылась! — оставил стакан нетронутым.

Ларри собрался уходить. Синьора Ле Чинглата проводила его до двери и там прошептала:

— Останься на ночь!

Он одарил ее своей широкой улыбкой и шепотом ответил:

— Мать потребует объяснений.

Он играл роль послушного сына, не распоряжающегося собой, когда это помогало ему сбежать.

Домой он не пошел. Зайдя за угол, он побрел к конюшне. Здесь матрасом ему служила солома, одеялом — попона, подушкой — седло. Беспокойное шараханье лошадей в стойлах действовало на него успокаивающе; лошади не могли помешать его мечтам.

Лежа на соломе, он которую уже ночь, подобно всякому юноше, старался разглядеть свое будущее. Он чувствовал свою силу. Он знал себя и не сомневался, что предназначен для успеха и славы. В его кругу не было ровесника сильнее или красивее его, никто не пользовался таким безоговорочным успехом у девушек. Любая, даже взрослая женщина становилась его рабыней. А сегодня он побил взрослого мужчину! Ему было всего семнадцать лет, и мир представал его юношескому уму неподвижным. Он не станет слабее, а мир — неприступнее.

Он будет могучим! Он обогатит свою семью. В мечтах ему виделись богатые американские девушки, владелицы автомобилей и просторных домов: любая сочтет за счастье выйти за него замуж, любая полюбит его семью. Прямо завтра, еще до работы, он поедет в Сентрал-Парк и станет гарцевать вдоль дорожек для верховой езды, облюбованных богатенькими...

Он уже видел себя выступающим по Десятой авеню рука об руку с богатой девушкой. Все просто замрут в восхищении! Девушка будет обожать его семью. В нем не было ни капли снобизма: ему и в голову не приходило, что на них — на родню, мать с сестрой, братьев — кто-то вздумает смотреть сверху вниз. Он считал их всех замечательными людьми, ибо все они были частицами его самого. Засыпая в пахучей конюшне, подобно ковбою, смореному сном в каменистой прерии, Ларри Ангелуцци, невинная душа, только что одержавший победу над мужчиной и над женщиной, не сомневался в своем счастливом предназначении. Сон его был мирным.

Во всей семье Ангелуцци-Корбо только Винсенту, Джино и Салу, спавшим в одной кровати, снились сны, имеющие отношение к реальности.

ГЛАВА 3

Когда Октавия проснулась на следующее утро, недавно вставшее августовское солнце уже успело лишить воздух ночной свежести. Она умылась у кухонной раковины и, проходя через комнаты, не увидела в постели отчима. Впрочем, он всегда ограничивался недолгими часами сна и имел обыкновение подниматься ни свет ни заря. Пустой оказалась и следующая спальня, что подтвердило ее догадки: Ларри не ночевал дома. Сал и Джино раскрылись во сне; сквозь тонкое белье проглядывали признаки их будущей мужественности. Октавия укрыла их простыней.

Торопливо одеваясь, она почувствовала знакомое отчаяние и безнадежность. Она задыхалась в разогретом летнем воздухе от сладковатого запаха распаренных спящих тел. Утренний свет был безжалостен к бедной, обшарпанной мебели, вылинявшим обоям, линолеуму на полу, испещренному черными заплатами, скрывающими дыры.

В такие моменты она чувствовала, что обречена: ее охватывал страх, что совсем скоро, в такое же теплое летнее утро она проснется такой же старой, как ее мать, в такой же постели, в такой же конуре, что и ее детям суждено жить в грязи, что и ей, как матери, суждено проводить дни в стирке, готовке, бесконечном мытье посуды... О, как она страдала! Как же не страдать, если жизнь лишена изящества, если люди то и дело утыкаются друг в друга. А все из-за нескольких таинственных моментов в супружеской постели!.. Она сердито тряхнула головой, стараясь избавиться от страха перед собственной беззащитностью, перед участью оказаться в один несчастливый день в такой же постели.

Причесав кудрявые черные волосы и надев дешевое бело-голубое платьице, Октавия спустилась с крыльца и ступила на выложенный синей плиткой тротуар Десятой авеню. Путь ее лежал по успевшему нагреться асфальту в пошивочную мастерскую на углу Седьмой авеню и Тридцать шестой стрит; она прошла мимо дома Ле Чинглата — из чистого любопытства, надеясь, что повстречается с братцем.

Вскоре после ее ухода проснулась Лючия Санта.

Едва открыв глаза, она поняла, что муж так и не вернулся домой. Она поспешно встала и заглянула в шкаф. Его двадцатидолларовые башмаки стояли на месте. Вернется...

Она прошла через следующую комнату на кухню. Bravo. Лоренцо не ночевал дома. Лицо Лючии Санты стало угрюмым. Она варила кофе, размышляя над планами на день. Винченцо приступает к работе в пекарне — это хорошо. Джино придется помогать ей с уборкой на лестнице — тоже хорошо. Для его отца это было сущим наказанием, он всегда норовил отлынивать от мытья ступенек. Она вышла в коридор и принесла оттуда молоко в бутылках и толстый, точь-в-точь с ее бедро, итальянский батон. Нарезав его щедрыми ломтями, она намазала один ломоть маслом и стала жевать. Пусть дети выспятся.

Она любила начало дня. Утро еще не утратило свежести, малые дети еще не встали, остальные уже разошлись, а она полна сил, чтобы приняться за свой ежедневный труд.

«Que bella insalata» — «а вот отличный салат!». Слова эти донеслись до слуха детей, когда они протирали глаза. Они разом спрыгнули с кровати, и Джино выглянул в окошко. Внизу он увидел уличного торговца, залезшего с ногами на козлы своей тележки и протягивающего небу и спящим окнам жемчужный салат. «Que belle insalata!» — снова провозгласил он, даже не призывая кого-либо покупать у него товар, а просто приглашая мир полюбоваться такой красотой. Он не упрашивал жильцов становиться покупателями, в его голосе звучала гордость, и он повторял свой клич после каждого шага, который делала его ученая лошадь по булыжнику авеню.

В его тележке красовались ящики с белоснежным репчатым луком, крупным бурым картофелем, кульки с яблоками, букеты зеленого лука, пучки петрушки. В голосе его звенело безнадежное восхищение, это был призыв к влюбленным, лишенный корысти. «Отличный салат!»

За завтраком Лючия Санта поучала детей.

— Слушайте! — говорила она. — Ваш отец на некоторое время ушел. Пока его не будет, вам придется мне помогать. Винченцо начинает работать в panetteria. Значит, ты, Джино, поможешь мне сегодня вымыть лестницу. Будешь таскать ведра с водой, выжимать тряпку и подметать, если не проявишь себя безнадежным дурнем. Ты, Сальваторе, можешь вытирать перила — и Лена тоже. — Она улыбнулась обоим малышам.

Винченцо уныло повесил голову. Однако Джино воззрился на нее с холодным, расчетливым вызовом.

— Я сегодня занят, мам, — заявил он.

Лючия Санта поклонилась сыну.

— Значит, занят. Каждый день. Как и я.

Ей было любопытно, что последует за этим.

Джино решил, что выигрывает. В его тоне звучала неподкупная искренность.

— Ма, я сегодня добываю на железной дороге лед. Я обещал Джои Бианко. Прежде чем продать лед, я принесу тебе льда бесплатно. И тетушке Лоуке, — добавил он с гениальной находчивостью.

Лючия Санта окинула его влюбленным взглядом, вызвавшим ревность у Винни.

— Хорошо, — согласилась она. — Только помни: мой ящик должен быть полон льда прежде всех остальных.

Винченцо отложил свой хлеб, и она взглянула на

него с угрозой. Потом, повернувшись к Джино, она продолжила:

— Но после обеда изволь быть дома и помогать мне, иначе попробуешь tackeril. — Она произнесла это через силу: ему и так недолго осталось играть.

Джино Корбо, подобно всякому десятилетнему генералу, напридумывал замечательных планов, но не обо всех он поведал матери. Выглянув из окна, он увидел, что сортировочная станция битком набита замершими товарными вагонами. Чуть подальше мерцал Гудзон. С точки зрения ребенка, воздух был кристально чист. Он пробежал сквозь комнаты, скатился по лестнице и выскочил под палящее августовское солнце.

Стояла жара, мостовая жгла ему ступни сквозь подошвы. Линялые джинсы и латаная рубашонка сперва запузырились на ветру, а потом прилипли к телу. Он оглянулся в поисках своего приятеля и партнера, Джои Бианко.

Джои было уже двенадцать лет, но ростом он уступал Джино. Он был богаче всех остальных мальчишек на Десятой авеню: на его банковском счету скопилось уже больше двухсот долларов. Зимой он торговал углем, сейчас же, летом, — льдом; и то и другое воровалось из железнодорожных вагонов. Кроме того, он торговал бумажными пакетами на уличном рынке Падди, протянувшемся вдоль Девятой авеню.

Вот и он, тащит за собой огромный деревянный ящик, превращенный в тележку — самую лучшую тележку на Десятой авеню. Джино никогда в жизни не видел ничего чудеснее: у тележки было шесть колес, и в нее можно было напихать льду на целый доллар или посадить троих детей. Маленькие колесики были обтянуты резиновыми шинами; два передних колеса были соединены деревянной осью и поворачивались; под самой тележкой бесшумно вращались еще две пары колес. Поводьями Джои служила не какая-нибудь, а настоящая бельевая веревка.

Ритуал требовал, чтобы перед началом трудового дня они съели по стаканчику мороженого. Его подал им сам Panettiere, так уважавший их за предприимчивость, что наполнил стаканчики с верхом.

Джои Бианко был весьма рад появлению Джино. Сбором и счетом денег ведал сам Джои. Джино же забирался на вагоны. Джои сам был бы рад полазить, но не оставишь же без присмотра драгоценную тележку! Сейчас Джино предложил Джои:

— Залезай, я тебя прокачу.

Джои правил, гордо восседая в ящике, а Джино толкал его через авеню, мимо будки стрелочника и дальше по щебенке между путями. Оказавшись среди вагонов, скрывших их от любопытных взоров, они остановились. Джои приметил открытый люк и вынул из тележки захваты для льда.

— Давай сюда! — скомандовал Джино, подбежал к вагону и вскарабкался по стальной лесенке на крышу, к распахнутому люку.

Стоя в вышине, на крыше вагона, Джино чувствовал себя восхитительно свободным. Вдали, среди прочих окон на фасаде дома, виднелось окошко его собственной спальни. Еще он видел магазины, людей, лошадей, телеги, грузовики. Джино казалось, что он плывет в океане товарных вагонов — бурых, черных, желтых — со странными надписями: «Union Pacific», «Santa Fe», «Pennsylvania». Из пустых вагонов для скота поднимался густой дух. Обернувшись, он увидел скалистый берег штата Нью-Джерси с зелеными пятнами, омываемый голубой речной водой. За стадами из сотен неподвижных товарных вагонов мирно пыхтели круглые черные паровозы, и выдыхаемые ими белые клубы насыщали утренний воздух упоительным запахом горелого.

— Давай, Джино, сбрасывай лед, пока не появился «бык»![1] — поторопил его снизу Джои.

Вооружившись сияющим стальным захватом, Джино стал таскать из люка бруски льда. Вагон был завален льдом доверху, и бруски было нетрудно вытаскивать одним рывком. Дотолкав брусок до края крыши, он спихивал его вниз и смотрел, как он шлепается на щебенку. До него долетали острые серебряные осколки. Джои обхватывал брусок руками и клал его в тележку. Совсем скоро тележка заполнилась. Джино слез на землю и стал толкать тележку сзади; Джои тянул ее спереди.

Джино собирался первым делом навалить льда в мамин ледник, однако стоило им перейти через авеню, как их перехватил Panettiere, купивший содержимое тележки за доллар. Они поспешили назад на станцию. Со следующим грузом они попались на глаза бакалейщику, который тоже предложил доллар плюс газировка и сандвичи.

Опьяненные свалившимся на них богатством, они решили, что матери могут и подождать, семейные ледники — постоять пустыми. Третья тележка предназначалась жителям второго этажа. Тем време-

---

[1] Полицейский (*амер. жарг.*).

нем наступил полдень. Они сделали четвертый заход — и тут угодили в переплет.

Полицейский, сторожививший пути, приметил их еще раньше, когда они забирались все дальше в глубь станции, вскрывая все новые вагоны со льдом, словно им было зазорно черпать из разведанного источника. Они насыщались, подобно хищникам, убивающим сразу нескольких жертв и пожирающим у каждой только лакомые кусочки. Дождавшись их очередного появления на путях, полицейский двинулся им наперерез, отсекая путь бегства на Десятую авеню.

Джои заметил его первым и крикнул Джино:

— Butzo[1], к нам идет Чарли Чаплин!

Джино наблюдал со своего насеста, как кривоногий «бык» хватает Джои за рубашку и отвешивает ему несильную пощечину.

Крепко держа Джои, «бык» крикнул Джино:

— О’кей, парень, спускайся, не то я сам до тебя доберусь и взгрею как следует.

Джино посмотрел на него с серьезным выражением лица, словно и вправду оценивая предложение; на самом деле он обдумывал план бегства. Солнце стояло высоко и горячило ему кровь; мир выглядел по-особенному, в этом мире ему нечего было бояться. Он знал, что недосягаем. Одно плохо: «бык» вышвырнет Джои со станции и сломает его тележку. Тут Джино вспомнил рассказ о птицах, спасающих своих птенцов, и, разглядывая «быка», составил блестящий план. Он знал, как спасти и Джои, и тележку.

Он нарочито медленно свесился с крыши вагона

---

[1] Атас! (*амер. жарг.*)

и, улыбаясь во все свое угловатое, почти взрослое лицо, крикнул:

— Ха-ха-ха! Чарли Чаплин не умеет ловить мух!

Затем он выпрямился и стал спускаться по лесенке на противоположную сторону. Отсчитав половину ступенек, он завис и прислушался.

«Бык» свирепо бросил Джои:

— Останешься здесь!

После этого он нырнул под вагон, чтобы перехватить Джино. Однако он только и увидел, что спину мальчишки: тот взлетел вверх по ступенькам. «Бык» пополз обратно, чтобы не упустить Джои.

Теперь Джино плясал на крыше вагона, распевая:

— Чарли Чаплин не может достать конфетку!

«Бык» придал лицу мрачное выражение и с угрозой в голосе сказал:

— Паренек, я тебя предупредил! Лучше слезай с вагона, не то поймаю и душу вытрясу!

Это как будто привело Джино в чувство. Он снова задумчиво уставился вниз. Потом, показав «быку» нос, он довольно неуклюже побежал по крыше вагона; прыжок — и он уже на следующей крыше. «Бык» следовал за ним по земле, то и дело оборачиваясь и злобно зыркая глазами на Джои, чтобы тот не вздумал улизнуть со своей тележкой. В составе оказалось всего десять-одиннадцать вагонов.

Пробежав несколько вагонов, Джино сделал вид, что снова слезает по лесенке на противоположную сторону. «Бык» опять нырнул под вагон. Правда, при этом он терял из виду Джои, но это его не слишком волновало. Он решил, что паренек, дурачащий его, поплатится за свое озорство здоровенными синяками.

Джино перескакивал с вагона на вагон, заманивая «быка» все дальше в глубь станции, время от времени замирая на очередной крыше, чтобы в задумчивой неподвижности дождаться запыхавшегося преследователя. Наконец он увидел, как Джои припустился с тачкой к авеню, к свободе.

— Лучше слезай, парень, — позвал «бык». — Гляди, отведаешь вот этого. — Он показал ему свою дубинку. Он уже подумывал, не вытащить ли ему и револьвер — просто для подкрепления угрозы, не больше; но нет, если грузчики-итальянцы заметят его за этим занятием, то ему несдобровать. Он снова нырнул под вагон и стал свидетелем того, как Джои преспокойно пересекает авеню со своей тележкой. Это рассердило его уже не на шутку, и он заорал на Джино:

— Эй, ты, грязный щенок, итальяшка, если ты сейчас же не слезешь, я тебе хребет переломлю!

Страшная угроза как будто сработала: «бык» с облегчением увидел, как мальчишка бредет назад по крыше вагона, чтобы остановиться прямо над ним. Но через секунду серьезная смуглая мордашка скорчила рожицу, и «бык», не веря собственным ушам, услыхал злобные слова, свидетельствующие, что щенок считает его равным себе:

— Fuck you[1], Чарли Чаплин!

Мимо головы «быка» просвистел увесистый кусок льда, и мальчишка снова неуклюже побежал по крышам вагонов в глубь станции.

Потерявший всякое терпение, но не сомневающийся в успехе «бык» поднажал, чтобы не отстать; он топал внизу, смешно задрав вверх голову. Маль-

---

[1] Непристойное ругательство.

чишка сам себя загонял в ловушку. Преследователь рассвирепел не из-за ругательства, а из-за обидной клички «Чарли Чаплин». Он был не чужд тщеславия, и колченогость делала его чувствительным к насмешкам.

Неожиданно Джино скрылся из виду. «Бык» тут же нырнул под вагон, чтобы сцапать наглеца, спускающегося по лесенке. Однако он замешкался на рельсах и потерял бесценные доли секунды. Выбравшись на свет, он сперва не увидел своей жертвы. Он залез на ступеньку, чтобы расширить поле обзора.

Его взору предстал Джино, буквально летящий над крышами, едва отталкиваясь от них, и перескакивающий через пролеты без следа недавней неловкости. Мгновение — и он снова исчез из виду.

«Бык» бежал во весь дух, но уже ничего не мог поделать: мальчишка пересек Десятую авеню и, остановившись в тенечке, купил себе заслуженное мороженое, даже не оглядываясь на посрамленного взрослого. Другого парня и вовсе не было видно.

«Бык» поневоле расхохотался. Черт с ним, с этим мальчишкой, раз он такой паршивец. Ничего, он дождется своего часа! Пусть он — Чарли Чаплин, но они у него забудут, как смеяться, они еще поплачут горючими слезами...

Перебежав авеню, Джино и не думал оглядываться. Главное было найти Джои Бианко с деньгами. Он слышал, как голосит из окна четвертого этажа мать:

— Джино, bestia, где же лед? Иди есть!

Джино задрал голову и разглядел мать, а выше нее — голубое небо.

— Через две минуты! — крикнул он в ответ и бросился за угол Тридцатой стрит. Как он и ожидал, Джои сидел тут же, на крылечке, рядом с тележкой, привязанной к чугунному рельсу, огораживающему подвал.

Джои с трудом сдерживал слезы. Но, увидав Джино, он подпрыгнул от радости и возбужденно крикнул:

— Я собирался бежать к твоей матери. Я совсем растерялся.

На Тридцатой было пыльно; улица была залита безжалостным солнцем. Джино залез в тележку и стал управлять передней осью; Джои подталкивал колесницу сзади. На Девятой авеню они купили для героя дня сандвичей с салями и пепси. На Тридцать первой, наоборот, властвовала тень; они уселись на тротуар, привалившись спинами к стене шоколадной фабрики Ранкеля.

Они кусали свои сандвичи с наслаждением и волчьим аппетитом взрослых мужчин, проведших в высшей степени удачный день: за спиной был тяжелый труд, приключения, и хлеб был полит их собственным потом. Джои восхищался другом и все время повторял:

— Ну, ты меня спас, Джино! Здорово ты надул этого «быка»!

Джино скромно опускал голову; он-то знал, что спасительному трюку его научила книжка про птиц, но он, разумеется, не собирался признаваться в этом Джои.

Солнце зашло за облако. Небо быстро затянули темные тучи. Воздух, только что насыщенный пылью, перегретый, наполненный запахом горячей мостовой и расплавленного гудрона, мгновенно посвежел благодаря ливню, сопровождаемому раскатами грома; на какое-то мгновение повеяло свежестью, даже зеленью. Джои с Джино залезли под загрузочный помост. Дождь барабанил над их головами, из щелей в помосте падали дождевые капли, и они радостно подставляли под капли разгоряченные лица.

Здесь было темно, как в подвале, однако света хватало, чтобы сыграть в карты. Джои вытащил из кармана штанов засаленную колоду. Джино терпеть не мог с ним играть, потому что Джои постоянно выигрывал. Они сыграли в «семь с половиной», и Джино проиграл пятьдесят центов из денег, заработанных продажей льда. Дождь лил по-прежнему.

Джои, слегка заикаясь, сказал:

— Джино, забирай свои пятьдесят центов — это тебе за то, что ты спас меня от «быка».

Джино оскорбился: герои не берут денег.

— Брось, — поднажал Джои. — Ты ведь и мою телегу спас. Так что позволь мне отдать тебе пятьдесят центов.

Но Джино и впрямь не хотелось принимать от него деньги: если Джои заплатит ему, то от приключения ничего не останется. Но Джои едва не плакал, и Джино смекнул, что есть причина, по которой ему придется согласиться.

— О'кей, — кивнул Джино и забрал деньги.

Дождь все не прекращался. Они спокойно ждали в полумраке; Джои рассеянно тасовал карты. Из щелей капало. Джино бросил пятидесятицентовик на тротуар.

Джои глядел на монету, не отрываясь. Джино убрал ее в карман.

— Хочешь, снова сыграем в «семь с половиной», с удвоенными ставками? — предложил Джои.

— Не-е, — протянул Джино.

Наконец дождь унялся, выглянуло солнышко, и мальчики выбрались из-под помоста, полуослепшие, как кроты. Умытое солнце скатывалось на запад, к Гудзону. Джои присвистнул:

— Боже мой, уже поздно! Пойду-ка я домой. Ты идешь, Джино?

— Ха-ха! — прыснул Джино. — Вот уж нет!

Он наблюдал, как Джои торопится со своей тележкой к Десятой авеню.

С фабрики Ранкеля выплеснулась на улицу отработавшая смена. От рабочих пахло шоколадом, который они варили весь день; запах был сладкий и привязчивый, словно от цветов, и казался тяжелым в воздухе, ненадолго освеженном дождем. Джино сидел на помосте и, болтая ногами, ждал, пока из ворот не выйдет последний человек.

Он наслаждался всем, что представало его взору: окрашенными заходящим солнцем в темно-малиновый цвет кирпичными стенами жилых домов, видом детей, снова высыпавших на улицу, редкими лошадьми, влекущими по мостовой телеги; за одной из них тянулась дорожка золотистого навоза. К распахнутым окнам подходили женщины; на карнизах появлялись сохнущие после дневного сна подушки. Бледные женские лица, обрамленные черными волосами, нависали над улицей, как готические горгульи, украшающие стены замка. Вскоре взгляд Джино прирос к бурному потоку дождевой воды, несущемуся по сточному желобу. Он подобрал с тротуара плоскую дощечку, вытащил из кармана свой пятидесятицентовик, аккуратно положил его на дощечку и стал наблюдать, как она плывет по желобу. Видя, что его лодочка вот-вот свернет на авеню, он припустился за ней бегом. У самого угла он подобрал дощечку с монетой и вернулся на Девятую.

По дороге, проходя мимо четырехэтажных домов с заколоченными окнами, он увидел стайку юношей с Ларри ростом, которые раскачивались на веревке, свисающей с крыши. Прыгая с карниза второго этажа, они парили над Тридцать первой, подобно Тарзанам, долетая до окна еще одного пустого дома дальше по улице.

Белобрысый парень в красной рубахе описал полукруг, промахнулся мимо окна, оттолкнулся от стены ногами и со свистом проделал обратный путь. Джино на мгновение показалось, что он и впрямь летит. Его раздирала зависть. Однако таращиться на них не имело ни малейшего смысла: они все равно не позволят полетать и ему — он слишком мал. Он побрел дальше.

На углу Девятой авеню и Тридцать первой стрит, оказавшись в продолговатой тени надземной железной дороги, Джино снова опустил дощечку с монетой в ручей и стал наблюдать, как она несется к Тридцатой: дощечка крутилась среди пузырей, взлетала на гребни крохотных волн, грозила опрокинуться, сталкиваясь с обрывками бумаги, фруктовыми очистками, объедками, остатками лошадиного, кошачьего, собачьего помета, иногда цеплялась за дно. Потом дощечка повернула вместе с потоком за угол и устремилась по Тридцатой к Десятой авеню; монета лежала на ней по-прежнему. Джино трусил рядом, иногда поглядывая по сторонам, чтобы не пропустить мальчишек, преследовавших его прошлым вечером. Его кораблик огибал пустые банки, задерживался подле разнообразного мусора, но всякий раз умудрялся миновать ловушку и проплыть под очередной крохотной радугой, встающей над городским ручьем. Еще минута — и Джино успел подхватить свою монетку, а дощечка провалилась между прутьями канализационной решетки под мостом, нависшим над Десятой. Он задумчиво свернул за угол, вышел на авеню и тут же получил удар головой в живот: в него врезался Сал, который взапуски носился по мостовой, пиная банку. Узнав брата, Сал истошно крикнул:

— Тебя ищет мать! Мы уже поели, а тебя она прибьет!

Джино развернулся и опять отправился к Девятой авеню, высматривая радуги, дрожащие над стоком. Так он дошел до пустых домов; веревка свисала теперь неподвижно. Джино спустился в подвал и, оказавшись в доме, взобрался по шатким ступеням на второй этаж. Дом оказался полностью выпотрошенным: из него растащили все водопроводные трубы и светильники. Пол покрывал густой слой отвалившейся штукатурки, по которому было небезопасно ступать. Здесь царила тишина; крадясь по заселенным призраками комнатам с отодранными дверями, Джино ежился от страха. Наконец он добрался до окна и выглянул наружу. Каменный квадрат окна был лишен рамы. Джино вылез на карниз и дотянулся до веревки.

Оттолкнувшись от карниза, он на одно восхитительное мгновение почувствовал себя в свободном полете. Со свистом описав над улицей дугу, он долетел до другого карниза, через три дома от стартовой площадки. Он снова оттолкнулся и снова полетел, теперь в обратном направлении. Еще! Теперь полет его ускорился, он отталкивался то от карниза, то от стены и воображал, что обрел крылья; в конце концов его руки ослабли, и на середине очередной дуги он соскользнул с веревки, обжигая ладони. Еще в воздухе он принял позу бегуна и, едва коснувшись мостовой, понесся к Десятой.

Город уже окутывали сумерки. Данное обстоятельство немало подивило Джино, и он, прекрасно зная, что теперь не миновать беды, затрусил по Тридцать первой к Десятой, изо всех сил стараясь сохранять удивленное выражение на лице. Среди сидящих перед домом он не обнаружил ни одного члена своего семейства. Он устремился по лестнице к себе на четвертый этаж.

Уже на втором этаже он услышал, как ругаются Октавия и мать, и благоразумно унял свой пыл. Войдя в квартиру, он увидел их стоящими нос к носу, с красными пятнами на бледных лицах, с мечущими молнии глазами. Обе повернулись к нему и примолкли. Их молчание не сулило ничего хорошего. Однако Джино тут же отвлекся, уставившись восторженным взглядом на своего брата Винни, который уже сидел за столом. Лицом Винни походил на мертвеца — так густо оно было присыпано мукой; мука въелась во все складки его одежды. Он выглядел смертельно уставшим, и глаза его на белом лице казались особенно черными и огромными.

— Ага, вот ты и дома, — произнесла мать. — Браво.

Джино, заметив порицающий взгляд женщин, поспешил за стол в ожидании еды, поскольку был голоден. Но его настигла сокрушительная оплеуха, от которой у него из глаз посыпались искры.

— Сукин сын! Бегаешь весь день! Чем это ты был так занят? А потом синьор изволит усесться за стол, даже не умывшись. Пошел вон! Figlio de putana. Bestia[1]. Винченцо, ты тоже умойся, тогда ты почувствуешь себя лучше.

Оба мальчика умылись у кухонной раковины и возвратились за стол.

В глазах Джино сверкали слезы — не из-за затрещины, а из-за того, что такой замечательный день заканчивался так паршиво. Только что он ходил в героях, а теперь мать с сестрой гневаются на него — можно подумать, что они его возненавидели! Он повесил голову, забыв про голод и стыдясь своего злодейства, и не поднимал глаз, пока мать не поставила ему под нос тарелку сосисок с перцем.

Октавия обожгла Джино взглядом и сказала Лючии Санте:

— Нечего его оберегать! Почему Винни должен на него работать, а его папаша и не почешется? Если он не станет работать, Винни тоже уйдет из пекарни. Пусть и Винни повеселится на каникулах.

Еще не ведая зависти, Джино все-таки заметил, что Октавия и мать смотрят на вяло жующего Винни с жалостью и любовью. Сестра и вовсе была близка к слезам — с чего бы это? Он наблюдал, как женщины суетятся вокруг Винни, обслуживая его, как взрослого.

Джино сунул руку в карман, вынул оттуда пятьдесят центов и отдал матери.

---

[1] Сукин сын. Зверюга (*ит.*).

— Я заработал это продажей льда, — объявил он. — Бери. Я стану каждый день приносить домой по пятьдесят центов.

— Лучше заставь его забыть, как воровать лед со станции, — сказала Октавия матери.

Лючия Санта раздраженно отмахнулась:

— От железной дороги не убудет, если дети возьмут немного льда. — Теперь она смотрела на Джино с любопытством и с теплой улыбкой. — Лучше своди брата на эти деньги в кино в воскресенье, — молвила она и намазала сыну хлеб маслом.

Винни смыл с лица муку, но остался бледен. При виде морщин усталости и напряжения, уродующих детское лицо, Октавия обняла брата и испуганно спросила:

— Что они заставили тебя делать? Может быть, работа оказалась слишком тяжелой?

Винни пожал плечами.

— Нет, все о'кей. Просто слишком жарко. — И он неуверенно добавил: — Я испачкался, потому что таскал мешки с мукой из подвала.

Октавия все поняла.

— Мерзавцы! — выкрикнула она. — Этот твой грязный итальяшка-paesan[1] Panettiere заставляет Винни, совсем еще ребенка, таскать свои неподъемные мешки! — напустилась она на мать. — Пусть его сынок только попробует пригласить меня на свидание — я прямо на улице плюну ему в лицо!

Во взгляде Винни появилась надежда. Октавия так здорово обозлилась, что это может избавить его

---

[1] Деревенщина (*ит.*).

от работы. Но он тут же застыдился: ведь матери нужны деньги!

Лючия Санта пожала плечами и бросила:

— Пять долларов в неделю и бесплатный хлеб для всей семьи! И бесплатное мороженое для Винни, когда он на работе. Хорошая экономия в летнюю пору. Тем более сейчас, когда ушел их отец...

Октавия вспыхнула. Спокойствие матери, безропотно сносившей это подлое дезертирство, сводило ее с ума.

— Вот именно! — крикнула она. — Ушел. Нас...ть он хотел на них!

Даже в гневе ее позабавил удивленный взгляд братьев: девушке не подобает так браниться. Однако мать не находила в этом ничего забавного, и Октавия примирительно произнесла:

— Это несправедливо. Несправедливо к Винни.

— Какая из тебя учительница, если у тебя язык уличной девки? — резко спросила мать по-итальянски и умолкла, ожидая ответа. Однако Октавия молчала, удрученно взирая на себя со стороны.

Тогда мать продолжила:

— Если ты хочешь командовать в доме, то выходи замуж, нарожай детей, кричи, когда они появляются на свет. *Тогда* ты сможешь их лупить, тогда сможешь решать, кто будет работать, когда и как. — Она окинула дочь холодным взглядом, как смертельного врага. — Хватит. Bastanza.

Она повернулась к Джино.

— Теперь насчет тебя, giovanetto. Я не вижу тебя с утра до ночи. Вдруг тебя переедет телега, вдруг тебя украдут? Это одно. Дальше: твой отец на некоторое время ушел от нас, так что теперь всем придется мне помогать. Попробуй только пропасть завтра — получишь вот этого. — Она подошла к шкафу и вытащила оттуда тонкую скалку для раскатывания праздничных ravioli. — Tackeril! — Голос ее стал хриплым и злобным. — Клянусь господом нашим Иисусом Христом, я тебя так изукрашу, что тебя будет видно за милю. Ты у меня станешь сине-черным, и будь ты хоть бесплотным призраком — все равно никуда не денешься. А теперь ешь! Потом помоешь посуду, уберешь со стола и подметешь пол. И чтоб не сметь сегодня даже подходить к лестнице!

Материнская отповедь произвела на Джино должное впечатление. Конечно, он не испугался, но выслушал все в напряжении, опасаясь новых тумаков. Он знал, что за ними дело не станет и что он не вправе от них уклониться. Однако ничего подобного не случилось. Женщины спустились на улицу, Джино перевел дух и приступил к еде, уплетая жирные сосиски и перец в масле, не различая из-за голода вкуса еды. Буря улеглась, и он даже не помышлял дуться на старших. Завтра он с удовольствием поможет матери.

Винни сидел неподвижно, уставившись в тарелку. Джино радостно воскликнул:

— Видать, здорово тебе приходится гнуть спину на этого чертова Panettiere! Я видел тебя со здоровенной корзиной. Куда ты ее тащил?

— В другой их магазин, на Девятой. Ничего страшного. Вот мешки из подвала — это да!

Джино внимательно посмотрел на брата. Что-то с ним не так...

Но Винни уже пришел в себя и стал набивать рот едой. Он не знал, что весь день его мучил обыкновенный страх. Он стал жертвой сплошь и рядом творимой жестокости: детей вырывают из тепла семьи и посылают к чужим людям, которые взваливают на них самую нудную работу. Он впервые продавал за деньги частицу самого себя, и это совершенно не походило ни на помощь матери, ни даже на чистку за пять центов башмаков старшего брата.

Ну да ничего, осенью он пойдет в школу и снова будет свободен. Тогда он забудет, как мать с сестрой выгнали его из семьи, подчинили иным законам, нежели зов любви и крови. Сейчас он уже не просто печалился, что не сможет играть в бейсбол с самого утра и бесцельно слоняться вокруг квартала, болтая с приятелями и прячась в тени на Тридцать первой со стаканчиком мороженого, — он нестерпимо страдал, как страдают только дети, не ведающие о чужом горе, об отчаянии — уделе любого на этом свете.

Джино убрал со стола и принялся за мытье посуды. Винни вытирал вилки и тарелки. Джино рассказывал ему о своей стычке с «быком» на железной дороге, о пустом доме и замечательной веревке, о том, как играл с Джои в карты; но что он утаил — так это то, как пускал кораблик по стоку, огибающему их квартал, потому что десятилетнему парню стыдно заниматься такой ерундой.

До грязного котла, заросшего жиром и копотью, у Джино так и не дошли руки, и он спрятал его в печи. Потом братья вернулись в гостиную и выглянули на улицу. Джино уселся на один подоконник, Винни — на другой. У обоих было спокойно на душе.

— Почему мать с Октавией так на меня окрысились? — спросил Джино. — Ну, забыл — велика беда! Завтра сделаю.

— Все из-за того, что отец исчез. Они не знают, куда он делся. Может, совсем сбежал.

Оба посмеялись шутке Винни: сбежать может только ребенок.

Вдали на Десятой авеню показался красный фонарик сигнальщика, а за ним — слабый луч прожектора. Люди внизу казались тенями, существующими только благодаря горящим уличным фонарям, синим и красным огонькам на прилавке Panettiere, торгующего мороженым, освещенным витринам бакалеи и кондитерской.

Джино и Винсент дремали на подоконниках своего детства, ощущая на лицах прикосновение свежего ветерка, дующего с Гудзона. Ветерок приносил запах воды, а еще — травы и деревьев, словно долго пропутешествовал, прежде чем заплутаться среди городских улиц.

ГЛАВА 4

К концу августа все, кроме детей, уже ненавидели лето. Днем люди задыхались от вони раскаленного камня, плывущего гудрона, бензина и навоза, оставляемого на мостовых лошадьми, влекущими тележки с овощами. Над западной стеной города, где ютилось семейство Ангелуцци-Корбо, в неподвижном от жары воздухе висели клубы пара, изрыгаемого локомотивами. Из горящих топок паровозов, выстраивающих товарные вагоны в аккуратные ряды, вырывались черные хлопья. Теперь, воскресным днем, когда все живое попряталось по щелям, оставленные в покое желтые, коричневые и черные вагоны казались на солнце объемными геометрическими фигурами, нелепыми абстракциями в джунглях из стали, камня и кирпича. Серебряные рельсы змеились в бесконечность.

На Десятой авеню, которую до самой Двенадцатой, до реки, уже ничего не загораживало, было светлее, чем на любой другой авеню города, и гораздо жарче в разгар дня. Сейчас на ней было совершенно безлюдно. Воскресный отдых будет длиться аж до четырех часов, наполненный треском разгрызаемых орехов, бульканьем вина и бесконечными семейными легендами. Кое-кто навещал более удачливых родственников, которые проживали теперь в собственных домах на Лонг-Айленде или в Нью-Джерси. Другие пользовались свободным от работы днем, чтобы хоронить, женить, крестить близких и, самое главное, приносить еду, а может, и облегчение, больным родственникам, угодившим в больницу «Белльвью».

Самые американизированные семьи ездили даже на Кони-Айленд[1], но такое можно было себе позволить не чаще одного раза в год. Добираться туда приходилось долго, а итальянские семьи столь многочисленны, что это требовало увеличенных расходов на франкфуртеры и содовую, даже если запастись собственной едой и питьем в бумажных пакетах. Мужчины ненавидели эти путешествия. Итальянцам было невтерпеж валяться без дела на песочке: достаточно они намучились на солнце за неделю, вкалывая на железнодорожных путях! По воскресеньям им хотелось сидеть в холодке — дома или в саду, отдыхать от напряжения, отдавшись картам, тянуть винцо и слушать болтовню женщин, не позволяю-

---

[1] Парк аттракционов на берегу океана, на дальней оконечности нью-йоркского района Бруклина.

щих им шевельнуть даже пальцем. Нет, тащиться на Кони-Айленд — все равно, что выйти на работу.

Самым великолепным было праздное послеобеденное время. Дети отправлялись в кино, а мать с отцом, выпив по рюмочке после сытного обеда и никем не тревожимые, могли заняться любовью. Это был единственный свободный день за всю неделю, и к нему относились как к сокровищу. В этот день восстанавливались силы и семейные узы. Недаром сам господь бог отдыхал на седьмой день от праведных трудов!

В то воскресенье улицы, восхитительно пустые, разбегались от Десятой авеню под идеально прямым углом. Здешние жители были слишком бедны, чтобы владеть автомобилями, поэтому ничто лишнее не нарушало симметрию бетонных тротуаров с вкраплениями голубой плитки. Солнце отражалось от всего: от гладкого черного гудрона, от стальной ограды крыльца, даже от обшарпанных бурых ступенек. Ослепительное летнее солнце будто навсегда повисло в небе, заставив расступиться опостылевшие за неделю фабричные трубы.

Впрочем, Лючия Санта посвятила этот день не отдыху, а борьбе, решив застать своих обидчиков, Ле Чинглата, врасплох.

Квартира была пуста. Октавия, как и надлежит послушной итальянской дочери, повела Сала и малютку Лену на прогулку. Винченцо с Джино отправились в кино. Лючия Санта была свободна.

Старший сын, Лоренцо, опора и защита семьи, оставшейся без отца, не выказал должного уважения к матери и родне и не явился на воскресный обед. Он не ночевал дома последние две ночи, а, появившись поутру, рассказывал матери, будто работал допоздна и оставался на ночь в своей конюшне. Однако Лючия Санта не нашла в шкафу его лучшего костюма, а также одну из его двух белых рубашек и маленького чемоданчика. С нее хватит! Bastanza. Она приняла решение.

Чтобы ее сын, которому еще не исполнилось восемнадцати, неженатый, живущий у матери под крышей, осмелился ослушаться мать? Что за позор для доброго имени семьи, что за удар по ее престижу у соседей! Это вызов ее справедливому правлению, бунт! Бунт, который надо подавить в зародыше.

Одетая во все черное, воплощение респектабельности в воскресной шляпе и в вуали, с плоской сумочкой почтенной матроны, натянув на короткие ноги коричневые хлопчатобумажные чулки с врезающимися в ляжки подвязками, Лючия Санта, невзирая на палящее солнце, зашагала по Десятой авеню к Тридцать шестой стрит, на которой обитали Ле Чинглата. На ходу она распалялась, готовясь закатить им хорошенькую сцену. Эта сладкоречивая бесстыдница еще двадцать лет назад проливала в церкви горючие слезы из-за того, что ей придется спать с мужчиной, которого она в глаза не видела! Del-i-cato![1] Ах, какой ужас, ах, какой страх, ах, ах! Лючия Санта мстительно улыбнулась. Как они важничают, эти людишки! То был просто инстинктивный страх прирожденной шлюхи! Клятва перед алтарем, официальные бумаги, позволяющие гордо взирать на мир, глядеть любому в глаза, независимо от того, богата ты или бедна, — вот что важно! Чтобы никакого dis-

---

[1] Какие нежности! (*ит.*)

grazia. Если кто-нибудь оскорбит твою честь, ты можешь с чистой совестью его прикончить. Впрочем, здесь не Италия... Она отбросила эти мысли, устыдившись кровожадности, присущей скорее свежеиспеченной иммигрантке, а не ей, американке с двадцатилетним стажем.

Вот что может натворить Америка с нормальной итальянской девушкой, когда рядом нет родителей, которые научили бы ее уму-разуму. Теперь Ле Чинглата — взрослая дама. Но сколько важности! Как высоко она себя ставит! Вообще-то ее семейка всегда отличалась лукавством.

А сын? Америка не Америка, семнадцать ему лет или чуть больше, работает он или бездельничает — главное, подчиняться матери, иначе он узнает, как тяжела ее рука. О, был бы жив его родной отец, уж он бы ему наподдал! Впрочем, из-под отцовской крыши Лоренцо и не подумал бы сбежать.

Оказавшись в тени дома, где проживали Ле Чинглата, Лючия Санта облегченно перевела дыхание. Немного передохнув в прохладном подъезде, где стоял неизменный мускусный запах от мышей и крыс, она собралась с силами, чтобы подняться по лестнице и вступить в бой. На мгновение ее охватило отчаяние, от которого даже подкосились ноги: она осознала, насколько беззащитна, насколько безжалостно помыкает ею судьба. Дети становятся ей чужими: по-иностранному ведут себя, говорят на иностранном языке, а муж и вовсе проявил склонность к бродяжничеству, так что превратился в помеху в ее борьбе за выживание.

Но нет, от таких мыслей недалеко и до поражения. Она стала подниматься по ступенькам. Она не позволит своему сыну превращаться в гангстера, в безвольную медузу, в посыльного у старой бесстыдницы. На темной лестничной площадке, вдыхая мускусный запах, Лючия Санта на минуту представила себе электрический стул, истекающего кровью сына, заколотого сицилийцем или мужем-ревнивцем... Но к тому моменту, когда дверь в квартиру Ле Чинглата распахнулась, она успела забыть все свои страхи. Теперь она была готова к сражению.

Однако ей пришлось спешно перестраивать боевые порядки. В дверях стоял супруг Ле Чинглата, седой человек с густыми усами, в чистой белой рубашке и в черных брюках на помочах, обтягивающих его раздутый живот. Несмотря на отсидку в тюрьме, он имел цветущий цвет лица.

Лючию Санту охватили сомнения. Раз муж дома, то что здесь делать ее сыну? Неужели она просто наслушалась досужих сплетен? Однако стоило ей увидеть у стола синьору Ле Чинглата, как ее покинули всякие сомнения. В выражении ее лица она прочла враждебность, вину, вызов и непонятную ревность.

Женщина тоже была во всем черном, и, хотя лицо ее было тоньше и моложе, чем у Лючии Санты, она вполне могла сойти за мать Лоренцо. Чтобы женщина ее возраста смела совращать ребенка!.. Неужели обе они были когда-то молоды и невинны?

— Синьора! — подал голос Ле Чинглата. — Присядьте, выпейте стаканчик вина. — Он подвел ее к белому столу и налил вина из полугаллонового кувшина. — В этом году созрел добрый виноград. Это вино пахнет Италией. — Подмигнув, он добавил: — Можете мне поверить, это не то вино, что я предлагаю посетителям.

Его следовало понимать так, что только такая почетная гостья, как Лючия Санта, может пригубить вино лучшего урожая.

Его супруга принесла блюдо с жесткими tarelle, посыпанными черными перчинками. Поставив блюдо на стол, она сложила руки на груди. Она не притронулась к вину.

Синьор Ле Чинглата налил себе стаканчик и сказал:

— Угощайтесь, Лючия Санта.

В голосе его звучало столько сердечности и дружелюбия, что мать почувствовала себя обезоруженной, как случалось с ней всегда, когда она сталкивалась с неожиданным радушием. Она послушно отпила вино и сказала куда более мягким тоном, чем собиралась:

— Я проходила мимо и подумала, что застану здесь Лоренцо, помогающего синьоре Ле Чинглата обслуживать клиентов.

Супруг с улыбкой ответил:

— Нет, нет. Воскресным вечером и мы отдыхаем. До ночи — никакой торговли. Не евреи же мы, в конце концов.

Лючия Санта заговорила жестче:

— Простите мне мои речи, но вы наверняка поймете материнские чувства. Лоренцо еще слишком молод для таких дел. Он не умеет взвешивать свои поступки. Однажды он уже поколотил тут у вас человека, годящегося ему в отцы, к тому же сицилийца по происхождению, который может теперь его убить. Вы, синьор Ле Чинглата, наверняка все это знаете.

Хозяин был радушен и терпелив.

— Да, знаю. Славный мальчик. Bravo, bravo вашему Лоренцо. Вы воспитали его хорошим итальянцем, уважающим старших, готовым помочь, усердным. Знаю, что неплохие деньги, которые мы ему платим, он отдает матери. Мало кому я могу так доверять, впускать к себе в дом, как Лоренцо, — с ним у меня нет сомнений. Что за честное у него лицо... — И так далее.

Лючия Санта потеряла терпение и оборвала говоруна:

— И все-таки он не ангел, спустившийся с небес. Ему положено слушаться. Я права? Должен сын уважать мать или нет? Я не нашла дома кое-какой его одежды. Вот я и решила — может быть, вам известно, не оставался ли он как-нибудь на ночь у вас?

Тут синьора Ле Чинглата присоединилась к говорящим, и Лючия Санта только подивилась ее наглости, бесстыдству, недрогнувшему голосу.

— Видите ли, — сказала та, — ваш сын уже вырос. Он зарабатывает на хлеб себе и даже вашим детям. Мы же не в Италии! Вы правите слишком жесткой рукой, синьора.

Сказав так, Ле Чинглата совершила ошибку. Натолкнувшись на жесткость, Лючия Санта могла вспылить и высказать все, что накопилось у нее на душе. С холодной вежливостью она ответила:

— Но, синьора, вы не знаете, сколько хлопот доставляют дети. Откуда вам это знать — вам очень повезло, что вы не имеете своих. Тревоги матери — это крест, которого вам, слава Христу, не придется нести. Но позвольте сказать вам, дорогая Ле Чинглата, что не имеет значения, где мы находимся — в Америке, в Африке, даже в Англии. Главное, что мои дети до свадьбы должны ночевать под родной кры-

4 – 2269

шей. Мои дети не превратятся в пьяниц, они не будут драться с забулдыгами и болтаться по тюрьмам, им не должен угрожать электрический стул.

Теперь лишилась терпения ее противница. Она крикнула в ответ:

— Что? Что? Так вы говорите, что мы — не уважаемые люди? Что ваш сын слишком хорош, чтоб появляться у нас? Да вы-то кто такая? Из каких краев Италии вы сами-то родом? В нашей с вами провинции не было знати с фамилией Ангелуцци или Корбо. Что же, мой муж, самый близкий друг и коллега родного отца вашего сына, без пяти минут крестный, не годится ему в друзья? Это вы хотите сказать?

Лючия Санта почувствовала себя в ловушке. Будь проклята эта плутовка! Ответ висел у нее на кончике языка, но она не посмела сказать вслух, что она возражает не против дружбы с мужем, а против нее, жены. На такое она не осмелилась. Ревнивый муж, узнав, что обманут, обычно мстит и жене, и ее любовнику. Она перешла к обороне:

— Почему же, пускай появляется. Но только чтобы не работал! И чтобы не засиживался допоздна, среди драчливых посетителей. И не ночевал здесь, — сухо закончила она.

Синьора Ле Чинглата улыбнулась.

— Мой муж знает, что ваш сын ночевал здесь. Он не прислушивается к досужей болтовне. Он не верит, что его жена может обмануть его с таким юнцом. Но он благодарен вашему сыну за защиту. Он вручил вашему сыну двадцать долларов в знак признательности за его добрые дела. Неужели мать мальчика думает о нем только плохое?

Чувствуя на себе пристальный взгляд хозяина, Лючия Санта через силу выдавила:

— Нет, нет! Но люди-то сплетничают... Слава богу, что ваш муж — такой разумный человек.

Болван! Идиот! Внутри у нее все клокотало. Кто же, если не мать, вправе думать о своем сыне плохо?

И тут, даже не постучавшись, словно к себе домой, в квартиру ввалился Лоренцо. Он замер на пороге, и его вид объяснил матери все лучше любых слов.

Ларри с искренней доброжелательностью улыбнулся присутствующим — матери, любовнице, хозяину, которого он превратил в рогоносца. Они улыбнулись ему в ответ. Однако мать заметила, что в улыбке хозяина сквозит фальшь и зависть к молодости; это была улыбка человека, которого не удалось обвести вокруг пальца. А его жена — чтобы у женщины ее возраста был такой нахальный взгляд, такие выпяченные, мокрые, алые губы, чтобы ее огненные глаза так бесстыже смотрели прямо в лицо парню!..

Сама Лючия Санта разглядывала Лоренцо с мрачной иронией. Так, значит, у ее красавчика-сына лживое сердце? Но он — с волосами, похожими на иссиня-черный шелк, с прямыми чертами бронзового лица, с большим мясистым носом взрослого мужчины, с кожей, не знающей изъянов юности, — он, Иуда, воззрился на мать в почтительном недоумении. Поставив на пол свой чемоданчик, он спросил:

— Ма, что ты тут делаешь? А я-то думал: как мне не повезло, что я не застал тебя дома!

Она понимала, как все произошло: он дожидался ее ухода, наблюдая за ней из-за угла. Ему и в голову не могло прийти, что она направляется именно сюда. Потом он заторопился домой за чистой одеждой. «Figho de putana, — подумала она, — до чего же он двуличен!»

Однако она постаралась скрыть свой гнев.

— Сынок, — проговорила она, — выходит, ты переезжаешь? Синьор и синьора Ле Чинглата решили тебя усыновить? Тебя не устраивает моя стряпня? Кто-то из родных встал тебе поперек дороги? Ты решил сменить жилище?

Ларри рассмеялся и ответил:

— Что ты, ма, брось шутить. — Он умел ценить юмор. Что за умница у него мать! Он одарил ее самой радушной из своих улыбок. — Я же говорил тебе, что хочу побыть здесь, чтобы помочь по хозяйству. Хочу подкинуть тебе еще деньжат. Zi[1] Ле Чинглата должен идти в суд, а потом он поедет за город покупать виноград. Не беспокойся, ма, все деньги, что я заработаю, — твои.

— Grazia[2], — откликнулась мать.

Присутствующие, даже синьор Ле Чинглата, улыбнулись: парень хитер, если вздумал назвать мужчину, которому наставляет рога, своим «дядей».

Синьор Ле Чинглата взялся развить эту мысль.

— Лючия Санта, — сказал он с непосредственностью близкого родственника, — Лоренцо для меня все равно что сын. О, что за disgrazia, что у нас нет своих детей! Кому же защитить мою жену в мое отсутствие? Женщине тяжело вести такое дело, как наше, в одиночку. В доме обязательно должен находиться сильный мужчина. Ваш сын отрабатывает

---

[1] Дядюшка (*ит.*).

[2] Благодарю (*ит.*).

свое на железной дороге. Потом он идет сюда и находится здесь до рассвета. Днем же ему надо выспаться. Ваши малыши бегают взад-вперед, взад-вперед. Почему бы ему не отдыхать здесь, в тишине? Я полностью доверяю вашему сыну и не обращаю внимания на сплетни. Человек, зарабатывающий столько, сколько я, может не беспокоиться из-за соседских пересудов.

Теперь мать все поняла. Ее презрению к этим людям не было границ. Куда это годится, чтобы муж, итальянец в придачу, позволял жене наставлять ему рога, лишь бы были целы его денежки? Чтобы жена не возражала, когда ее муж больше заботится о своем бизнесе и деньгах, чем о ее чести и добром имени, и превращает ее в шлюху? Лючия Санта была по-настоящему потрясена, что случалось с ней крайне редко.

Что станет с ее сыном, если он будет жить под крышей у таких нелюдей? Забыв про гнев, она обратилась к Лоренцо:

— Собирай свои вещи, figlio mio[1], и ступай под родной кров. Я уйду только с тобой.

Ларри обвел всех смущенной улыбкой.

— Брось, ма! — пробормотал он. — Я уже пять лет работаю и приношу домой деньги. Я больше не ребенок.

Лючия Санта поднялась, решительная и непреклонная в своем черном платье. Слова ее прозвучали, как реплика в трагедии:

— Я — твоя мать. Как ты смеешь перечить мне в присутствии чужих?

---

[1] Сын мой (*ит.*).

Бесстыжая Ле Чинглата презрительно подхватила:

— Va, va, giovanotto[1]. Иди с мамой. Когда мать кличет, детям положено повиноваться.

Через загар на лице Ларри проступили красные пятна. Лючия Санта разглядела в его глазах взрослую ярость. Сейчас он походил на своего покойного папашу.

— Черта с два я пойду! — ответил он.

Мать кинулась к нему и отвесила увесистую пощечину. Он оттолкнул ее, и она отлетела к столу.

Ле Чинглата замерли, ошеломленные. Теперь беды не оберешься. Они встали между матерью и сыном.

— Та-а-к! — Лючия Санта удовлетворенно вздохнула. — Сын поднял руку на мать! Animale![2] Bestia! Sfachim![3] Figlio de putana! Благодари бога, что умер твой отец! Благодари бога, что он не видит, как его сын бьет свою собственную мать, чтобы выслужиться перед посторонними!

На щеке у Ларри красовались пять красных отпечатков, но он уже успел прийти в себя.

— Ладно, ма, — неохотно буркнул он. — Я тебя просто оттолкнул. Давай забудем об этом. — Он чувствовал себя виноватым, в нем при виде слез, навернувшихся у матери на глаза, заговорила совесть.

Лючия Санта повернулась к супругам Ле Чинглата.

— Вам так больше нравится, да? Хорошо. Пусть мой сын остается здесь. Но вот что я вам скажу: сегодня же мой сын должен быть дома. Иначе я пойду в полицейский участок. Он еще несовершеннолет-

---

[1] Иди, иди, парень (*ит.*).

[2] Животное! (*ит.*)

[3] Отродье! (*неап. диал.*)

ний. Я отправлю его в исправительное заведение, а вас — в тюрьму. Продавать вино и виски еще куда ни шло, но детей в Америке берут под защиту. Как вы правильно заметили, синьора, мы не в Италии. — Она обернулась к сыну. — А ты можешь оставаться со своими друзьями. Не хочу, чтобы меня видели с тобой на улице. Оставайся и веселись. Но, дорогой мой сынок, я тебя предупредила: эту ночь ты должен провести в моем доме. Иначе, каким бы дылдой ты ни вымахал, я тебя упрячу куда следует.

И она с достоинством проследовала вон.

Направляясь домой, она размышляла: «Так вот, значит, каким способом люди сколачивают состояние! Самое главное — деньги. Ну и подонки! Ну и зверье! Думают, что раз у них водятся денежки, то они могут смотреть в глаза честному человеку».

Вечером, уложив детей, Октавия и мать пили кофе за большим круглым столом. Ларри так и не объявился. Октавии было страшновато: она не сомневалась в серьезности намерения матери упечь Ларри в исправительную школу. Завтра она не сможет пойти на работу. Вместо этого им с матерью придется тащиться в полицейский участок и настаивать на судебной повестке. Раньше Октавии и в голову не могло прийти, что мать способна проявить такую жестокую непреклонность и так пренебречь лишними деньгами, приносимыми Ларри от Ле Чинглата.

Обе вздрогнули от стука в дверь. Октавия бросилась открывать. На пороге стоял высокий улыбчивый брюнет в костюме кинозвезды.

— Это квартира синьоры Корбо? — осведомился он на безупречном итальянском и объяснил: — Я пришел от Ле Чинглата, я их адвокат. Они попросили меня повидаться с вами.

Октавия подала ему чашечку кофе. Гостя, будь он друг или враг, положено угостить.

— Так вот, — начал молодой человек, — напрасно вы, синьора Корбо, так расстраиваетесь из-за сына. Спиртным приторговывает любой, в этом нет ничего страшного. Даже президент время от времени опрокидывает рюмочку. Неужели вы настолько богаты, что можете пренебречь лишней парой долларов?

— Господин адвокат, — ответила мать, — мне нет дела до ваших слов. — Молодой человек внимательно слушал ее, не думая обижаться. Она продолжала: — Мой сын должен ночевать в доме своей матери, братьев, сестер до тех пор, пока у него не появится жена. Либо это, либо исправительная школа, если ему так больше нравится. Пусть гниет там до восемнадцати лет, а потом отпускайте его на все четыре стороны — я ему больше не мать. Но, пока он не достиг совершеннолетия, у меня нет другого выбора. Моим детям не бывать сутенерами, рецидивистами или убийцами.

Молодой человек по-прежнему сверлил ее взглядом. Потом он быстро проговорил:

— Отлично. Мы понимаем друг друга. Чудесно, синьора. А теперь послушайте меня. Ни за что не ходите в полицию. Я вам обещаю, что завтра ваш сын вернется — можете не сомневаться. Вы больше не будете знать с ним хлопот. Договорились?

— Сегодня, — уперлась Лючия Санта.

— Ну-у, — ответил молодой человек, — вы меня разочаровываете. Сам Иисус Христос не сумел бы принудить вашего сына вернуться домой уже сегодня. Вы, мать, с вашим-то жизненным опытом — неужели вы не понимаете его гордость? Он считает себя взрослым мужчиной. Позвольте ему одержать хотя бы малюсенькую победу.

Мать была довольна и польщена. Правда есть правда. Она согласно кивнула.

Молодой человек вскочил на ноги и сказал:

— Buona sera[1], синьора.

Затем он кивнул Октавии и исчез.

— Видишь? — спросила мать похоронным тоном. — Вот от чего я стремлюсь спасти твоего братца.

Октавия была поражена. Мать продолжала:

— Адвокат — ха-ха-ха! Это один из тех, кто орудует в черных перчатках. У него на лице написано, что он убийца.

Октавия усмехнулась, не скрывая удовольствия.

— Ты с ума сошла, ма, вот уж точно, — сказала она и взглянула на мать любовным, уважительным взглядом. Ее мать, простая крестьянка, вообразившая, что к ней пожаловал опасный преступник, не заголосила и виду не подала, что испугалась! В начале разговора у нее вообще был такой вид, что она вот-вот возьмется за tackeril.

— Значит, завтра я могу выйти на работу? — спросила Октавия.

— Можешь, можешь, — ответила Лючия Санта. — Иди, не теряй дневного заработка. Мы не можем себе этого позволить. Таким людям, как мы, не суждено разбогатеть.

---

[1] Добрый вечер (*ит.*).

ГЛАВА 5

Держа на руках малютку Лену, Лючия Санта выглянула из окна гостиной, жмурясь от ослепительного солнца, жарившего вовсю в это позднее августовское утро. Улицы кишели машинами и повозками; прямо под ней разносчик самоуверенно выкрикивал: «Картошка! Бананы! Шпинат! Дешево, дешево, дешево!» Его тележка была заставлена квадратными ящиками с красными, коричневыми, зелеными, желтыми плодами; картина напоминала рисунок на линолеуме пола, выполненный беззаботным младенцем.

Дальше, посреди сортировочной станции, она увидела толпу мужчин и мальчишек. Слава богу, что Лоренцо мирно спит в своей постели после ночной смены, иначе ее охватил бы отвратительный страх, от которого слабеют ноги и живот. Она пригляделась.

На крыше товарного вагона маячил мальчишка, разглядывавший собравшихся на рельсах людей. Он возбужденно расхаживал взад-вперед. Его голубенькая рубашонка выгорела на груди добела. Да это Джино! Что он там делает? Что стряслось? Вблизи вагона не было заметно паровозов. Мальчишке, кажется, ничего не грозит.

Лючией Сантой владело гордое, властное чувство: она ощущала себя богиней, как всякая мать, наблюдающая, оставаясь невидимой, как играют на улице ее дети. То же самое происходит в знаменитой легенде, где бог взирает из тучи на детей человеческих, слишком поглощенных своей возней, чтобы воздеть взоры и узреть его.

На солнце блеснула черная кожа портупеи, и

мать сообразила, что происходит: железнодорожный полицейский в форме карабкался по лестнице на крышу вагона. Она кинулась в спальню с криком:

— Лоренцо, проснись! Живее!

Она трясла его, взывая все пронзительнее, и наконец заставила его очнуться. Лоренцо скатился с кровати, демонстрируя волосатые ноги и грудь, которые было бы неприлично показывать любой женщине, не считая матери, со всклокоченной головой и потным после сна в жару лицом. Он поспешил за матерью к окну в гостиной. Они едва поспели, чтобы увидеть, как Джино спрыгивает с вагона, стремясь спастись от полицейского, добравшегося до крыши. Однако другой полицейский в черной форме, караулявший внизу, мигом сцапал мальчика. Видя, как Джино летит с вагона вниз, мать вскрикнула.

— Господи! — взревел Ларри. — Сколько раз я просил тебя, чтобы ты запретила ему воровать лед!

Он ринулся в спальню, натянул брюки, сунул ноги в тапочки и кубарем скатился с лестницы.

Выбежав на улицу, он успел услыхать, как мать кричит ему из окна:

— Быстрее, быстрее, они сейчас его убьют!

Один из полицейских уже у него на глазах двинул Джино по уху. Толпа с Джино в центре повалила к будке стрелочника на Десятой авеню. Лючия Санта видела, как Ларри перебежал на другую сторону, бросился к ним, схватил Джино за руку и вырвал его у полицейских. В этот момент она забыла оскорбления, которые претерпела от него у Ле Чинглата, забыла, как он дулся на нее на протяжении последних недель. Пусть так; зато он помнит, что такое брат, не существует более священных уз, нежели кровные, перед ними отступает страна, религия, жена, женщина, деньги. Подобно богине, она взирала на грешника, искупающего свой грех, и душа ее ликовала.

Ларри Ангелуцци перебежал через улицу с решимостью человека, вознамерившегося совершить убийство. Довольно ему сносить тумаки! Последние недели в нем копился гнев, его беспрерывно унижали, он чувствовал себя виноватым. Он начинал смотреть на себя более трезвыми глазами. Ведь он действительно ударил мать, опозорил ее в присутствии чужих! И все — ради людей, которые попользовались им, а потом выставили вон. Так поступают с несмышлеными сопляками: сперва гоняют с поручениями, а потом приводят к повиновению. Он чувствовал себя подлецом, падшим ангелом, утратившим собственный уютный рай. Порой ему даже не верилось, что он повел себя столь неподобающе, и он убеждал себя, что мать сама оступилась, а он лишь протянул руку, чтобы поддержать ее, но сделал это слишком неуклюже. Впрочем, за этой мыслью неизменно следовала волна горячего стыда. Сейчас, не ведая, что просто стремится искупить недавний грех, он, вырывая Джино из лап полицейских, чувствовал на своей спине словно прикосновение ободряющей руки, материнский взор.

Джино плакал, но не от страха или боли. До самого последнего момента он не сомневался, что сумеет улизнуть. Он даже осмелился спрыгнуть с крыши вагона на жесткую щебенку и остался невредимым. Нет, это были слезы мальчишеской ярости: ведь он опозорен, его загнали в ловушку, где он снова стал маленьким и беззащитным.

Ларри знал одного из «быков», по имени Чарли, другой же был для него чужаком. Ларри провел немало ночей в будке стрелочника в компании Чарли, толкуя о девушках и потешаясь над чванством колченого собеседника. Однако сейчас он холодно произнес, обращаясь к обоим:

— Что это вы, ребята, собрались учинить с моим младшим братишкой?

Он думал добиться примирения; он знал, что наступил момент с пользой применить свое знаменитое дружелюбие. Однако его слова прозвучали как грубый вызов.

Высокий «бык», которого Ларри видел впервые в жизни, снова потянулся к рубашке Джино и спросил Чарли Чаплина:

— Это еще кто?

Ларри оттолкнул Джино в сторону и прикрикнул на него:

— Ну-ка, домой!

Однако Джино не сдвинулся с места.

— Он — сигнальщик из ночной смены, — объяснил Чарли Чаплин напарнику. — Слушай, Ларри, — продолжал он, — твой младший братишка все лето воровал лед. Однажды он бросил в меня ледышкой и сказал: «Fuck you». Это же надо, такой сопляк! Брат он тебе или нет, но я должен нахлестать ему задницу. Так что лучше посторонись или тоже схлопочешь. Тебе тут нечего делать. Не забывай, что ты тоже работаешь на железной дороге. Не суйся не в свое дело, иначе пожалеешь!

Один из грузчиков-итальянцев, наблюдавших, как разворачиваются события, сказал по-итальянски:

— Они уже успели наподдать твоему братишке.

Ларри пятился, пока они не сошли со щебенки и не оказались на тротуаре авеню.

— Теперь мы не на территории железной дороги. Здесь вы — такие же, как все. — Он еще надеялся их вразумить; ему вовсе не хотелось лишиться работы. — Удивляюсь я на тебя, Чарли! С каких это пор ты вздумал заступаться за интересы компании? Каждый мальчишка на Десятой ворует со станции лед. Даже брат твоей девчонки. Черт возьми, не с новичком же ты имеешь дело! О'кей, ты врезал моему брату, потому что он запустил в тебя ледышкой. Теперь вы квиты. — Говоря, он поглядывал уголком глаза на толпу и на Джино, у которого уже высохли глаза и который хмурился, горя желанием отомстить, отчего его мальчишеская физиономия приобрела потешное выражение. Ларри ласково сказал своему единоутробному брату: — Еще раз залезешь на сортировочную станцию, я сам тебя вздую. Иди!

Ларри был доволен собой: никто не ударил в грязь лицом, он никому не нагрубил, не нажил врагов, но и не отступил. Он мог гордиться своей рассудительностью. Однако незнакомый высокий «бык» все испортил. Он сказал Чарли Чаплину:

— Значит, ты напрасно заставил меня прийти сюда?

Чарли пожал плечами. Тогда высокий «бык» подскочил к Джино, отвесил ему оплеуху и прорычал:

— Тогда я сам с тобой разберусь!

Ларри стукнул его изо всей силы, так что черная фуражка с кокардой откатилась под ноги толпе. Люди встали широким кругом, дожидаясь, пока «бык», утирающий хлынувшую изо рта кровь, поднимется на ноги. С непокрытой головой он выглядел гораздо старше; лысина на макушке делала его несерьезным соперником. «Бык» грозно уставился на Ларри.

Какое-то время они стояли друг против друга неподвижно. Потом «бык» расстегнул ремень с револьвером и отдал его Чарли вместе со своей черной курткой. На нем осталась желтая рубашка.

— Ладно, — спокойно произнес он. — Значит, ты парень не промах. Придется с тобой драться.

— Только не здесь! — взмолился Чарли. — Лучше зайдем за вагоны для скота.

Толпа устремилась обратно на территорию станции и встала кружком на щебенке. Полицейские не собирались заманивать Ларри с Джино в ловушку: здесь предстояло решать вопрос чести. Оба «быка» были обитателями Вест-Сайда, и воспользоваться сейчас своими служебными полномочиями значило бы для них навеки опозорить себя в глазах соседей.

Ларри скинул пижамную рубаху и заткнул ее за пояс. Несмотря на молодость, он был волосат и широкоплеч, под стать сопернику, если не повнушительнее его. Ларри боялся только одного: что мать прибежит и устроит сцену. Если она сделает это, он вообще уйдет из дому. Однако, подняв глаза на родное окно, он увидел мать, так и не покинувшую свой наблюдательный пост.

Впервые в жизни Ларри по-настоящему захотелось подраться, причинить противнику боль, показать себя хозяином жизни.

Через проезжую часть спешили люди, пожелавшие стать свидетелями драки. Из окон квартир свисали гроздья голов. Сын Panettiere Гвидо подошел к Ларри и сказал:

— Я буду твоим секундантом.

За его спиной маячил Винни с перекошенным от испуга лицом.

Ларри и «бык» сошлись. Ларри чувствовал, насколько ему помогает присутствие матери в окне и двоих младших братьев, замерших с выпученными глазами в толпе. Он ощутил прилив сил. Теперь он не пойдет на мировую и не позволит, чтобы его поборoли. Он кинулся на противника, как лев. Они стали осыпать друг друга ударами; кулаки замелькали в воздухе, звучно врезаясь в тела. Защищаясь, «бык» угодил Ларри в лицо и оставил на его щеке длинную кровавую царапину.

Сын Panettiere разнял драчунов и крикнул:

— Сними кольцо, ты, трус! Дерись по правилам!

«Бык» вспыхнул, снял золотое обручальное кольцо, съехавшее на вторую фалангу, и бросил его Чарли Чаплину. Толпа радостно зашумела. «Бык» ринулся на Ларри.

Ларри, струхнувший, когда по его лицу потекла кровь, а затем налившийся злобой и ненавистью, нанес «быку» сокрушительный удар в живот. «Бык» упал. Толпа вопила. Гвидо кричал:

— Дай ему еще, Ларри, дай еще!

Но тут «бык» поднялся, и все притихли. Внезапно до Ларри донесся голос матери, взывавшей из своего окна:

— Лоренцо, прекрати, прекрати!

Некоторые в толпе стали озираться, стараясь отыскать глазами, откуда доносится крик. Ларри остервенело махнул рукой, желая дать матери понять, что ей лучше умолкнуть.

Драчуны молотили друг друга до тех пор, пока «бык» не осел во второй раз, на сей раз не от сильного удара, а просто чтобы передохнуть. Он совершенно выдохся. Стоило ему подняться, как он получил болезненный удар в лицо.

Тогда взрослый соперник, обезумев от унижения, схватил Ларри за шею и попытался лягнуть его ногой. Ларри отшвырнул его. У обоих не осталось сил, ни один не обладал достаточной ловкостью, чтобы одержать чистую победу. Чарли Чаплин обхватил сзади и оттащил своего «быка», Гвидо — Ларри. Схватка окончилась.

— Ладно, — веско произнес Чарли Чаплин. — Драка получилась что надо. Вы оба доказали, какие вы смельчаки и силачи. Теперь пожмите друг другу руки и не держите друг на друга зла.

— Точно, — поддакнул Гвидо и, подмигнув Ларри, добавил голосом, полным снисхождения к «быкам»: — Ничья.

Кто-то из толпы потряс Ларри за руку, кто-то похлопал его по плечу. Каждому было ясно, что победа осталась за ним.

Ларри с «быком» глупо заулыбались, со смехом обменялись рукопожатием и даже обнялись, демонстрируя, какие они теперь друзья. «Бык» прохрипел:

— Ну, ты даешь, парень.

Его слова были встречены одобрительным ропотом. Ларри обнял Джино за плечи и сказал:

— Пошли, братишка.

Они перешли свою авеню и поднялись по лестнице. Гвидо с Винсентом последовали за ними.

Стоило им переступить порог квартиры, как мать отвесила Джино затрещину, которую тот принял как должное. Потом мать заметила царапину у Ларри на щеке, заломила руки, заголосила: «Marrone, marrone!» — и побежала смочить полотенце, чтобы обтереть им кровь, оглашая дом криком, обращенным к Джино:

— Sfachim, из-за тебя досталось твоему брату!

— Что ты, ма, — гордо возразил счастливый Ларри, — я же вышел победителем. Можешь спросить у Гвидо.

— Так и есть, — сказал Гвидо. — Ваш сын мог бы выступать на профессиональном ринге, миссис Корбо. Он из этого «быка» душу вытряс! На нем бы и пятнышка не было, если бы не кольцо.

— Ма, Ларри четыре раза сбивал этого гада с ног! — возбужденно крикнул Джино. — Значит, ты выиграл, да, Ларри?

— Конечно. Только изволь без ругани. — Ларри почувствовал прилив нежности к матери, брату, всей семье. — Никому не позволю прикоснуться к кому-нибудь из нашей семьи даже пальцем. Я бы его вообще прибил, если бы не работал на железной дороге.

Лючия Санта угостила всех кофе. Потом она сказала:

— Иди спать, Лоренцо. Не забывай, что тебе вечером на работу.

Гвидо с Винни ушли в пекарню. Ларри разделся и лег. Лежа в кровати, он слышал, как Джино, захлебываясь от счастья, рассказывает матери подробности схватки.

Ларри чувствовал себя усталым, но умиротворенным. Теперь с него снято клеймо мерзавца. Уже этим вечером, когда он поскачет по Десятой авеню на своей лошади, прокладывая путь черной махине, волочащей за собой бесконечный состав, люди станут разглядывать его, приветствовать его, заговаривать с ним. Он заслужил их уважение — ведь он защитил брата и честь семьи. Теперь никто не посмеет поднять руку на членов его семейства. С этой мыслью он погрузился в сон.

На кухне мать с перекошенным от ярости лицом заявила Джино:

— Еще раз пойдешь на пути — прибью!

Джино только передернул плечами.

Лючия Санта была вполне счастлива, хотя ее раздражала вся эта суета вокруг драки, мужской гордости, вся эта кутерьма, словно нет дел поважнее. Ей хотелось побыстрее забыть обо всем этом. Она втайне презирала мужской героизм — чувство, присущее многим женщинам, которые просто не смеют сказать об этом вслух: они находят страсть мужчин к героическим поступкам ребячеством, ибо ни один мужчина не стал бы рисковать своей жизнью ежедневно, год за годом, как это делают все женщины, предаваясь любви. Заставить бы их самих вынашивать детей, а потом превращать свое брюхо в развороченную окровавленную яму — и так из года в год... Тогда бы они не стали гордиться подставленным под чужой кулак носом и ерундовыми шрамами от перочинного ножика. Джино все еще разглагольствовал о драке. Она сгребла его за шиворот и выбросила за дверь, как котенка, крикнув ему вслед:

— Только попробуй опоздать к ужину!

Остаток лета Лючия Санта провела в схватках с Октавией, которые еще больше распалял жар городского бетона, раскалившегося за долгие месяцы добела. Мостовые и обочины покрылись пылью, в которую превратились высохший навоз, сажа, сор, сопровождающие жизнь миллионов людей и животных. Казалось, даже бездушные каменные громадины наполняют воздух частицами копоти, подобно псам, усиленно линяющим в жару.

Победительницей вышла Октавия. Сперва она сменила работу и стала инструкторшей по шитью в «Мелодия корпорейшн», занимавшейся сбытом швейных машинок. Каждая новая покупательница получала от нее бесплатный урок. Ей платили на три доллара в неделю меньше, чем раньше, зато здесь была перспектива роста. Кроме того, у нее появилась возможность прямо на работе шить одежду для матери и малышки Лены. Перед последним доводом Лючия Санта не смогла устоять. Это была первая победа.

Винни за лето сильно похудел. Это тревожило и мать, и дочь. Как-то раз Октавия повела троих младших братьев в бесплатную стоматологическую поликлинику при Гудзоновой Гильдии горожан. Еще раньше ей попалось на глаза объявление о записи в Фонд свежего воздуха «Геральд трибюн», посылающий детей на две недели в летние лагеря или в сельские семьи. Она записала Винни. Это произошло еще до того, как он пошел работать к Panettiere.

Теперь она снова завела этот разговор. Винни лишится заработка на какие-то две недели. Ему все равно придется бросить работу осенью, когда возобновятся занятия в школе. А тут — прекрасная возможность провести две недели за городом, в фермерской семье, да еще даром! Мать возражала не из-за денег, а по той причине, что никак не могла понять, зачем городскому ребенку проводить несколько недель на свежем воздухе. Это было выше ее крестьянского разумения. Кроме того, ей не верилось, что какая-то семья, совершенно чужие люди, согласится взять к себе в дом незнакомого ребенка и не заставит его вкалывать, хотя бы чтобы окупить содержание. Пришлось Октавии объяснять ей, что люди получают за это кое-какое вознаграждение. Тогда она поняла, что к чему; наверное, им перепадают неплохие денежки.

Наконец Лючия Санта уступила. Джино на две недели заменит Винни в пекарне. Винни вручили письмо, которое он мог отправить, если ему не понравится отдых: получив письмо, Октавия приедет и заберет брата. Перед самым отъездом заартачился сам Винни: его страшила перспектива жизни с чужими людьми. Но Октавия так разбушевалась, что едва не расплакалась, и он снял возражения.

Работа Джино у Panettiere разрушила репутацию семьи как надежной и трудолюбивой. Разнеся хлеб, он исчезал на долгие часы. Он поздно приходил на работу и рано убегал. Он не носил, а бросал мешки с мукой вниз в подвал, а когда надо было их перетаскивать, он волочил их по полу, так что мешки рвались, а мука просыпалась. Он пожирал тонны пиццы и мороженого. Однако сердиться на него было невозможно. Panettiere ограничился тем, что поставил мать в известность, что Джино не сможет достойно заменить Винни следующим летом; легкомыслие, с которым мать восприняла это сообщение, вывело Октавию из себя: если бы то, над чем они так весело смеются, позволил себе Винни, мать устроила бы ему хорошую взбучку.

Но Октавию ожидало вознаграждение за старания. Подкрался конец лета; до школы оставалась всего неделя, когда Винни вернулся домой. Он совершенно изменился: в руках у него был новенький чемоданчик из сверкающей коричневой кожи, на нем были новые брюки из белой фланели, белая рубашка, голубой галстук, голубая курточка. Лицо его загорело и округлилось. Он подрос по крайней мере на дюйм. Служащие Фонда, прикатившие с вокзала Гранд-Сентрал на такси, оставили у крыльца вполне светского молодого человека.

В тот вечер семейство Ангелуцци-Корбо поднялось к себе раньше обычного. Винни расписывал, как устроена жизнь за городом, а Джино с Салом внимали ему, разинув рты. Казалось, даже малютка Лена внимательно слушает его.

За городом нет ни кирпича, ни мостовых; там не улицы, а проселки; с деревьев свисают маленькие зеленые яблочки. Куда ни пойдешь, на кустах растет малина. Там можно лопать что и когда захочешь. Там маленький деревянный домик, выкрашенный белой краской; ночью там до того холодно, что приходится укрываться одеялом. У каждого есть машина, потому что там нет ни метро, ни трамваев. Мать осталась равнодушной к его рассказу: ведь она живала за городом. Зато Джино оторопел от осознания того, какое счастье привалило брату, а не ему.

Потом Винсент продемонстрировал им свою пижаму. Он оказался первым во всей семье владельцем пижамы. Пижама была желтая, в черную полоску — он сам ее выбрал.

— Ты в этом спишь? — удивилась мать. Зимой все они спали в толстом нижнем белье, натягивая поверх вязаные свитеры, а в жаркую погоду ограничивались трусами и майками. Пусть китайцы носят пижамы.

— Но почему эти люди накупили тебе столько всего? — спросила мать. — Что, они получили столько денег от своего Funda?

— Нет, — гордо ответил Винни. — Просто я им понравился. Они хотят, чтобы я приехал к ним на следующий год; я могу прихватить с собой Джино. Я рассказал им про нашу семью. Они обещали писать мне письма и прислать подарок на Рождество. Мне тоже придется их поздравить.

— Выходит, у них нет детей.

— Нет, — ответил Винни.

Видя, что брат счастлив, Октавия неожиданно для самой себя заявила:

— Тебе уже не придется ходить в пекарню, Вин. До школы осталась одна неделя. Пускай убирается к черту!

Винни был на седьмом небе. Они с Октавией вопросительно посмотрели на Лючию Санту, но та согласно кивнула, улыбнулась и задумалась.

Как странно: получается, что на свете есть добрые люди, которые могут приносить детям счастье. Что же это за люди? Как же безоблачна их жизнь, если они осыпают деньгами и любовью паренька, которого они никогда в жизни не видели и, возможно, больше не увидят? Ее посетила смутная догадка, что вокруг простирается другой мир, непохожий на ее собственный, почти другая планета. Людям, подобным ей, жизнь там заказана. Они могут туда заглянуть, но только благодаря чужой благотворительности, а благотворительность недолговечна, как падающая звезда, она мигом сгорает. Нет, в Италии богатеи, жирные землевладельцы едят детей бедноты поедом! Впрочем, довольно и того, что в этот вечер дети ее счастливы, в их сердцах зажглась надежда. Она была готова радоваться вместе с ними.

Для Октавии лето кончилось плачевно. Ее босс, человек тучный и веселый, неизменно приветливый, как-то под конец рабочего дня пригласил ее к себе в кабинет.

— Мисс Ангелуцци, — начал он, — я давно за вами наблюдаю. Вы — прекрасная наставница. Женщины, покупающие у нас машинки и получающие от вас уроки, не могут на вас нахвалиться. И на машинки — тоже. В этом-то и беда, моя милая.

Октавия не поверила собственным ушам.

— Не понимаю, о чем вы говорите, — молвила она.

— Вы молодая и, наверное, неглупая. Это хорошо, даже очень. У вас есть целеустремленность. Вы отлично выполняете свою работу. Как-то я заметил, что у одной женщины ничего не получается — глупая попалась женщина, это сразу бросалось в глаза; так вы сидели с ней до тех пор, пока она не освоила машинку. Не стану ходить вокруг да около и скажу, как есть: у нас никогда не было такой хорошей работницы, как вы.

Он ласково похлопал ее по руке, и она отстранилась. Он улыбнулся; ее праведное итальянское воспитание сыграло с ней дурную шутку: если мужчина трогает тебя, то только с одной целью...

Похвала вызвала у Октавии ликование: значит,

она — настоящая учительница. Она не ошиблась в себе.

— Но, Октавия, — мягко продолжал босс, — компания швейных машинок «Мелодия» занимается бизнесом не для того, чтобы давать уроки шитья. И не для того даже, чтобы продавать простенькие машинки, которые мы рекламируем, чтобы заставить людей переступать порог магазина. Мы хотим продавать хорошие машинки! Самые лучшие! Вот в чем состоит ваша истинная задача. Я повышаю вас: отныне вы — продавщица, я даю вам двухдолларовую прибавку. Будьте такой, как раньше, только пообщительнее. — При этих словах она сверкнула глазами, и он улыбнулся. — Нет, не со мной. Будьте общительной, подружитесь с дамами, которых вы учите. Пейте с ними кофе, станьте им подругой. Вы говорите по-итальянски — это только плюс. Понимаете, машинки, которые мы продаем, не приносят нам прибыли. Ваша задача будет состоять в том, чтобы убеждать людей пересаживаться за машинки новых моделей. Ясно? Делайте все, как делали раньше. Только будьте им подругой, даже ходите с ними куда-нибудь вечерами. На следующее утро можете прийти на работу позже. Если вам удастся продать больше, вы будете сами распоряжаться своим временем. — Он хотел было снова погладить ее по руке, но одумался и одарил ее веселой отеческой улыбкой.

Октавия выбежала из его кабинета польщенная, вне себя от счастья. Наконец-то у нее хорошая работа, должность с перспективой! Днем она пошла пить кофе с молодыми замужними женщинами, которые беседовали с ней так уважительно, что она почувствовала себя важной персоной, ни дать ни взять —

учительницей. На вопрос, как работает машинка, одна из них ответила:

— Отлично! Ваш босс хотел убедить меня сменить ее на новенькую и дорогую. Но к чему мне это? Я просто шью платья для детей и для себя, чтобы немного сэкономить.

Только тут до Октавии дошло, что предложил ей босс.

Едва занявшись продажей, она встала перед необходимостью принимать решения, отягощенные моральной ответственностью и умственным напряжением и не имеющие отношения к ее знакомым, родне, к ее телу, полу, семье. Она поняла, что продвижение невозможно, если не обирать ближнего. Она представила себе собственную мать, ничего не смыслящую в американской жизни, обставляемую такой же пигалицей, как она. Если бы речь шла о том, чтобы подделывать счета, завышать цену, то она пошла бы на это, стремясь сохранить место. Однако она была еще очень наивна, и ей казалось, что использовать свое обаяние, улыбку, участливость — это то же самое, что торговать собственным телом. Она предприняла робкие попытки, но у нее не хватило напора, без которого нечего было и мечтать о сделке.

Прошло две недели, и ее уволили. Босс стоял в дверях, провожая ее. Напоследок он покачал головой и жалостливо произнес:

— Вы славная девушка, Октавия.

Однако она не улыбнулась в ответ, а сердито сверкнула глазами и презрительно отвернулась. Он вполне мог позволить себе проявлять понимание. Он ничего не терял, его жизнь устоялась. Это было всего лишь дешевое дружелюбие победителя к побежденному. В ее жизни не было места для безграничной терпимости.

Октавия расставалась с мечтами. Теперь ей казалось, что учителя, в которых она души не чаяла, на самом деле обвели ее вокруг пальца, осыпая комплиментами, побуждая стремиться к лучшей жизни, хотя у нее не было ни средств, ни силенок даже начать поиски такой жизни. Они сбыли ей жизненный идеал, существовать с которым в ее мире оказалось не по карману.

Октавия возвратилась в мастерские. Лишь получив там место, она поведала матери, что с ней стряслось; мать выслушала, не произнося ни слова. Она причесывала Сала, зажав его коленями.

— Таким людям, как мы, богатыми не бывать, — только и сказала она.

— Я не могу поступать так с бедняками, — сердито бросила Октавия. — Ты бы тоже не смогла набивать деньгами карманы этих мерзавцев.

— Я слишком стара для таких фокусов, — устало сказала Лючия Санта. — И таланта у меня никакого. Я не так горячо люблю людей, чтобы любезничать с ними, пусть и за деньги. Но ты молода, ты бы научилась. Это не так сложно. Но куда там! В моей семье принято читать книжки, ходить в кино и воображать себя богатым. Гордись собой и прозябай в нищете. Мне-то что! Я была бедна, пусть и дети мои будут бедны.

Она подтолкнула Сала к двери. Мальчонка обернулся и заканючил:

— Дай мне два цента на содовую, ма!

Мать, никогда не отказывавшая ему в этой просьбе, сейчас сердито буркнула:

— Разве ты не слышал, что я только что сказала твоей сестре? Мы бедняки! Вот и иди.

Сал важно взглянул на нее. Она с раздражением подумала, что все ее дети до одного слишком серьезны. И тут Сал с неопровержимой логикой, доступной только ребенку, сказал:

— Выходит, если ты не станешь давать мне по два цента, то разбогатеешь?

Октавия поневоле прыснула. Мать потянулась за кошельком и с непроницаемым лицом дала сыну монетку. Тот, ни слова не говоря, скрылся.

Лючия Санта пожала плечами и взглянула на Октавию. А все-таки, если бы я никогда не давала детям два цента на содовую, мы были бы богаче, подумала мать. Если бы никогда не отсчитывала им денег на кино и на бейсбол, если бы готовила мясо всего раз в неделю и включала электричество только тогда, когда уже не видно ни зги. Если бы круглый год заставляла детей работать, не дожидаясь, пока они выучатся в школе, если бы сажала их по вечерам пришивать пуговицы, запрещая читать и слушать радио, — кто знает, может быть, тогда...

Мелочная бережливость помогла тысячам людей приобрести дома на Лонг-Айленде. Но в ее семье такого никогда бы не получилось. Всем им суждено влачить жалкое существование, в том числе и ей. Наверное, она сама в этом виновата: недостаточно прилежно вытирала им носы, не проявила себя мудрой матерью нищих детей.

Она не питала иллюзий относительно людей. Люди не злы, сознательного злодея отыскать трудно.

Но деньги — это бог. Деньги делают человека свободным. Деньги дают надежду. Деньги — это надежность. Отказаться от денег?

Это то же самое, что требовать от человека, угодившего в дикие джунгли, чтобы он бросил ружье.

Деньги охраняют жизнь твоих детей. Деньги спасают их от тьмы. Кто не оплакивал нехватку денег? Кто не рыдал, мечтая о деньгах? Кто откликается на зов денег? Врачи, священники, почтительные сыновья.

Деньги — вот новая родина. Лежа ночью без сна и думая, как растут сбережения на ее счете, Лючия Санта ощутила холодок томления, смешанный со страхом, — совсем как преступник, подсчитывающий, сколько еще дней он проведет за решеткой.

Кроме прочего, деньги — это друзья, любящие родственники. Никакой новый Иисус не смог бы упрекнуть сейчас людей, имеющих деньги.

Не обязательно богатство, просто — деньги; деньги, как стена, к которой можно привалиться спиной и бесстрашно взглянуть миру в глаза.

Октавия знала, что мать размышляет о деньгах. О деньгах, которыми надо оплачивать врачей, одежду, топливо для печки, школьные учебники, одежду для причастия. О деньгах, на которые можно будет купить дом на Лонг-Айленде и, возможно, отправить маленького Сала учиться в колледж.

И все же, думала Октавия, при всем этом мать относится к деньгам нерасчетливо. Она покупает самое лучшее оливковое масло, дорогой сыр, заморский prosciutto. Не менее трех раз в неделю она кормит их мясом. Сколько раз она вызывала врача к прихворнувшим детям, когда в другой семье обошлись бы домашними средствами и дождались, пока жар или простуда пройдут сами собой. На Пасху каждый ребенок наряжался в новый костюм или платье.

Так или иначе, каждую неделю мать дает Октавии пять-десять долларов, чтобы она положила их на счет. На сберегательной книжке, о которой не знает никто, кроме матери и старшей дочери, лежит уже полторы тысячи долларов. Октавия гадала, что же послужит для ее матери волшебным сигналом, по которому она предпримет великий шаг в жизни семьи — купит дом на Лонг-Айленде.

Наступила осень, дети пошли в школу, сидеть по вечерам на тротуаре стало зябко, к тому же накопилось слишком много дел, чтобы можно было транжирить вечера, посвящая их болтовне. Стирка, глажка, чистка башмаков, пришивание бесчисленных пуговиц ради дополнительного заработка. Из задних дворов и подвалов подняли в квартиры масляные нагреватели. Город окрасился в новые цвета: холодное солнце сделалось бледно-желтым, мостовые и тротуары — серыми. Дома словно вытянулись, стали тоньше, как бы отодвинулись друг от друга. Камень утратил запах, гудрон перестал смердеть. В воздухе больше не носилась горячая пыль. Белый дымок из паровозных труб приобрел запах вольных просторов. Утром одного такого холодного дня Фрэнк Корбо возвратился домой, к семье.

ГЛАВА 6

Старшие дети разошлись в школу и на работу. Лючия Санта пила кофе в компании тетушки Лоуке. Обе насторожились, услыхав на лестнице шаги;

дверь распахнулась, и на пороге вырос Фрэнк Корбо, гордый, но в то же время напоминающий ребенка, мнущегося у входа, дожидаясь, чтобы его пригласили войти. Он хорошо выглядел, его загорелое лицо немного пополнело, взгляд помягчел.

— А-а, наконец-то вернулся, — холодно произнесла Лючия Санта.

Однако в ее голосе звучало скорее не возмущение, а приглашение. Умудренная жизнью тетушка Лоуке тоже знала, как ублажить мужчину, вернувшегося в семью.

— Фрэнк, как ты славно выглядишь! — прошамкала она. — Как приятно на тебя смотреть!

И она засуетилась, спеша подать ему кофе. Фрэнк Корбо уселся за стол напротив жены.

Они недолго смотрели друг другу в глаза. Ни он, ни она не находили нужных слов. Он сделал то, чего не мог не сделать. Он не думал извиняться, не умолял понять его. Ей приходилось принимать его таким, какой он есть, как принимают болезнь, смерть. На прощение он не надеялся. Она встала, подошла к двери, где он оставил свой чемодан, словно сомневался, сможет ли остаться, и оттащила его в дальний угол комнаты. Потом она наскоро зажарила ему омлет.

Когда она наклонилась, подавая ему еду, он чмокнул ее в щеку, и она приняла поцелуй. Эти двое предали друг друга и этим поцелуем давали обещание не помышлять о мести.

Все трое мирно хлебали кофе. Тетушка Лоуке спросила:

— Тебе понравилось работать на земле? Работа, настоящая работа — самое лучшее дело для мужчины. В Италии люди трудятся по шестнадцать часов в день и не знают болезней. Нет, ты отлично выглядишь! Значит, земля пошла тебе на пользу.

Отец семейства кивнул. Он был вежлив.

— Все было хорошо, — сказал он.

Двое малышей, Сал и малютка Лена, пришли из дальней комнаты, где только что играли. Увидав своего отца, они остановились, взявшись за руки, и уставились на него.

— Ну-ка, поцелуйте отца! — прикрикнула на них тетушка Лоуке.

Однако отец смотрел на детей с прежним выражением безнадежности, потерянности, словно стараясь вспомнить, как он любил их, и одновременно страшась чего-то. Когда они подошли к нему, он нагнулся и с трогательной нежностью поцеловал их в лобики. Однако стоило ему поднять голову — и жена с прежней тревогой заметила, какой у него затравленный взгляд.

Отец вытащил из кармана два бумажных пакетика с конфетами и вручил детям. Они плюхнулись на пол и тут же, возясь у отцовских ног, как котята, стали изучать содержимое коричневых кульков. Он снова принялся за кофе, словно забыв о них, не делая больше попыток их приласкать.

Тетушка Лоуке тихонько вышла. Когда дверь за ней затворилась, отец извлек из кармана комок из купюр, отделил от него две, а остальные отдал Лючии Санте. Сто долларов!

Лючия Санта не знала, что сказать.

— Возможно, ты правильно поступил. Ты лучше выглядишь. Как ты себя чувствуешь, Фрэнк? — В ее голосе слышалась забота и тревога.

— Лучше, — ответил муж. — А то я совсем было

занемог. Мне не хотелось скандала перед уходом, поэтому я тебе ничего не сказал. Шум в городе, шум в доме... У меня постоянно болела голова. Там было, по крайней мере, спокойно. Днем я много работал, а ночью спал без сновидений. О чем еще мечтать человеку?

Оба помолчали. Наконец он произнес, словно извиняясь:

— Здесь не так уж много денег, но это все, что я заработал. На себя я не истратил ни единого цента. Хозяин дал мне чемодан, одежду, он кормил меня. Это все же лучше, чем торчать здесь и мыть твою лестницу.

Мать спокойно и примирительно ответила:

— Нет, это большие деньги. — Однако она не удержалась, чтобы не присовокупить: — Лестницу за тебя мыл Джино.

Она думала, что он вспылит, однако Фрэнк только кивнул и произнес рассудительным тоном, без всякой иронии:

— Дети должны страдать за грехи отцов.

Такие слова мог сказать только усердный прихожанин, истовый христианин. В подтверждение ее догадки он извлек из нагрудного кармана маленькую Библию с красным обрезом.

— Видишь? — молвил он. — В этой книге — вся правда, а я даже не могу ее прочесть. Вот придет из школы Джино — он мне почитает. Тут отмечены нужные места.

Мать пристально смотрела на него.

— Ты, наверное, устал, — произнесла она. — Иди ляг, поспи. Я выгоню детей поиграть на улице.

Когда он разделся и лег, она принесла ему мок-

5 – 2269

рое полотенце, чтобы он обтер лицо и руки. Он не проявил намерения овладеть ею, не выказал желания близости; когда он, закрыв глаза, откинулся на постель, ей показалось, что он не хочет видеть мир, в который вернулся. Лючия Санта заподозрила, что за обличьем благополучия и здоровья скрывается какой-то чудовищный недуг. Глядя на него спящего, она чувствовала странную жалость к этому человеку, которого когда-то любила и который столько лет был ее мужем. Теперь ей казалось, что каждый день, нет, каждую минуту, каждую секунду она все разматывает и разматывает клубок его судьбы, словно он — ее пленник, умирающий в одиночной камере. Она была тюремщицей поневоле: она не преследовала его, не выносила приговора, не бросала его за решетку. Но она не могла выпустить его на свободу. Присев рядом с ним на кровать, Лючия Санта положила руку ему на голову. Он уже спал. Она еще какое-то время посидела с ним рядом, радуясь, что остальное семейство, вернувшись домой, застанет его спящим и что Октавия, Ларри, Джино и Винни впервые в жизни увидят его беззащитным и — кто знает — возможно, пожалеют его.

Вечером, когда семья уже сидела за столом, отец встал с кровати и присоединился к остальным. Приветствие Октавии было коротким и холодным. Ларри же, напротив, обрадовался и вскричал с несомненной искренностью:

— Ты отлично выглядишь, пап! Нам тебя здорово не хватало.

Джино и Винсент с любопытством рассматривали отца. Тот спросил Джино:

— Ты хорошо вел себя с матерью в мое отсутствие?

Джино кивнул. Отец сел и, словно спохватившись, вытащил из кармана две долларовые купюры и молча вручил их Джино и Винсенту.

Октавии не понравилось, что он не спросил о поведении у Винсента. Она хорошо понимала Винсента и знала, что он уязвлен и что доллар дела не поправит. Она сердилась еще больше, потому что сообразила, что отчим поступил так без всякого умысла.

Неожиданно отец сказал нечто такое, что повергло всех за столом в изумление:

— Сегодня ко мне зайдут друзья.

Раньше он никогда не приводил в дом друзей, словно знал или чувствовал, что здесь на самом деле не его родной дом, что ему никогда не бывать главой семьи. К нему даже ни разу не наведывались приятели-картежники, чтобы пропустить по стаканчику вина. Ларри в этот вечер выходил на работу, Октавия же решила остаться дома, чтобы посмотреть, что это за люди, и оказать матери поддержку, если они окажутся союзниками отчима в его противостоянии семье.

Квартира была прибрана, посуда перемыта, на огне варился свежий кофе, на столе стоял купленный по такому случаю в магазине торт. Наконец явились гости — мистер и миссис Джон Колуччи с девятилетним сыном Джоубом.

Супруги Колуччи оказались молоды: обоим было лет по тридцать с небольшим. Мистер Колуччи был худ и угрюм, говорил с легким акцентом — единственное свидетельство того, что он не был уроженцем Америки. На нем была безупречная рубашка, галстук, пиджак. Жена его отличалась пышностью форм, хотя толстой ее трудно было назвать. У нее не было никакого акцента, однако она походила на итальянку гораздо больше, чем муж.

Семья Ангелуцци-Корбо несказанно удивилась любви, которую проявляли Колуччи к Фрэнку Корбо. Они ласково потрясли его за руку, нежно справились о его самочувствии, восхищенным тоном молвили: «А, вот и ваша жена!», а «Так это — ваши дети!» прозвучало с налетом испуга. Можно подумать, что он — их богатый дядюшка, пронеслось в голове у Лючии Санты. От ее внимания не ускользнуло, что муж не остался равнодушным к их любви. Он никогда не выставлял напоказ своих чувств, однако она могла судить о его волнении по его тону и уважительному голосу, в котором впервые с самой их свадьбы она различила нотки, указывавшие на то, что он готов прислушаться к мнению и желаниям собеседников. Казалось, впервые он встретил людей, на которых ему захотелось произвести хорошее впечатление. Он сам налил им кофе.

Все уселись вокруг огромного кухонного стола. Октавия вела себя очаровательно, в безупречном американском стиле: она расточала улыбки и разговаривала негромко и любезно. У Колуччи были прекрасные манеры. Мистер Колуччи, несомненно, работал в конторе и не ведал ручного труда. Миссис Колуччи ворковала на изысканном итальянском языке, какому не научишься в Италии. Нет, они не дети крестьян из горной местности, они происходят из чиновного класса, они — представители многих поколений итальянских государственных служащих. Сам Колуччи был редким итальянцем, чья семья эмигрировала в Америку не из-за бедности, а по религиозным соображениям. Они были протестантами и здесь, в Америке, примкнули к новой секте — «Церкви истинных христиан-баптистов».

Их встреча с Фрэнком Корбо состоялась, разумеется, по воле всевышнего. Ферма, где тот работал, принадлежала двоюродному брату Колуччи, и семья проводила там летний отпуск, так как это шло на пользу здоровью их сына. Лючия Санта, перевоспитанная крестьянка, подняла брови, заслышав перепевы темы, так досаждавшей ей все лето. Однако, продолжал мистер Колуччи, воля господня проявилась еще и в том, что даже в городе они живут, оказывается, в нескольких кварталах друг от друга, и каждое утро, направляясь на работу, он проходит мимо дома Фрэнка Корбо. Мистер Колуччи работает на шоколадной фабрике Ранкеля на Тридцать первой стрит! Более того, он уверен, что подыщет Фрэнку Корбо работу на фабрике; но причина их визита не в этом.

Мистер Колуччи обещал научить Фрэнка Корбо читать и писать. Учебным пособием станет для них Библия. Они пришли к ним в гости, чтобы сдержать данное обещание и начать учить его не только грамоте, но и истине об Иисусе Христе. Он станет ходить к ним на занятия в молитвенный дом Истинных христиан-баптистов. Мистер Колуччи хочет удостовериться, что миссис Лючия Санта Корбо не будет возражать и не сочтет себя ущемленной, если ее супруг станет наведываться туда трижды в неделю по вечерам. Он знает, каково почтение, которое принято оказывать у итальянцев жене, матери детей. О религиозных возражениях он не упомянул, словно знал, что таковых не возникнет.

Лючия Санта взглянула на него более благосклонно. Она сообразила, что ее муж сделается протестантом, однако это ее нисколько не тревожило. Он взрослый человек. Но вот работа у Ранкеля! Он будет бесплатно приносить домой шоколад и какао. Да и зарплатой не стоит пренебрегать. Вот это удача так удача! Пусть муж становится хоть иудеем, если ему так больше нравится. Она не станет отвечать согласием, поскольку этого от нее и не требуется: у нее нет права вето. Однако она дает мужу свое благословение.

Теперь, когда спало первое напряжение, они принялись рассказывать друг другу о себе, о том, где жили в Италии их семьи, когда и почему они перебрались сюда. Колуччи не пили и не курили. Вся их жизнь заключалась в религии, ибо они верили в Живого бога. Они рассказывали о чудесах, в которые их заставляла верить их религия. Во время собраний в молитвенном доме прихожане впадали в транс, валились на пол и начинали изъясняться на неведомых языках; пьянчуги превращались в твердых трезвенников, злобные невежи, постоянно украшавшие жен и детей синяками, превращались в безгрешных святош. Лючия Санта снова подняла брови, теперь в учтивом изумлении.

— Грешники становятся подобны господу, — продолжал мистер Колуччи. — Я тоже был страшным грешником — лучше уж не стану распространяться, в чем состояли мои грехи...

Его жена уронила голову; когда она снова подняла глаза, на ее губах блуждала невеселая усмешка.

Однако Колуччи говорил без бахвальства. Его и впрямь можно было принять за человека, перенесшего чудовищные невзгоды, настрадавшегося, а потом спасенного, но не собственными силами, а волей всевышнего.

Колуччи постарался объясниться. Скажем, даже если Фрэнк еще не обрел веры, это не имеет значения. Они — его друзья, они сделают все, чтобы ему помочь. Они будут стараться из любви к нему и к господу. Вера войдет в его душу своим чередом.

Несмотря на громкие слова «любовь» и «бог», семья находилась под впечатлением услышанного. Они никогда раньше не встречали людей, подобных мистеру Колуччи, и даже не слыхали об их существовании. Лючия Санта все ждала какой-нибудь просьбы, какого-нибудь подвоха, который заставил бы их расплачиваться за везение, однако так и не дождалась. Она встала, чтобы сварить еще кофе и угостить гостей tarelle. Отец держал всех в поле зрения, оставался невозмутим, но, судя по всему, был доволен происходящим.

Нет, прочь сомнения: гармония достигнута. Колуччи почувствовал это и стал еще красноречивее. Он взялся объяснять новым знакомым суть своей религии. Людям надлежит любить друг друга и не мечтать о земных благах. Скоро разразится Армагеддон, бог сотрет мир живущих с лика земли, и спасутся лишь избранные, истинные верующие. Миссис Колуччи согласно кивала. Ее красивые губы, темно-багровые, несмотря на отсутствие помады, были убежденно поджаты, ее чудесные черные глаза сверкали, скользя по комнате.

Дети, чувствуя, что на них больше не обращают

внимания, покинули взрослых. Джино, Винсент и Джоуб прошли в коридор и оттуда — в гостиную. Колуччи продолжал разглагольствовать. Лючия Санта из вежливости прислушивалась к его словам. Эти люди собираются предоставить ее мужу работу. Bravo. Пусть он молится так, как им больше нравится. Все ее дети, кроме Сала и Лены, уже приведены к причастию и к конфирмации в католическом соборе, однако она делала это так же бездумно, как одевала их во все новое на Пасхальное воскресенье, — просто потому, что того требовали правила поведения в обществе. Сама она давно уже забросила мысли о боге и лишь машинально проклинала его имя при очередном несчастье. Как бы то ни было, после ее смерти с ней поступят так, как того требует обычай ее церкви. Сама же она не ходила к мессе даже на Рождество и на Пасху.

На Октавию новые знакомые произвели более сильное впечатление. Она была молода, и стремление творить добро вызывало у нее уважение. Ей хотелось бы быть такой же красивой, как миссис Колуччи; на мгновение она порадовалась, что дома нет Ларри, который наверняка попробовал бы на ней свои чары.

Отец не сводил с Колуччи взгляда и слушал его самозабвенно, словно отчаянно хотел услышать что-то особенное; казалось, Колуччи вот-вот произнесет какие-то волшебные слова, которые сыграют для него роль волшебного ключика. Он терпеливо ждал этих слов.

У гостиной Джино запустил руку в дыру в стене, куда зимой вставляли трубу от печи, и нашарил там колоду карт.

— Хочешь, сыграем в «семь с половиной»? — предложил он Джоубу. Винни уже сидел на полу и выковыривал из складок кармана центы. Джино уселся напротив него.

— Играть в карты — грех, — сказал Джоуб. Он был честным малым, почти миловидным, он напоминал лицом мать, но в нем не было никакого жеманства. Он тоже сел на пол, глядя на новых знакомых во все глаза.

— Хочешь, научу? Вот тебе крест! — побожился Джино.

— Клясться грешно, — заладил Джоуб.

— Черта с два, — бросил Винни. Вообще-то он никогда не бранился, но с какой стати этот сопляк учит Джино, что ему говорить, а что — нет?

Джино наклонил голову и тоном мудреца стал внушать Джоубу:

— Если ты станешь трепаться вот так у нас в квартале, парень, с тебя снимут штаны и забросят их на фонарь. Придется тебе бежать домой с голой задницей.

Испуг на мордашке Джоуба принес ему удовлетворение. Братья увлеклись картами и забыли обо всем на свете.

— Ладно, — неожиданно молвил Джоуб, — но вы двое тоже провалитесь в ад, причем скоро.

Но Джино с Винни не так-то просто было запугать.

— Мой отец говорит, что близится конец света, — спокойно объяснил Джоуб.

Джино и Винни на минуту прервали игру. Мистер Колуччи произвел на них впечатление. Джоуб самоуверенно усмехнулся.

— И произойдет это из-за таких, как вы. Вы гневите бога, ибо совершаете зло, играя и бранясь. Если бы вы и вам подобные поступали так, как учу вас я и мой отец, то бог, возможно, отменил бы конец света.

Джино нахмурился. Его причастие и конфирмация состоялись год назад, но монахини, учившие его катехизису, ни о чем подобном его не предупреждали.

— Когда же это случится? — поинтересовался он.

— Скоро, — отмахнулся Джоуб.

— Скажи, когда, — настаивал Джино, пока еще уважительно.

— В небе вспыхнет пламя и загрохочут пушки, на землю обрушится потоп. Все погибнет во взрыве... Земля разверзнется и поглотит людей; они пойдут в ад, а потом все накроет океан. Всем предстоит жариться в аду. За исключением немногих, которые веруют и творят добро. Потом господь снова будет всех любить.

— Да, но когда? — уперся Джино. Задавая вопрос, он не унимался, пока не добивался ответа, каким бы он ни оказался.

— Через двадцать лет, — сказал Джоуб.

Джино пересчитал свои монеты.

— Ставлю пять центов, — сказал он Винсенту.

Винни согласился. Мало ли что случится через двадцать лет?

Винни проиграл. Возраст научил его сарказму. Он сказал:

— Если бы меня звали Джоубом[1], то я ждал бы конца света так скоро.

---

[1] Имя «Job» — то же самое, что библейский Иов.

Братья злорадно уставились на Джоуба, и тот впервые разозлился.

— Меня назвали именем одного из величайших людей из Библии! — распалился он. — Знаете ли вы хотя бы, что совершил Иов? Он верил в бога. Но бог подверг его испытанию: он убил его детей, он сделал так, что от Иова ушла жена. Потом бог ослепил его, наслал на него хворь, от которой Иов покрылся миллионами прыщей. Потом бог отнял у него дом и все деньги. И знаете, что было дальше? Бог послал к Иову дьявола, и тот спросил Иова, любит ли он до сих пор бога. Знаете, что ответил Иов? — Мальчик выдержал драматическую паузу. — «Господь дал, господь и взял. Я люблю господа своего».

Пораженный Винни внимательно посмотрел на Джоуба. Зато Джино возмутился:

— Он сказал правду? Или просто испугался, что и его самого убьют?

— Конечно, правду! За это господь одарил его счастьем, чтобы вознаградить за веру. Мой отец говорит, что Иов был первым истинным баптистом. Вот почему истинные христиане-баптисты спасутся, когда наступит конец света, а все, кто не слушает нас, будут гореть в геенне огненной целый миллион лет. Или даже больше. Так что вам лучше перестать играть в карты и сквернословить.

Но Джино, упрямый мальчишка, мастерски перетасовал карты и стал проделывать с ними разные фокусы. Джоуб завороженно глядел на его ловкие руки.

— Хочешь попробовать? — небрежно спросил Джино.

В следующую секунду колода оказалась в руках у Джоуба. Тот попытался их перетасовать, но карты веером разлетелись по полу. Он собрал их и предпринял новую попытку. На его лице застыло серьезное выражение. Неожиданно на пол комнаты легла громадная тень. Над мальчиками нависла миссис Колуччи; они не слышали, как она подошла по коридору к их комнате.

Винни и Джино замерли, не в силах отвести взоры от красавицы. Она смерила сына холодным взором, приподняв одну бровь.

— Я не играл, мама! — заикаясь, пролепетал Джоуб. — Просто Джино показывал мне, как мешают карты. Я смотрел, как они играют...

— Он не врет, миссис Колуччи, — горячо вступился за него Джино. — Он смотрел, и все. Представляете, — в его голосе звучало изумление, — он отказывался играть, как я к нему ни приставал!

Миссис Калуччи улыбнулась и произнесла:

— Я знаю, Джино, что сын мне никогда не врет. Но довольно даже прикосновения к картам. Отец будет очень сердит на него.

Джино заговорщически улыбнулся:

— А вам не обязательно ему рассказывать.

Теперь в тоне миссис Колуччи прозвучал холодок:

— Я-то, конечно, не расскажу. Но Джоуб расскажет ему сам.

Удивленный Джино устремил на Джоуба вопросительный взгляд. Миссис Колуччи ласково объяснила:

— Мистер Колуччи — глава нашей семьи, подобно тому, как бог — глава всего мира. Не станешь же ты утаивать что-либо от бога, а, Джино?

Мальчик задумался.

Винни сердито тасовал карты. Он был зол на

Джино; как брат сподобился не разобраться в этих людях? Неужели он воображает, что они питают к нему симпатию, неужели его подкупили их учтивые манеры? На красивом, дородном лице миссис Колуччи он ясно разглядел отвращение: ведь они играют в карты, а это все равно, что застать их за каким-нибудь постыдным занятием, о котором не принято упоминать.

— Не лезь в чужие дела, Джино! — брякнул он и уже занес руку для затрещины.

Джино, как всегда заинтригованный непонятными речами, сказал Джоубу:

— Ты действительно расскажешь отцу? Кроме шуток? Но ведь если ты не расскажешь, твоя мама тоже не проболтается! Верно, миссис Колуччи?

На лице женщины нетрудно было прочесть выражение сильнейшего, прямо-таки физического отвращения, но она промолчала.

Джоуб тоже ничего не ответил, но был близок к тому, чтобы расплакаться. Джино остолбенел.

— Я скажу твоему отцу, что я сам сунул тебе в руки карты, — заверил он Джоуба. — Ведь так оно и было на самом деле! Правда, Вин? Пошли, я ему все расскажу.

— Отец примет на веру любые слова Джоуба, — резко остановила его миссис Колуччи. — Спокойной ночи, дети. Попрощайся с новыми друзьями, Джоуб.

Джоуб безмолвствовал. Мать и сын направились в кухню.

Братьям расхотелось играть в карты. Джино подошел к окошку, распахнул его и залез на подоконник. Винсент подошел к другому окну и поступил так же.

На сортировочной станции царила темнота, разрезаемая прожектором единственного бессонного, но невидимого паровоза, оглашающего все вокруг стальным лязгом. Река Гудзон казалась в свете неяркой осенней луны сине-черной, а противоположный берег вставал, как нагромождение скал. Десятая авеню была темной и пустой; холодный октябрьский ветер разогнал на ночь глядя не только людей, но даже запахи. Лишь на углу Тридцать первой стрит теплилась жизнь: здесь горел костер, вокруг которого бродили подростки.

Джино и Винсент видели, как с крыльца спускается отец, вышедший проводить семейство Колуччи до трамвайной остановки на Девятой. Вскоре он появился снова и надолго замер у костра, пристально глядя на пляшущее пламя. Мальчики не сводили с него глаз. Наконец он оторвался от огня и побрел домой.

Джино и Винсент слезли с подоконников, опустили и расстелили кровать. Винсент натянул свою драгоценную пижаму — память о загородном отдыхе. Наблюдая за ним, Джино молвил:

— Этот Джоуб — славный паренек, но его счастье, что он живет не в нашем квартале.

Мистер Колуччи оказался не только болтуном, но и человеком дела: не прошло и недели, а Фрэнк Корбо уже поступил на шоколадную фабрику Ранкеля; теперь его возвращение домой всякий раз становилось для детей праздником. От его одежды и от него самого за версту несло какао, карман топорщился от огромного куска шоколада. То был чистый шоколад, гораздо вкуснее того, что продается в лавке. Кусок вручался Джино, и тот делил его между всеми детьми следующим образом: он рубил его ножом на две части, одну брал себе, вторую отдавал Винни; обкусав каждый свою долю, мальчики передавали остатки Салу и Лене. Джино представлялось, что отец долбит на работе мотыгой огромную гору шоколада, стараясь ее измельчить.

Под Пасху отец собирался принять крещение по новому обряду. Каждый вечер он отправлялся к Колуччи на урок чтения; оттуда его путь лежал в молитвенный дом, где он слушал службу и продолжал учебу. Иногда он пытался заставить Джино почитать ему Библию, но мальчик неизменно протестовал: читал он плохо и с явным отвращением, особенно излюбленные места отца, в которых речь шла о том, как разъяренный и мстительный бог призывает человека к ответу. Джино читал эти отрывки таким безразличным и скучающим голосом, что только раздражал отца. Однажды Фрэнк Корбо сказал ему с мягкой улыбкой:

— Animale! Выходит, ты не веруешь в господа? А ты не боишься смерти и ада?

Джино был смущен и от удивления не сразу сообразил, что ответить.

— Я прошел причастие и конфирмацию, — наконец нашелся он.

Отец взглянул на него, пожал плечами и больше никогда не заставлял его читать.

Следующие два месяца все шло как по маслу. Ссоры отошли в прошлое.

Но мало-помалу Лючия Санта, видя, как спокоен, трудолюбив, прилежен ее муженек, стала приходить к заключению, что ему нет прощения за то, что он не ведет себя еще лучше. Она пожаловалась было, что его вечно нет дома, что дети его никогда не видят, что он не водит ее в гости к родственникам. Выяснилось, что отец как будто ждал таких жалоб, словно новая личина тяготила его самого. Разыгралась бурная сцена: он поднял на нее руку, начались вопли, Октавия угрожала зарезать его кухонным ножом — одним словом, вернулись старые времена. Отец выбежал вон и не появлялся до утра.

После этого он стал меняться. Теперь он все реже ходил в молитвенный дом. По вечерам он часто возвращался прямиком домой, где, не поев, валился на кровать. Он был способен лежать так часами, уставясь в потолок, не смыкая глаз и не требуя есть. Лючия Санта приносила ему тарелку с горячей пищей; иногда он соглашался поесть, иногда выбивал тарелку у нее из рук, пачкая накидку и не позволяя потом сменить простыню.

Потом он засыпал, но около полуночи просыпался и принимался стонать и метаться по постели. Его мучили невыносимые головные боли, и Лючии Санте приходилось смачивать ему виски спиртом. Как бы то ни было, утром он с рвением торопился на работу. Работа была важнее всего остального.

Зимой ночи превратились в сущий кошмар. Отцовские крики будили малышку. Джино, Винсент и Сал жались друг к другу — Джино и Винсент сгорали от любопытства, но робели заглянуть к родителям, Сал же просто трясся от страха. Октавия тоже просыпалась и лежала, злясь на мать, проявляющую столько терпения. Ларри пропускал это развлечение, потому что работал по ночам и приходил домой только утром.

Отец становился все невыносимее. Проснувшись среди ночи, он принимался проклинать жену — сперва медленно, потом во все ускоряющемся ритме, как будто читал Библию. Квартира, погруженная в тишину и тьму, внезапно пробуждалась, когда ее наполнял звонкий голос отца:

— Шлюха... Сука... Вшивая... грязная... лживая... мерзавка... — Потом он принимался частить фальцетом: — Дьявольское отродье! Сучье племя! Мать шлюхи! — Дальше следовал нескончаемый поток совсем уж грязной брани, неизменно заканчивавшийся жутким призывом о помощи: — Gesu, Gesu[1], помоги мне, помоги!!!

Семья просыпалась, каждый в испуге садился в кровати и ждал, не зная, что учинит отец в следующую минуту. Мать старалась его утихомирить, обращаясь к нему тихим голосом, умоляя успокоиться и позволить семье спокойно поспать. Она так щедро смачивала ему виски спиртом, что квартира наполнялась головокружительным запахом.

Октавия и Лючия Санта спорили до хрипоты, следует ли отправить отца в больницу. Лючия Санта отказывалась даже слышать об этом. У Октавии, изнуренной недосыпом и волнением, начиналась истерика, и мать приводила ее в чувство звонкими пощечинами. Как-то ночью, когда отец затянул свое «Gesu, Gesu», Октавия передразнила его из-за двери. Когда отец принялся браниться по-итальянски, Октавия ответила тем же, копируя его акцент, и грязная

---

[1] Иисусе, Иисусе (*ит.*).

иностранная ругань, оглушительно-звонкая в темноте, прозвучала еще ужаснее, чем отцовское сквернословие. Сал и малютка Лена расплакались, Винни и Джино сели спросонья на край кровати, оглушенные страхом. Лючия Санта забарабанила дочери в дверь, умоляя ее угомониться. Однако Октавия уже не владела собой, поэтому отец сдался первым.

Наутро отец не вышел на работу. Лючия Санта дала ему отлежаться, пока не выгнала детей в школу, а потом вошла к нему с завтраком.

Он лежал одеревеневший, как бревно, уставившись пустым взглядом в потолок. Она тряхнула его за плечо, и он гулко забубнил:

— Я умер, не хороните меня без одежды. Обуйте меня в хорошие ботинки. Меня призвал господь. Я умер.

Мать настолько перепугалась, что стала щупать его конечности. Они оказались холодны как лед и неподвижны. Вскоре отец снова заголосил:

— Gesu, Gesu, помилуй! Aiuto, aiuto[1].

Она схватила его за руку.

— Позволь мне вызвать для тебя доктора, Фрэнк. Ты болен!

Отец рассвирепел так, как гневается только мертвец. Гулким, угрожающим голосом он произнес:

— Пусть врач только сунется — я вышвырну его в окно.

Однако угроза ободрила Лючию Санту, поскольку его холодные синие глаза снова зажглись, пусть всего лишь яростью. Кровь хлынула в конечности, и они снова потеплели. На лестнице, а потом в квар-

---

[1] Помилуй (*ит.*).

тире прозвучали шаги: Ларри вернулся домой после ночной смены.

— Лоренцо! — позвала она. — Зайди сюда и взгляни на отца.

Тон ее голоса был таким тревожным, что Ларри мигом вырос в дверях.

— Смотри, до чего он плох! — сказала она. — И еще отказывается от врача! Поговори с ним.

Вид отчима поверг Ларри в смятение. До этого момента он не замечал, как тот изменился, каким изможденным стало его лицо, как напрягся тонкий рот, как избороздили лоб и щеки морщины безумия.

— Брось, отец, — мягко произнес он. — Надо показать тебя врачу, даже если ты уже мертв. Вдруг люди скажут, что мать отравила тебя? Понял? Нам нужна справка! — Он улыбнулся отчиму.

Но Фрэнк Корбо взглянул на пасынка с презрением, как на слабоумного или безумца.

— Никаких врачей! — отрезал он. — Дайте мне отдохнуть. — С этими словами он закатил глаза.

Лючия Санта и Ларри удалились в кухню на противоположном конце квартиры. Мать велела сыну:

— Сбегай на фабрику Ранкеля и приведи мистера Колуччи. Он сумеет поговорить с Фрэнком. Ночью ему опять было совсем худо. Если это продлится — нет, лучше веди Колуччи...

Ларри смертельно устал и мечтал добраться до постели. Однако он видел, что мать, всегда полная сил и уверенности в себе, на этот раз близка к слезам, от которых ее удерживает только гордость. Его захлестнула волна любви и жалости к матери, но одновременно ему было противно вмешиваться во все это, словно разразившаяся драма не имела к нему ни малейшего отношения. Он потрепал мать по руке, сказал: «О'кей, ма» — и бросился вон из дому.

Колуччи, даже будучи конторским служащим, не смог отлучиться до конца рабочего дня. Он явился только в пять вечера, приведя с собой еще троих мужчин. От их одежды пахло какао. Они застали Фрэнка Корбо безжизненно растянувшимся на кровати.

Гости встали вокруг него кольцом, словно верные апостолы.

— Фрэнк, Фрэнк! — тихонько позвал мистер Колуччи. — Что с вами? Что вы делаете? Вам нельзя покидать жену с детьми. Кто будет зарабатывать им на хлеб? Господь не станет призывать вас к себе прямо сейчас; вам осталось совершить еще немало добрых дел. Ну же, Фрэнк, вставайте, послушайте своего друга, который любит вас! Время еще не настало! — Остальные посетители хором произнесли «аминь», как во время молитвы. — Нам придется прислать к вам доктора, чтобы он излечил вас от головных болей, — закончил Колуччи.

Отец приподнялся на локте. Голос его звучал тихо, сердито, но уже не безжизненно.

— Вы говорили мне, что врачи ни к чему, потому что все решает господь, а человеку только и надо, что верить. Значит, вы врали! Иуда вы! — Он указал осуждающим перстом на Колуччи, едва не угодив ему в глаз. Он походил на святого с картинки.

Колуччи остолбенел. Придя в себя, он присел рядом с Фрэнком Корбо на постели и взял его за руку.

— Послушай меня, брат, — заговорил он. — Я верую! Но, когда я вижу, что твоя жена с детьми может остаться без опоры в жизни, моя вера подвергается испытанию. Даже моя! Я не могу допустить, чтобы моя вера несла тебе гибель. Ты болен, тебя изводят головные боли. Ты страдаешь! Возлюбленный брат мой, тебе не хватает веры! Ты говоришь, что тебя призвал господь и что ты теперь мертв. Но это богохульство! Ты должен жить! Пострадай еще немного. Наступит Армагеддон, и господь смилостивится над тобой. Встань же, пойдем ко мне ужинать. Потом мы отправимся в молитвенный дом и вместе помолимся за твое исцеление.

По лицу Колуччи катились слезы. Трое его друзей поникли головами. Отец взглянул на них, широко распахнув глаза, словно вновь обретя разум.

— Хорошо, я встану, — согласился он и жестом выпроводил всех из спальни, чтобы спокойно одеться. Колуччи прошел вместе с остальными в кухню, где Лючия Санта подала посетителям кофе.

Мистер Колуччи безгласно уперся взглядом в деревянный стол. Видно было, как сильно он опечален. Человек, укорявший его с кровати, был карикатурой на Христа, на истинного верующего, ибо вера его была доведена до логического завершения: человек слег, чтобы умереть.

— Синьора Корбо, — обратился он к Лючии Санте, — сегодня в девять вечера ваш муж возвратится домой. Позовите врача. Не бойтесь, я буду с ним рядом. — Он положил руку ей на плечо. — Синьора, верьте мне! У вашего мужа есть преданные друзья. Он помолится и исцелится. Душа его будет спасена.

От его прикосновения Лючию Санту охватила

холодная, непримиримая ярость. Кто он такой, этот человек — отец единственного ребенка, чуждый ее горю и страданиям, — чтобы брать на себя смелость утешать ее? Он смешон своей навязчивой религиозностью, это он — причина болезни ее мужа! Он и его дружки внесли сумбур в рассудок ее мужа своими глупостями, своей непристойной, раболепной фамильярностью с господом! Кроме того, она чувствовала к мистеру Колуччи брезгливость. Что-то подсказывало ей, что он и в грош не ставит жизнь ближнего своего; что он, имея жену-красавицу, выказал глубокое недоверие к всевышнему и даже отсутствие веры, ограничившись всего одним отпрыском. Вспоминая, как он проливал слезы, присев рядом с ее мужем на постель, она чувствовала сейчас безграничное пренебрежение к нему и ко всем мужчинам, алчущим, помимо жизни, еще чего-то, какого-то величия. Можно подумать, что недостаточно просто жизни, жизни самой по себе! Ну и высокомерие! Она отвернулась от мистера Колуччи, от его жалости, его страдания, чтобы он не видел ее обозленного лица. Она ненавидела его. Это ей пристало испытывать муку, гнев страдалицы, вынужденной покориться судьбе; что до Колуччи, то пускай он катится со своими слезами — свидетельством дешевого сострадания...

ГЛАВА 7

Врач был сыном домовладельца, имевшего в собственности много домов вдоль Десятой авеню. Отец, простой итальянский крестьянин, выбивался из сил, проливал пот, бежал без оглядки из родной страны, выжимал из съемщиков-соотечественников последний цент, сидел по четыре раза в неделю на pasta и fagioli[1], лишь бы его сын выбился в добрые самаритяне. Доктор Сильвио Барбато не питал иллюзий насчет клятвы Гиппократа. Он слишком уважал своего отца, был слишком умен, чтобы испытывать сентиментальные чувства к этим итальянцам-южанам, ютящимся, подобно крысам, вдоль западной городской стены. И все же молодость не позволяла ему относиться к страданию как к чему-то естественному. В нем еще оставалось нечто похожее на жалость к ближнему.

Он был знаком с Лючией Сантой. Мальчишкой, еще до того, как отец его разбогател, он жил на Десятой авеню и уважал ее за пол и возраст. Ему пришлось пожить так, как жила она теперь: спагетти по четвергам и воскресеньям, pasta и fagioli по вторникам, средам, пятницам и субботам, scarola[2] по понедельникам ради очистки кишечника. Он не мог внушить ей благоговейного страха и действовать при ней с холодным профессионализмом. Однако всякий раз, когда ему доводилось переступать порог подобного жилища, он благословлял про себя своего отца.

Он превратился в человека совсем иной среды. Отец мудро поступил, что сделал его врачом. Люди не могут не болеть, им никуда не деться от больниц; следовательно, ему всегда найдется работенка. Воздух в любую погоду наполнен бациллами. Рано или поздно всякому придется пройти через длительный процесс умирания. У живущего обязательно есть

---

[1] Макароны и фасоль (*ит.*).

[2] Салат-латук (*ит.*).

деньги, которые так или иначе перекочуют в карман к врачу.

Он присел, чтобы выпить ритуальный кофе. Никуда не денешься, иначе они никогда больше не пригласят его. Ледник в коридоре наверняка кишит тараканами. Дочка, — запамятовал, как ее зовут, — созрела не только для работы, но и для замужества: ей надо торопиться, иначе у нее возникнут проблемы. Вокруг врача собрались люди, взявшиеся растолковать ему, что за недуг свалил его пациента, — слишком много людей. Друзья семьи, советчики — злостные враги врача. Хуже всех, конечно, эти несносные старухи...

Наконец он увидел пациента, распростертого на кровати. Как будто не буянит. Доктор Барбато смерил ему пульс и давление. Хватит и этого. Спокойное, заострившееся лицо скрывало чудовищное напряжение духа. Доктор слыхал о подобных случаях от старых коллег. Великолепие новой страны часто оказывалось невыносимым для мужчин, для женщин же — никогда. Мужчины-итальянцы сплошь и рядом лишались рассудка и проводили остаток дней в изоляции, словно, покидая родину, они выдирали из своей души какой-то жизненно важный корень.

Доктор Барбато знал, что надо предпринять: Фрэнка Корбо необходимо госпитализировать, ему требуется длительный покой, отдых от напряжения. Однако этому человеку надо работать, кормить детей. Что ж, придется рискнуть, причем всем. Доктор Барбато продолжил осмотр больного. Отогнув простыню, он удивленно уставился на его изуродованные ноги; его охватил почти суеверный страх.

— Как же так вышло? — спросил он по-итальянски. Голос его был вежливым, но твердым: он требовал объяснений.

Отец приподнялся и снова накрыл ноги.

— Это не ваша забота, — отрезал он. — Ноги меня совсем не беспокоят.

О, да он враг!

— Значит, все дело в головных болях? — молвил врач.

— Да, — кивнул отец.

— Как давно они вас беспокоят?

— Всю жизнь, — был ответ.

Делать здесь было нечего. Доктор Барбато прописал сильное успокоительное и стал терпеливо ждать, пока мать сходит в другую комнату и достанет там из тайника деньги. Конечно, он чувствовал себя при этом не совсем в своей тарелке. Ему всегда хотелось, чтобы люди, платящие ему деньги, были поприличнее одеты, чтобы все происходило в окружении более достойной мебели. Но тут его взгляд упал на радиоприемник, и угрызения совести мигом исчезли. Если они могут позволить себе такое излишество, значит, им по карману и хворать.

На следующей неделе Фрэнк Корбо вышел на работу. Теперь он чувствовал себя не в пример лучше. Время от времени он стонал и бранился по ночам, однако продолжалось это каких-то несколько минут; после полуночи он, как правило, опять засыпал. Но не прошло и недели, как он явился домой в разгар рабочего дня. Стоя в дверях, он объяснил жене:

— Padrone[1] отправил меня домой. Я слишком

---

[1] Хозяин (*ит.*).

болен, чтобы работать. — Сказав это, он, к ужасу Лючии Санты, зарыдал.

Она усадила его за стол на кухне и напоила кофе. Он и впрямь донельзя исхудал. Теперь он говорил с ней так, как не говорил никогда после первого года их брака. Он испуганно спросил ее:

— Неужели я настолько болен? Padrone говорит, что у меня что ни минута, то перерыв, и что я забываю про машину. Еще он сказал, чтобы я хорошенько отдохнул, а потом пришел к нему. Но я совсем не так сильно болен, мне уже лучше, я держу себя в руках. Я теперь в порядке. Разве не так?

На это Лючия Санта ответила:

— Не беспокойся о работе, тебе действительно лучше отдохнуть. Тебе надо поправиться. Сегодня сходи прогуляйся, своди Лену в парк. — Она взглянула на его понурую голову. Так лучше ему или хуже? Ей не оставалось ничего другого, кроме ожидания дальнейших событий.

Когда он уходил с малышкой Леной на прогулку, она сунула ему доллар на сладости и сигары. Она знала, что он предпочитает, чтобы у него в кармане имелись деньги, и хотела его порадовать. Он долго отсутствовал и вернулся только к ужину.

Семья в полном составе восседала за столом: Октавия, Ларри, Винсент, Джино, Сал. Все уже знали, что отец лишился работы, и были удручены этим известием. Однако он вел себя спокойно, даже примерно, помогал жене, и все облегченно перевели дух. Видимо, огорчение из-за потери работы вымело у него из головы всю остальную дурь. Завязался легкий разговор. Ларри дурачил братьев, утверждая, что тараканы на стене затеяли игру в бейсбол; стоило

Салу и Джино обернуться, как он стащил с их тарелок несколько картофелин. Октавия держала Лену на коленях и кормила ее с ложечки. Винни наблюдал за остальными. Его-то Ларри не проведет! Когда мать проходила мимо него, он тронул ее за платье, и она наполнила его тарелку первой.

Дождавшись, пока все поднимутся из-за стола, Лючия Санта спросила мужа, пойдет ли он в молитвенный дом. Он ответил, что больше не нуждается в мистере Колуччи. Мать изумилась: разве возможно, чтобы ее муж, которому вечно не хватало изворотливости, отчего страдала вся семья, просто использовал Колуччи ради получения работы? Тогда при чем тут болезнь? Здесь гнездилось противоречие, не дававшее ей покоя.

Позже, когда пришло время ложиться спать, Лючия Санта устроилась на кухне и приготовилась шить до полуночи.

Теперь ей хотелось оставаться одетой и в боеготовности на случай очередного приступа у супруга. Если до полуночи ничего не произойдет, она спокойно уляжется спать: опасность миновала.

Фрэнк Корбо взглянул на нее и с неуклюжим участием, заменявшим у него нежность, сказал:

— Иди. Отдохни хоть немного. Я еще чуть-чуть пободрствую, а потом тоже лягу.

Она догадалась, что он тоже боится ложиться до полуночи. Было около одиннадцати вечера. Все остальные уснули; Ларри отправился на работу. Лючия Санта испытала громадное облегчение и гордость из-за того, что ее ожидания оправдались. Ему становится лучше. У мужчин случаются такие приступы, но со временем они проходят.

— Сейчас, только закончу, — согласилась она.

Наблюдая, как она шьет, он выкурил сигару, а потом налил ей рюмочку вина и даже сам выпил, хотя это запрещалось религией Колуччи. После полуночи оба улеглись. Крошка Лена спала между ними. В кромешной тьме, в самое глухое ночное время, Лючия Санта проснулась от того, что муж размеренно, звонко повторяет:

— Что это за кукла между нами? Скорее, не то я выброшу ее в окно.

Лючия Санта обхватила рукой спящую крошку и спросила тихо, но настойчиво:

— Фрэнк, что с тобой? Что случилось? — Она все еще не опомнилась после сна и ничего не могла сообразить.

Отец спросил ее с угрозой в голосе:

— Зачем ты положила между нами эту куклу?

Лючия Санта перешла на шепот, чтобы не переполошить семью:

— Фрэнк, Фрэнк, это же твоя дочка! Очнись, Фрэнк!

Последовала продолжительная тишина, но Лючия Санта уже не смела закрыть глаза. Неожиданно кровать заходила ходуном.

Он взвился, как ангел-мститель. Спальню и гостиную, где ночевали дети, залил свет. Отец успел одеться. Его лицо почернело от ярости, голос прогрохотал, как громовой раскат:

— ВОН ИЗ ДОМА! УБЛЮДКИ, СУКИНЫ ДЕТИ! ВОН ИЗ ЭТОГО ДОМА, ПОКА Я ВАС НЕ ПЕРЕДУШИЛ!

Мать соскочила с кровати в одной ночной рубашке, прижимая к груди дочь, бросилась в гостиную и велела перепуганным Джино и Винсенту:

— Скорее одевайтесь, берите Сальваторе и марш к тетушке Лоуке! Быстрее!

Отец бушевал и изрыгал проклятия; однако, увидев, что Винсент собрался уходить, он сказал:

— Нет, Винченцо может остаться. Винченцо — ангел.

Мать выпихнула Винсента в коридор.

Отец и мать стояли лицом к лицу. В глазах отца не было пощады. Спокойным, но полным ненависти голосом он произнес:

— Забирай свою куклу и уходи.

Лючия Санта посмотрела на единственную в квартире внутреннюю дверь, ведшую в спальню Октавии. Перехватив ее взгляд, отец сказал:

— Не заставляй меня стучать в дверь твоей дочери. Веди ее на улицу, там ей самое место.

Дверь распахнулась. Октавия успела одеться; в правой руке она сжимала свои портновские ножницы.

— Октавия, пойдем со мной, — быстро произнесла мать.

Октавия не ведала страха; она выскочила из комнаты, готовая сражаться и защитить мать и детей. Но сейчас, когда она увидела исказившую физиономию отца гримасу жестокого удовлетворения, у нее впервые ушла в пятки душа. Она выхватила Лену у матери из рук и, не выпуская ножниц, бросилась в кухню. Там сгрудились Винни, Сал и Джино в наброшенных поверх теплого зимнего белья пальто. Она повела их вниз по лестнице, прочь из дому. Лючия Санта осталась с мужем с глазу на глаз.

Одевая поверх ночной рубашки пальто, она спросила его дрожащим голосом:

— Что случилось, Фрэнк? Ты был весь день таким добрым, что же на тебя сейчас накатило?

Его голубые глаза были мутны, но заостренное лицо разгладилось.

— Все прочь из дому, — повторил он и, шагнув к ней, подтолкнул к двери.

Тут в квартиру ворвались Ларри и Panettiere и встали между ними. Отец вцепился Ларри в горло и, прижав его к стене, заорал:

— Ты сунул мне сегодня доллар и поэтому считаешь, что можешь встревать?

В лицо пасынка полетела горсть мелочи. Но тот был начеку. Подбирая слова, он выговорил:

— Отец, я пришел помочь. Сейчас явятся полицейские. Лучше тебе утихомириться.

Внезапно на улице завыла сирена. Отец подбежал к окну и высунулся наружу. На улице стояли закутанные в пальто младшие дети, окружившие Октавию; Октавия показывала на него пальцем выскочившим из машины полицейским. Двое в форме бросились в подъезд. Тогда отец присмирел, прошел через комнаты на кухню и обратился к собравшимся там с разумной речью:

— У полицейских дубинки. С ними никому не сладить.

Сказав это, он присел на табурет.

Двое высоких здоровяков-ирландцев осторожно вошли в распахнутую дверь квартиры. Ларри подозвал их и что-то сказал вполголоса. Отец не сводил с них глаз. Ларри вернулся к нему и сел рядом. Он так переволновался, что не мог сдержать слез.

— Слушай, отец, — заговорил он. — Сейчас приедет «Скорая». Ты болен, понятно? Так что прекрати буянить. Не мучай мать и детей.

Фрэнк Корбо отпихнул его. Оба полицейских бросились к нему, но мать опередила их.

— Нет, нет, подождите! — выкрикнула она.

Наклонившись к мужу, она спокойно заговорила с ним, не обращая внимания на Panettiere и полицейских. Октавия и дети успели замерзнуть на улице и поднялись назад; теперь они стояли у противоположной стены, ожидая продолжения. Мать говорила:

— Фрэнк, поезжай в больницу. Там тебе будет хорошо. Что будет твориться с детьми, если полицейские у них на глазах примутся тебя лупить и тащить вниз по лестнице? Фрэнк, Фрэнк, одумайся! Я буду ежедневно навещать тебя. Через неделю, ну, две, ты поправишься. Пойдем.

Отец послушно встал. В эту самую минуту в квартиру ввалились двое санитаров в белых халатах. Отец замер у стола, повесив голову, словно что-то прикидывал. Потом он поднял голову и объявил:

— Все должны попить кофе. Я сам его сварю.

Белые халаты шагнули было к нему, но мать загородила им дорогу. Ларри встал с ней рядом. Мать сказала санитарам и полицейским:

— Ему надо потакать. Тогда он подчинится. Но если вы примените силу, он превратится в дикого зверя.

Пока поспевал кофе, отец затеял бритье у кухонной раковины. Санитары не теряли бдительности. Полицейские поигрывали дубинками. Отец, быстро справившись с бритьем, расставил на столе чашки. Дети, охраняемые Октавией, держались с противоположной стороны огромного стола. Пока все пили кофе, не желая ему перечить, он велел жене принести ему чистую рубаху. Потом обвел собравшихся злобным взглядом.

— Figlio de putana, — начал он. — Воплощение зла! Я знаю вас обоих, господа полисмены. Поздним вечером вы приходите в пекарню и пьете там виски. Такая, значит, у вас работа? А ты, Panettiere! Ты, нарушая закон, гонишь у себя в задней комнате виски. О, я вижу вас всех поздно ночью, когда люди спят. Я все вижу. Ночью я вездесущ. Я вижу грехи мира. Чудовища, изверги, убийцы, сыновья и дочери отъявленных шлюх — я знаю вас наперечет! Вы воображаете, что можете сладить со мной? — Он перешел на крик, слова его стали трудноразличимы; неожиданно он толкнул стол, опрокинув все чашки.

Казалось, он приподнимается на цыпочки, делается выше, страшнее. Ларри и мать отодвинулись от него. Оба санитара встали в ряд с полицейскими и пошли на него стеной. Но отец внезапно повернулся и увидел по другую сторону стола побелевшую от ужаса мордашку своего сына Джино с обезумевшими, бессмысленными глазами. Стоя спиной к своим врагам, он подмигнул сыну одним глазом. Лицо Джино мгновенно обрело цвет, ибо удивление прогнало страх.

Представлению тем не менее настал конец. Четверо окружили отца, все еще не дотрагиваясь до него. Отец поднял ладони, словно призывая их остановиться и выслушать от него нечто важное, но так ничего и не сказал. Вместо этого он достал из кармана и передал жене ключ от квартиры и бумажник. Лючия Санта схватила его за руку и потащила прочь из квартиры и вниз по лестнице. Ларри подхватил отца под другой локоть. Полицейские и санитары спустились следом. Десятая авеню была пустынна. Ветер грозил перевернуть карету «Скорой помощи» и полицейский автомобиль, стоявшие перед домом. Очутившись на темной улице, Фрэнк Корбо повернулся к жене и тихо молвил:

— Лючия Санта, отведи меня обратно домой! Не позволяй им забирать меня. Они меня убьют.

С сортировочной станции донесся пронзительный паровозный гудок. Мать опустила голову и отступила назад. Санитары в белом без предупреждения накинулись на отца, скрутили чем-то его руки и, приподняв над мостовой, водворили в свою карету. Один из полицейских поспешил им на подмогу. Все происходило беззвучно. Отец сжал зубы. В воздухе мелькнули руки в белом и в синем. Мать впилась зубами в собственный кулак, Ларри и вовсе оцепенел. «Скорая» отъехала, и второй полицейский шагнул к матери с сыном.

Уже брезжила заря, звезды померкли, но до утра было еще далеко. Лючия Санта рыдала, стоя одна на мостовой, а Ларри диктовал полицейскому имена детей, отца и всех остальных, кто оказался в эту ночь в их доме; потом он принялся рассказывать ему, как все началось.

Навестить отца можно было не раньше воскресенья. После обеда Лючия Санта спросила у дочери:

— Как ты думаешь, можно забрать его домой? Он больше не опасен?

Октавия только пожала плечами, поостерегшись отвечать честно. Ее изумлял оптимизм матери.

6 – 2269

Ларри как старший мужчина в семье принял руководство на себя. Как мужчина он не мог не презирать женскую трусость.

— Ты что же, позволишь отцу гнить в «Белльвю» и дальше только потому, что у него один раз зашел ум за разум? Надо забирать его оттуда, да побыстрее! С ним все будет в порядке, можешь не беспокоиться.

— Легко тебе болтать, изображая великодушного болвана, — вспылила Октавия. — Тебя ведь вечно не бывает дома. Ты все время охотишься на этих своих безмозглых дурочек-вертихвосток. Значит, пока ты наслаждаешься жизнью, мать, дети да и я должны поплатиться перерезанным горлом? О, ты будешь о-о-чень огорчен, когда, вернувшись, найдешь нас бездыханными. Но ты-то будешь живехонек, а мы отправимся в могилу. Ты, оказывается, не так глуп, Ларри!

— Ах, вечно ты устраиваешь проблему на пустом месте, — отмахнулся Ларри. — Стоит старику нюхнуть «Белльвю», и он никогда больше не вздумает болеть. — Посерьезнев, он искренне добавил: — Все дело в том, сестрица, что ты никогда его не любила.

— А с чего мне его любить? — не унималась Октавия. — Он никогда ничего не делал ни для Винни, ни даже для своих собственных детей. Сколько раз он бил мать? Однажды он ударил ее, когда она ходила беременная, — этого я ему никогда не забуду!

Лючия Санта слушала их спор с насупленными бровями. Нет, все их доводы — сплошное детство, вся их болтовня для нее — пустой звук. Они еще не выросли, у них пока неразвитые души и мозги.

Неграмотная, невежественная крестьянка, она, как многие ей подобные, распоряжалась жизнью своих близких. Каждый год, да что там, каждый день людям приходится осуждать и предавать своих любимых. Лючии Санте были чужды сантименты. Однако любовь и жалость что-то да стоили, они имели в жизни кое-какой вес.

Человек, ставший отцом ее детям, спасший ее от отчаяния и беспомощности вдовства, подаривший ей радость, более ничего для нее не стоил. С ним в семью пришла война. Октавия была готова сбежать из дому, раньше срока выйти замуж, лишь бы не сталкиваться с ним. В борьбе с превратностями жизни он служил всего лишь помехой. Она должна была исполнять свой долг перед детьми, большими и малыми. Она отмахивалась от любви как от чего-то сугубо личного, как от чувства, возможного лишь при жизни в роскоши и доступного тем, кто не ведает невзгод.

Однако дело не исчерпывалось любовью; здесь была замешана еще и честь, долг, союз против всего мира. Фрэнк Корбо не предавал этой чести — он всего лишь не смог соответствовать ей. Кроме того, он был отцом троим ее детям. От кровных уз никуда не денешься. Настанет срок, когда ей придется смотреть им прямо в глаза, держать перед ними отчет, они будут его должниками, поскольку он дал им жизнь. На задворках сознания маячил также первобытный страх родительницы за свою судьбу в старости, когда она превратится в дитя на руках у собственных детей и будет зависеть от их милости.

Джино, который во время разговора только и делал, что вертелся, ссорился с Салом и Винни и как будто не обращал внимания на их слова, неожиданно сказал матери:

— В тот вечер папа подмигнул мне.

Остолбеневшая мать не поняла его. Октавия растолковала ей значение английского глагола. Лючия Санта оживилась:

— Видишь? Он просто придуривался! Он сознавал, что делает, но его несло, он не мог справиться с самим собой!

— Ну да, — поддержал ее Ларри. — Он увидел, как перепуган Джино, вот и подмигнул. Я же говорю, что с ним не случилось ничего серьезного. Немного приболел, только и всего. Пускай возвращается домой.

Мать повернулась к Октавии:

— Так как? — Она уже приняла решение и нуждалась теперь лишь в формальном согласии дочери. Октавия взглянула на Джино, который поспешно отвернулся.

— Попробуем, — вздохнула она. — Я постараюсь.

Матери помогали собираться всем семейством. Она взяла с собой еды — спагетти в кастрюльке, полбатона свежего хлеба — на случай, если его не отпустят сегодня же. Они даже снизошли до шуток.

— Когда он в ту ночь назвал Винченцо ангелом, я сразу смекнула, что он спятил, — призналась Лючия Санта. Этой горькой шутке было суждено запасть им в память на долгие годы.

Когда она была, наконец, готова, Джино спросил:

— Папа действительно возвращается сегодня домой?

Мать взглянула на него. Его мучил страх, причину которого ей трудно было понять. Она ответила:

— Не сегодня, так завтра. Не беспокойся.

На ее глазах мальчик воспрянул духом; безграничное доверие, которое он испытывал к ней, наполнило ее знакомым теплым чувством власти и любви.

Винни, услыхав разговор матери с Джино, воскликнул с воодушевлением верного сына:

— Ура! Ура!

— Я одену детей во все чистое и выстрою их перед домом, — пообещала Октавия.

Ларри поехал с матерью. Перед уходом он наказал детям:

— Если мы вернемся вместе с отцом, не смейте его беспокоить! Пусть отдыхает. Делайте все, о чем он вас ни попросит.

При этих его словах мать почувствовала прилив сил: теперь она не сомневалась в благополучном исходе и в том, что та зловещая ночь была на самом деле не так страшна. Просто они перенапряглись и поддались слепым чувствам. Наверное, не следовало вызывать полицию и «Скорую» и увозить беднягу в больницу. Впрочем, возможно, так даже и лучше. Теперь волнение улеглось, и они готовы терпеть дальше.

Гордо выступая в своем черном одеянии и неся в руке кулек с передачей, Лючия Санта, поддерживаемая под руку послушным старшим сыном, отправилась на Двадцать третью стрит, чтобы сесть там на трамвай, идущий поперек Манхэттена в «Белльвю». У регистратуры Лючии Санте и ее сыну пришлось ждать в толпе. После томительного неведения им было велено зайти к врачу, и они отправились на поиски кабинета.

Об этой огромной больнице рассказывали, что

здесь работают лучшие в мире врачи, что здешние медсестры трудолюбивее и внимательнее, чем где-либо еще, что пациент получает здесь прекрасный уход. Однако в тот воскресный день все эти разговоры не значили для Лючии Санты ровным счетом ничего. Ей больница «Белльвю» представлялась адом для бедноты, местом, где несчастные, мучаясь от боли и стыда, изнывают от жизни, прежде чем умереть. Здесь теснились отбросы общества, беспомощное отребье, жертвы беспросветной нищеты. Туберкулезники сидели на безрадостных верандах, ловя ртами полный сажи воздух и взирая на каменный город, ежесекундно выделяющий яд, разъедающий их легкие. Дряхлые старики лежали без всякого ухода, терпеливо дожидаясь родню, которая принесла бы им поесть и попыталась вдохнуть в них надежду на жизнь. В других палатах выздоравливали существа, навсегда обозлившиеся на жизнь, господа, человечество и отравившиеся щелочью или причинившие какие-нибудь страшные увечья собственным телам, стремясь уйти из жизни. Теперь, познав физическую агонию, прогнавшую прочие страдания, они отчаянно цеплялись за жизнь. Кроме того, здесь держали умалишенных, которые променяли опостылевший им мир на потемки безумия.

Что бы ни говорили об этой больнице, размышляла Лючия Санта, от правды никуда не денешься: это благотворительное заведение. Оно ничего не должно ни ей, ни подобным ей людям и ничего не требует от них взамен. В сумрачных коридорах с кафельными стенами толпились дети, ожидавшие лекарств, процедур, наложения швов. В одной из палат дети, искалеченные автомобилистами и собственными родителями, дрались за право воспользоваться единственным на всех креслом на колесиках.

На бесчисленных койках лежали добродетельные мужья, которые тяжким трудом зарабатывали на хлеб детям и женам, а теперь боялись смерти, ибо перед их мысленными взорами стояли семьи, лишившиеся опоры.

В эту больницу родственники ежедневно приносили еду — кастрюльки со спагетти, сетки с апельсинами, а также полотенца, мыло, к которому не было бы противно притронуться, свежее постельное белье. Это была фабрика для склеивания человека, превратившегося в обломки, словно он — бездушный сосуд, не ведающий страданий; здесь ни к кому не проявляли ни нежности, ни любви. Так лечат вьючных животных, чтобы они снова могли влачить свою ношу. Здесь не обращали внимания на оскорбленные чувства. Здесь, скрипя зубами, оказывали благотворительную помощь, принципиально чуждую сочувствию. Больница была бастионом в восточной стене города, средневековой крепостью со своими башнями и стальными воротами, подлинным символом кромешного ада. Богобоязненные нищие крестились, заходя в эти ворота; тяжелобольные прощались с жизнью и готовились к смерти.

Лючия Санта и ее сын нашли кабинет врача и вошли. Мать отказывалась верить, что вот этот молодой человек в топорщащемся белом халате распоряжается судьбой ее мужа. Не успели они сесть, как он сообщил, что сегодня она не сможет повидаться с мужем; лучше ей использовать свой приход, чтобы подписать кое-какие бумаги.

Мать тихо сказала Ларри по-итальянски:

— Расскажи ему, как он подмигнул.

Доктор тоже обратился к ней по-итальянски:

— Нет, синьора, лучше вы сами расскажите.

Мать удивилась: молодой человек был вылитым американцем. Правда, он говорил по-итальянски так, как говорят богатые люди; с ней он обходился вежливо, по-джентльменски. Лючия Санта взялась растолковывать врачу, как в припадке безумия той кошмарной ночью ее муж подмигнул своему старшему сыну. Наверное, он сделал это, чтобы ободрить его и показать, что на самом деле не сошел с ума. Совершенно ясно, что он просто утратил контроль над собой, ослабев и отчаявшись — то ли из-за семьи, то ли из-за собственной плачевной судьбы. Ведь они бедны, а он слишком болен, чтобы зарабатывать на жизнь. Иногда этого бывает достаточно, чтобы мужчина повел себя странно. Кроме того, он всю зиму проходил без шляпы. Наверное, он застудил мозги. Да, чтобы не забыть: когда он работал на рытье тоннеля для новой ветки подземки на Восьмой авеню, его засыпало, он несколько минут оставался заживо погребенным да еще ударился головой...

Она все говорила, стремясь доказать, что болезнь его — телесного свойства, это что-то внешнее, поддающееся излечению; но главным ее аргументом оставалось это подмигивание в самый критический момент. Значит, в ту ночь он только и делал, что водил их за нос. Ему удалось провести всех, даже врачей.

Доктор слушал ее с серьезным и тактичным вниманием, согласно кивая головой и признавая, что подмигивание — это очень странно, и что холод и удар по голове — вещи серьезные; он поощрял ее высказаться. Мать сперва не понимала, что его вежливость свидетельствует всего лишь о жалости и сострадании. Когда она умолкла, он заговорил с ней на своем великолепном итальянском, и сразу стало ясно, что он не друг, а враг.

— Синьора, — начал он, — ваш муж очень болен. Он слишком болен даже для этой больницы. Слишком болен для того, чтобы держать его дома. Придется отправить его в лечебницу. Возможно, пройдет год-другой — и ему полегчает. Сейчас трудно дать гарантию. Такие случаи до сих пор остаются для нас загадкой.

Мать тихо сказала:

— Я не стану подписывать никаких бумаг. Я хочу видеть своего мужа.

Врач искоса взглянул на Ларри и покачал головой. Ларри сказал:

— Пошли, ма, мы приедем завтра, может быть, тогда и повидаем его.

Но Лючия Санта осталась сидеть, словно вконец отупела. Врач спокойно сказал ей голосом, лишенным всякой надежды быть услышанным:

— Синьора, будь у вашего мужа просто температура, лихорадка, вы и то не стали бы отправлять его на заработки, вы бы не выгнали его на холод, не заставили бы гнуть спину. Если бы он переломал себе ноги, вы бы не заставили его ходить. Снова окунуться в мир — это для него слишком невыносимо. Он испытывает от этого страшную боль. Эта болезнь — сигнал, что он отказывается идти на верную смерть. Если хотите проявить любовь к мужу, лучше подпишите вот эти бумаги. — Он прикоснулся к желтой папке на столе.

Мать подняла на него глаза, и ее ответ прозвучал по-итальянски отрывисто:

— Никогда не подпишу!

Врач залился краской и отчетливо проговорил:

— Как я погляжу, вы принесли для мужа передачу. Хотите отнести ее ему сами? Побыть с ним вы не сможете, но можно будет сказать ему пару слов.

Теперь уже мать покраснела от признательности за поблажку и поспешно кивнула. Доктор схватил телефонную трубку и с кем-то коротко переговорил. Потом он встал и обратился к Лючии Санте:

— Пойдемте со мной.

Она заторопилась за белым халатом по сумрачному, тюремному коридору; им пришлось несколько раз подняться по ступенькам и снова спуститься, пока, оставив позади сотни метров коридоров, они не оказались в просторном помещении с кафельными стенами, уставленном ваннами, некоторые из которых были задернуты резиновыми занавесками. Она прошла за врачом к двери в дальнем конце помещения. Неожиданно врач замер рядом с одной из ванн, скрытых от глаз занавеской, и твердо взял ее правой рукой за запястье, словно иначе она оступится и упадет. Левой рукой он отодвинул штору.

В чистой воде сидел голый человек со связанными руками. Мать вскрикнула: «Фрэнк!» Узкий череп повернулся на крик, лицо еще больше удлинилось от гримасы угодившего в западню дикого животного, обнажившей все зубы. Его голубые глаза словно остекленели и злобно мерцали; в них не было ни малейшего проблеска мысли или чувства. Глаза смотрели не на нее, а на невидимое небо у нее над головой. На лице этом лежала печать неизлечимого, сатанинского безумия. Несчастная женщина вскрикнула, и к ней на помощь устремились санитары; врач снова задернул занавеску. Коричневый бумажный пакет упал на кафельный пол и лопнул, испачкав едой чулки и туфли Лючии Санты.

Через некоторое время она снова сидела на стуле в кабинете врача. Ларри пытался унять ее слезы. Однако она оплакивала не безумца в ванне, а себя, то, что снова стала вдовой, что ей придется теперь всегда спать в постели одной; она оплакивала участь остальных своих детей, которым уготована безотцовщина; она оплакивала поражение, нанесенное ей безжалостной судьбой. Кроме того, она не могла не рыдать, ибо впервые за многие годы испытала нешуточный страх: она любила этого человека, нарожала ему детей — и вот теперь ей пришлось лицезреть его даже не мертвым, а с вырванной из тела душой.

Она подписала все до одной бумаги. Она поблагодарила доктора за его доброту. Они вышли за ворота больницы, и Ларри подозвал такси. Он беспокоился за мать. Но к тому моменту, когда они подкатили к своему дому на Десятой авеню, она уже взяла себя в руки; ему даже не пришлось поддерживать ее, когда они поднимались по лестнице. Они и думать забыли о детях — Джино, Винни и Сале, — поджидавших их на углу.

▼▲▼▲▼

ЧАСТЬ II

ГЛАВА 8

В первую же теплую субботу новой весны Октавия решила произвести в доме генеральную уборку. Винни и Джино отправили прочь из квартиры: им было велено драить лестницы и лестничные площадки и прибираться на заднем дворе. Малышам — Салу и Лене — вручили тряпки, чтобы они протерли пыль на всех стульях и под огромным деревянным столом. У стульев оказалось множество изогнутых перекладин, под столом же изгибались загадочные арки, образующие пещеры, в которых малыши любили прятаться. Они так расточительно расходовали лимонное масло из высокой склизкой бутыли, что все поверхности не только засверкали, но и сделались страшно липкими, так что Октавии пришлось оттирать их сухой тряпкой.

Все шкафы были выпотрошены, все полки выстланы свежей газетной бумагой. На кухонном столе громоздился фарфор, который предстояло отмывать от грязевой пленки.

Не прошло и часа, как Винсент и Джино вернулись домой со щеткой, тряпками, бадьей и чайником для горячей мыльной воды.

— Мы все сделали, — объявил Джино. — Я пошел играть в бейсбол.

Октавия высунулась из шкафа с сердитым выражением лица. За последние месяцы Джино изменился к худшему. Он и прежде был безответственным созданием, но хотя бы сидел на месте, не имея возможности удрать, и исполнял поручения весело и довольно-таки добросовестно. Теперь он стал угрюмым и дерзким. Все валилось у него из рук. Октавия хмуро уставилась на братьев. О Винни тоже нельзя было сказать ничего хорошего.

— Погляди-ка, ма! — заголосила Октавия. — Они умудрились вымыть весь дом одним чайником горячей воды! Четыре пролета, четыре лестничных площадки, мраморный пол на первом этаже — и все одним паршивым чайником! — Она презрительно усмехнулась.

— Ладно, — донесся из кухни голос Лючии Санты, — главное, чтобы стало чище, чем раньше.

— Откуда же, черт возьми, взяться чистоте — не от одного же чайника горячей воды?! — взвизгнула Октавия. Но, услыхав материнский смех, она сама прыснула. Утро было чудесное, квартиру заливало золотым светом.

Братья стояли перед ней с тряпками и щеткой и выглядели клоунами; до чего же люто они ненавидят убираться! О ненависти говорила каждая черточка на их лицах.

— Так и быть, — смягчилась Октавия. — Ты, Винни, поможешь мне убраться в шкафах, а ты, Джино, будешь мыть окна с внутренней стороны. Потом вы с Винни вынесете во двор весь мусор, а я закончу с окнами.

— Черта с два! — огрызнулся Джино.

Октавия даже не повернула головы.

— Не умничай, — только и донеслось из-за дверцы шкафа.

— Я пошел, — бросил Джино.

Винни с Салом были ошеломлены отвагой Джино. Ни один из братьев не осмеливался перечить Октавии; Ларри и то иногда повиновался ей. Ей ничего не стоило оттаскать их за вихры и отдубасить, если они дерзили и своевольничали. Однажды она стукнула Ларри по голове бутылкой из-под молока.

Октавия стояла на коленях перед шкафом.

— Не заставляй меня вставать, — бросила она через плечо.

— Мне наплевать, — заявил Джино. — Не буду я мыть эти проклятые окна! Я пошел играть.

Октавия вскочила и набросилась на него. Одной рукой она сгребла его за волосы, другой отвесила две звучные пощечины. Он попытался вырваться, но у него не хватило для этого сил. Она вцепилась в него мертвой хваткой. Удары сыпались один за другим, но он не чувствовал боли.

— Ах ты маленький негодяй! — неистовствовала она. — Попробуй еще раз сказать, что не станешь мыть окна, и я тебя вообще прибью!

Вместо ответа Джино рванулся с неожиданной силой и оказался на свободе. Он взглянул на сестру не столько с ненавистью или страхом, сколько с болезненным изумлением, от которого опускались руки, с недоумением совершенно беззащитного существа. Октавии никак не удавалось освоиться с этим его взглядом. Винни она порой бивала еще яростнее, поэтому чувство, которое охватывало ее от этого взгляда, нельзя было назвать чувством вины. Впрочем, как бы она ни относилась к отчиму, она никогда не думала о Лене, Сале и Джино только как о своих единоутробных сестре и братьях. Все они были ей родными.

Лючия Санта показалась из кухни.

— Хватит, — сказала она Октавии. — Джино, вымоешь два окна в гостиной — и можешь идти на все четыре стороны.

Однако худое, смуглое лицо Джино сделалось упрямым и обозленным.

— Я не буду мыть эти вонючие окна, — раздельно произнес он и стал ждать, что теперь произойдет.

Не желая скандала, Лючия Санта примирительно молвила:

— Не ругайся, ты для этого еще слишком мал.

— Октавия все время ругается! — крикнул Джино. — А ведь она — девушка. Только ей ты ни слова не говоришь! Зато с остальными она корчит из себя такую леди...

Мать улыбнулась. Октавия поспешно отвернулась, чтобы не рассмеяться. Брат был прав. Знакомые юноши, особенно сынок Panettiere, и представить себе не могли, какие только ругательства выговаривает ее язык. Они бы не посмели произнести в ее присутствии слов, которые слетали с ее уст дома, когда мать или младшие братья выводили ее из себя. Порой она впадала в такую истерическую ярость, что не верила собственным ушам. Одна из подруг окрестила ее «девицей, изрыгающей непристойности».

— Хорошо, хорошо, — сказала мать. — Помоги хотя бы до обеда, а потом иди. Скоро можно будет садиться есть. — Она подозревала, что Октавия сердится из-за того, что ей не удалось взять верх, однако в последнее время в семье царил мир, и матери не хотелось его нарушать.

К ее удивлению, Джино вызывающе отрезал:

— Я не голоден. Я уйду прямо сейчас. К черту обед!

Он выхватил из угла свою бейсбольную биту и повернулся, готовый выбежать. Однако мать успела настигнуть его и отвесить шлепок по губам.

— Animale! — свирепо кричала она. — Безмозглый осел! Точь-в-точь отец! Теперь на весь день останешься дома!

Он не доставал ей и до подбородка. Она заглянула ему в глаза — черные омуты злости и отчаяния, какое может охватить только ребенка. Он занес свою биту и метнул ее, ни во что не целясь и стараясь ни в кого не попасть. Узкая бита описала в воздухе грациозную дугу и смахнула со стола весь нагроможденный на него фарфор. Квартира наполнилась оглушительным звоном. Осколки чашек и блюдец брызнули во все стороны.

Некоторое время никто не произносил ни звука. Джино испуганно взглянул на мать и на Октавию и пустился наутек — в дверь, вниз по лестнице, на Десятую, на весеннее солнышко. Опомнившись, мать высунулась на темную лестницу и, вдыхая запах перца, жареного чеснока и оливкового масла, крикнула ему вслед:

— Figlio de putana! Зверь! Животное! Чтобы не являлся домой есть!

Шагая по Тридцать первой, Джино чувствовал себя все лучше. Пошли они все к черту — и мать, и сестрица. К черту, и все тут! Он отскочил в сторону, почувствовав чье-то прикосновение к своей руке. Но это оказался всего лишь Винни.

— Пошли домой, — сказал Винни. — Октавия велела мне привести тебя домой.

Джино отпихнул Винни и прошипел:

— Хочешь подраться, сукин сын?

Винни окинул его серьезным взглядом и проговорил:

— Идем. Я помогу тебе мыть окна. Потом мы пойдем играть в бейсбол.

Джино бросился в сторону Девятой авеню. Винни бегал лучше, чем он, однако не пустился за ним вдогонку.

Он был свободен, но его сверлило смутное беспокойство. Он не бесился, просто он отказывался кому-либо подчиняться, даже Ларри. Мысль о Ларри заставила его ускорить шаг. Надо уносить ноги: они наверняка пошлют за ним Ларри.

На Девятой авеню Джино прицепился сзади к повозке, катившей в северном направлении. Через пару кварталов возница, итальянец с огромными усами, заметил его и стегнул кнутом. Джино соскочил с повозки, подобрал камень и запустил им в сторону возницы, не целясь. Камень просвистел мимо уха возницы; послышалась ожесточенная ругань, повозка остановилась, и Джино пришлось улепетывать на Восьмую авеню. Там он примостился на заднем бампере такси. Водитель заметил бесплатного пассажира и поднажал, так что Джино смог спрыгнуть только у Центрального парка. Таксист показал Джино нос и скорчил рожу.

Впервые в жизни мальчик оказался в Центральном парке. Подойдя к фонтану, рядом с которым поили лошадей, он зачерпнул горсть теплой воды. У него не было ни цента, чтобы утолить жажду содовой. Он побрел в глубь парка, уходя все дальше на восток, пока не увидел белые каменные громады, где обитали богачи. Это зрелище не значило для него ровно ничего: в его детских мечтах еще не было места для помыслов о деньгах. Он мечтал о геройстве на поле сражения, о подвигах на бейсбольной площадке, о собственной несравненной доблести.

Джино хотелось отыскать в парке такое место, где можно было бы присесть, привалившись спиной к дереву, и смотреть на небо, не видя каменных строений, машин и повозок, мелькающих за пологом листьев. Он мечтал оказаться в лесу! Однако где он ни оказывался, как ни вертелся, ему некуда было деться от фасадов домов, громоздящихся над парком, от рекламных плакатов, взлетевших ввысь, от автомобильных гудков и цоканья лошадиных копыт. К аромату деревьев и травы примешивался запах бензина. Наконец, вконец запыхавшись, Джино прилег рядом с озерцом с бетонными берегами и, заслонив глаза ладонью, внушил себе, что дома, нависшие над парком, — всего лишь мираж, картинка из сказочной книжки. Позже ему предстоит выбраться из леса и вернуться в город. Пока же его сморил сон.

Он спал как заколдованный, чувствуя, что творится вокруг, но не имея сил открыть глаза. Он знал, что мимо проходят люди и оглядываются на него; как-то раз над его ухом просвистел мяч, и двое бездельников, коротающих время в холодке, ненадолго задержались рядом с ним. Ему казалось, что вокруг сменяют друг друга времена года, пуще того, пролетают целые года. Сперва ему было нестерпимо жарко, и он откатился в густую траву, в тень древесной кроны. Потом брызнул мимолетный дождик, и он весь вымок; потом стало холодно и темно, а потом снова засияло по-летнему яркое солнце. Однако он слишком устал, чтобы поднять голову. Накрывшись руками, зарывшись носом в свежую траву, он все спал и спал; наконец, испугавшись, что проспит всю жизнь, он очнулся — но оказалось, что минуло всего лишь несколько часов.

Остроконечные городские шпили голубели в темнеющем небе; золотые солнечные лучи померкли. Парк погружался в густо-зеленую тень. Джино сообразил, что ему надо поторапливаться, иначе он не попадет домой до темноты.

Он выбрался из Центрального парка на Семьдесят вторую стрит. Теперь его охватила тревога. Ему хотелось очутиться дома, в родном квартале; ему хотелось снова увидеть братьев, сестер, мать. Еще никогда ему не доводилось забираться в такую даль. Он прицепился к такси. Ему повезло: такси ехало на юг; через некоторое время Джино узнал Девятую авеню. Но на пересечении с Тридцать первой стрит машина разогналась; Джино все равно спрыгнул и начал перебирать ногами в воздухе еще до того, как коснулся мостовой. Он сохранил равновесие и метнулся к тротуару. Но неожиданно за его спиной раздался металлический лязг; он ощутил удар и почувствовал, что уже не бежит, а летит в воздухе. Он ударился о мостовую и снова вскочил, как мячик. Он не чувствовал боли, но здорово перепугался: ведь его сбила машина!

Большой синий автомобиль заехал передними колесами на тротуар. Из него вылез высокий мужчина. Он подбежал к Джино. У него были голубые глаза и жидкие волосы; на его лице отпечатался нешуточный испуг, так что Джино даже пожалел его и поспешил уверить:

— Со мной все о'кей, мистер.

Однако водитель принялся ощупывать его с головы до ног, боясь переломов. Он обнаружил на штанине мальчика здоровенную дыру, обагренную кровью, и произнес с нервозностью, грозившей обернуться паникой:

— Ты цел, сынок? Как ты себя чувствуешь?

— Коленка саднит, — ответил Джино. Водитель закатал ему штанину и увидал глубокую царапину, из которой медленно сочилась кровь. Тогда он взял Джино на руки, как младенца, и посадил на переднее сиденье своего автомобиля. Собравшимся вокруг людям он сказал:

— Повезу мальчишку в больницу.

Подъехав к Французской больнице на Тридцатой

стрит, водитель выключил мотор и закурил. Он внимательно смотрел на Джино, изучая его лицо.

— Ну-ка, давай начистоту, парень, — проговорил он. — Как ты себя чувствуешь?

— Нормально, — ответил Джино, хотя его подташнивало. Он еще не отделался от испуга: все-таки угодить под машину — дело серьезное!

— Покажи-ка коленку, — велел водитель.

Джино снова закатал штанину. Рана уже не кровоточила, на ней образовалась корка.

— У меня никогда не течет кровь, — гордо сообщил Джино. — У меня всегда быстро образуется корка.

Водитель со вздохом сказал:

— Наверное, нам лучше обратиться к врачу.

— В этих больницах вечно приходится ждать, — затараторил Джино. — Мне пора домой, а то мать здорово осерчает. Со мной все в порядке. — Он выбрался из машины. — Кроме того, вы не виноваты. — Он говорил со взрослым, как с равным себе, он стремился подбодрить его. Помахав рукой, он захромал восвояси.

— Подожди, паренек, — окликнул его водитель и высунулся из окна, протягивая бумажку в пять долларов.

Джино смутился.

— Не стоит, — пробормотал он. — Я сам виноват. Не надо мне денег.

— Нет уж, бери, — строго сказал водитель. — Зачем же заставлять мать раскошеливаться на новые штаны — просто ради того, чтобы выглядеть взрослым? — Когда он делался серьезным, то становился как две капли воды похож на Линдберга[1]. Джино потянулся за деньгами, и мужчина пожал ему руку, улыбнулся и облегченно произнес, желая сделать мальчугану приятное: — С тобой все о’кей, парень.

---

[1] Чарлз Линдберг (1902—1974) — американский летчик, совершивший в 1927 году первый беспосадочный перелет через Атлантический океан.

До дома было теперь рукой подать: Джино осталось перейти через Девятую, пройти под мостом надземной железной дороги и спуститься по Тридцатой к Десятой авеню.

Огибая угол, он был уже на седьмом небе от счастья. Сал играл на улице, мать сидела на своем табурете перед крыльцом в компании тетушки Лоуке и еще одной женщины. Октавия стояла перед киоском с мороженым, беседуя с сыном Panettiere. Джино прошествовал мимо нее, и оба сделали вид, что не замечают друг друга. Перед крыльцом он остановился, чтобы, не пряча глаз, выслушать, что скажет мать.

Он сразу увидел, что она не сердится на него.

— Buona sera[1], — спокойно произнесла она. — Решил вернуться домой? Ужин ждет. — Она отвернулась и снова заговорила с тетушкой Лоуке. «Даже не заметила, что случилось с моей ногой», — с горечью подумал Джино.

Он заковылял вверх по лестнице. На душе у него было легко. Кажется, все предано забвению. И тут он в первый раз почувствовал, как болит коленка. У него пересохло во рту, болели глаза, тряслись ноги.

Винни сидел в кухне и читал. Увидев Джино, он вынул из духовки тарелку с перцем, яйцами и картошкой и поставил ее на стол. Затем он принес из ледника бутылку с молоком. Джино отхлебнул молока прямо из горлышка и уселся за стол.

— Где же ты был весь день? — осведомился Винни с легким осуждением. — Мать и Октавия очень беспокоились, Ларри тебя обыскался. Мы все за тебя тревожились.

— Ясное дело, — саркастически отозвался Джино. Он чувствовал себя лучше. Правда, съев несколь-

---

[1] Добрый вечер (*ит.*).

ко ложек, он понял, что с него довольно. Он положил ногу на стул. Нога перестала гнуться. Он закатал разорванную штанину. На колене красовался огромный набухший кровью шрам; нога распухла и почернела.

— Вот это да! — покачал головой Винни. — Помажь-ка йодом. Руки и лицо тоже не мешало бы обработать. Ты что, подрался?

— Нет, — ответил Джино. — Меня сбила машина. — Говоря это, он почувствовал, как у него наворачиваются слезы на глаза. Он подошел к раковине и умылся. Потом он побрел в гостиную, разобрал постель и улегся. Его знобило, и он залез под одеяло. Он вынул из кармана штанов пятидолларовую бумажку и зажал ее в руке. У него переворачивался желудок и горело лицо. Сейчас он видел машину, хотя тогда, на улице, не заметил ее, видел, как она сбивает его с ног и подбрасывает в воздух. Винни присел на кровать рядом с ним.

— Меня сбила машина, — повторил Джино дрожащим голосом. — Видишь? Водитель дал мне пять долларов. Классный тип! Он даже хотел, чтобы я пошел в больницу, но мне не было больно. Я ехал на бампере такси и соскочил прямо перед ним. Так что сам и виноват. — Он разжал ладонь. — Видишь? Пять долларов!

Оба мальчика впились глазами в зеленую бумажку. Целое состояние! У Винни была золотая монета достоинством в пять долларов — подарок тетушки Лоуке по случаю конфирмации, однако ему не разрешалось ее тратить.

— Здорово! — протянул Винни. — Что ты с ними сделаешь? Отдашь матери?

— Какого черта? Если она узнает, что меня сбила машина, то поколотит меня. — Он посерьезнел. —

Давай лучше наделаем бутылок с шипучкой, как тебе всегда хотелось, Винни, продадим их и заработаем денег! Ну, помнишь? Вдруг с этого у нас начнется свой бизнес?

Винни был в восторге. Он всегда мечтал об этом.

— Кроме шуток? — недоверчиво спросил он.

Джино кивнул.

— Лучше отдай деньги мне, — предложил Винни. — Так будет вернее. Мать может отнять их у тебя и заставить положить на счет.

— Нет, сэр, — подозрительно ответил Джино. — Я сам припрячу свои денежки.

Винни был удивлен и обижен. Джино всегда доверял ему свои деньги — и те, что зарабатывал продажей льда, и выигрыш в «семь с половиной».

— Брось, — поднажал Винни. — Лучше отдай мне. А то потеряешь.

— Это меня сбил автомобиль, а не тебя, — злорадно сказал Джино. — Ты даже не ушел со мной. Ты был на стороне Октавии. Тебе еще повезло, что я вхожу с тобой в долю.

Он откинулся на подушку. Винни внимательно посмотрел на брата. Таким он видел его впервые.

— О’кей, — согласился он. — Оставь деньги себе.

С подушки послышался негромкий голос:

— В изготовлении шипучки я буду главным. Это мои деньги.

Винни был уязвлен: ведь он старше, да и идея принадлежит ему. Он чуть было не сказал: «Проваливай-ка ты вместе со своими пятью долларами!» Однако, спохватившись, он ответил:

— Хорошо, босс — ты. Хочешь, перевяжем твое колено?

— Нет, оно совсем не болит, — отмахнулся Джино. — Давай поговорим лучше о том, как будем делать шипучку. Запомни: чтобы никому ни слова, что меня сбил автомобиль. Мне знаешь, как попадет!

— Пойду за карандашом и бумагой, чтобы прикинуть расходы, — решил Винни. Вернувшись в кухню, он убрал со стола и вымыл посуду, хотя мать строго-настрого наказала, чтобы Джино, вернувшись и поужинав, сам убрал за собой. Потом он достал из своего школьного портфеля карандаш и блокнот.

Когда Винни вернулся к брату, было уже почти совсем темно; за окном угасал закат. На одеяле неподвижно лежала рука Джино. Смятая пятидолларовая купюра валялась на полу. Джино крепко спал.

Однако от кровати доносились странные звуки. Подойдя ближе, Винни понял, что брат, несмотря на плотно закрытые глаза и полную неподвижность, плачет во сне; по его щекам струились слезы. Винни потряс его, чтобы разбудить и оборвать кошмар, однако брат не просыпался; дыхание его было свободным и глубоким. Плач прекратился, но щеки и ресницы остались мокрыми. Винни подождал немного на случай, если брат проснется и потребует назад свои пять долларов, а потом спрятал деньги в их тайник в стене.

Потом Винни долго сидел в темноте. Вечер выдался тихий: весна началась недавно, и жители авеню еще не засиживались на тротуаре допоздна. Даже на сортировочной станции стояла тишина: оттуда не доносилось ни пыхтения паровозов, ни скрежета металла. Винни не сводил взгляда с постели, желая убедиться, что брат и впрямь легко отделался, и раздумывая, где взять бутылки для шипучки. Он знал, что Джино позволит ему быть боссом.

ГЛАВА 9

Осенью город под дымным серым небом покрывался тенями и морщинами. Было плохо видно даже мост над Десятой авеню, так что казалось, что он висит над бездонной пропастью, а не на уровне второго этажа, отбрасывая тень стальных перил на булыжную мостовую. Из-под моста выехала плоская повозка, влекомая тяжеловесной гнедой лошадью. Повозка была плотно набита плоскими дощатыми ящиками с пурпурным виноградом.

Между Тридцатой и Тридцать первой стрит повозка остановилась. Возница и подручный выставили перед крыльцом двадцать ящиков. Возница запрокинул голову и певуче воззвал, обращаясь к городскому небу:

— Ка-те-ри-на, твой виноград ждет тебя!

На четвертом этаже распахнулось окно, из которого высунулся пучок детских, женских и мужских голов. Прошло всего несколько секунд — и люди не сбежали, а слетели вниз по лестнице, высыпали на тротуар. Глава семьи заходил среди ящиков, принюхиваясь к душистым гроздьям, как пес.

— Хорош виноград в этом году? — спросил он.

Возница не удостоил его ответом. Его протянутая рука требовала денег. Глава семьи послушно заплатил.

Поставив двоих детей часовыми, жена и остальные дети, схватив по ящику, начали перетаскивать свое приобретение в чулан. Отец оторвал от одного ящика верхнюю досочку и вынул сине-черную гроздь, чтобы проверить, каков виноград на вкус. Возвратившиеся из чулана жена и дети тоже получили по грозди. Перед каждым крыльцом разыгрывалась одна и та же сцена: дети уписывали сине-черный виноград, счастливый отец наклонялся к щелям между планками и принюхивался, а собравшиеся мужчины, которым не привалило подобного счастья, желали ему хорошего винца. При этом они облизывались, воображая, будто и у них в чуланах выстраиваются батареи кувшинов.

Джино завидовал другим детям, тем счастливчикам, чьи отцы давили вино. Он стоял рядом с отцом Джои Бианко, но Джои был недостаточно богат, чтобы поделиться с ним виноградом — как и его папаша. Отец Джои был недостаточно богат даже для того, чтобы, отодрав планку от какого-нибудь ящика, дать попробовать виноград родственникам и близким друзьям.

Но вскоре настала очередь Panettiere, толстого и круглого, не снимающего своего белого пекарского колпака, принимать ящики, выстроившиеся перед магазином тремя пирамидами. Этот вскрыл сразу два ящика и угостил огромными гроздьями всех детей. Джино оказался тут как тут и не упустил своего. Panettiere прогрохотал:

— Ragazzi[1], помогите отнести — каждый получит пиццу.

Дети набросились на пирамиды с виноградом, как муравьи, и вскоре все ящики как по волшебству оказались в подвале. Джино не досталось ноши.

Panettiere окинул его осуждающим взглядом.

— Ах, Джино, figlio mio, что же с тобой будет? Работа прямо-таки бежит от тебя, как ты ни стараешься. Ты должен уже сейчас зарубить себе на носу: кто не работает, тот не ест. Ступай!

Он собрался уходить, но сердитый вид мальчика заставил его передумать.

— Понятно, — сказал он, — на сей раз ты не виноват. Просто ты не больно расторопен, когда речь

---

[1] Ребята (*ит.*).

заходит о работе. Вот остался бы один ящичек, ты бы его прихватил, да?

Джино кивнул, и Panettiere жестом пригласил его в магазин. К тому времени, когда остальные дети выбрались из подвала и явились за вознаграждением, Джино уже шагал по авеню, уплетая пиццу. Горячий томатный соус моментально потеснил сладкий вкус и запах винограда.

В сгущающихся сумерках по мостовой носились крикливые дети с перепачканными виноградным соком и соусом от пиццы ртами, они взбегали на ступеньки моста и кидались обратно, подобно бесенятам, поднимающим оглушительный крик в преисподней, извивались в клубах пара, извергаемых грохочущим под мостом локомотивом, и стремглав мчались, уворачиваясь от снопов искр. Над ними громоздился каменный город, черный в предзимних сумерках. Дети хотели успеть наиграться всласть, прежде чем из окон прозвучат оклики, призывающие их возвращаться по домам. Они свалили пустые ящики из-под винограда в канаву, и мальчик постарше поджег обрывок бумаги. Десятую авеню озарили сполохи костра, вокруг которого тотчас выстроились дети. Над холодным каньоном погружающейся в сумерки улицы зазвучали материнские призывы, напоминающие протяжные возгласы пастухов, скликающих стада.

Лючия Санта стояла в окне последнего этажа дома номер 358 по Десятой авеню и глядела вниз, подобно богине, вознесшейся над облаком; облаком служила подушка без наволочки, на которую она опиралась локтями. Она сторожила своих детей и посматривала на остальных, поглощающих виноград, шмыгающих на мост и обратно, мелькающих в отблесках костра, забегающих в холодную тень ветреного осеннего вечера. В этом году холода пришли раньше срока. Лето, благословенный сезон отдыха для городского люда, окончилось.

Теперь начнется школа, а значит, изволь стирать белые рубашки и беспрерывно зашивать и гладить штаны. Детям придется носить ботинки, а не бросовые тапочки. Их надо будет вечно причесывать и стричь. Предстоит покупка вечно теряемых зимних перчаток, а также шапок и пальто. В гостиной рядом с кухней придется ставить обогреватель; за ним нужен глаз да глаз, его надо вовремя доливать. Изволь откладывать деньги, которые пойдут зимой на врачей. Лючия Санта подумывала и о том, чтобы ради экономии посылать Сала приворовывать уголь на сортировочную станцию. Но Сальваторе слишком робок, и подобные приключения не доставляют ему удовольствия. Джино для этого уже непригоден: он вырос, и с ним могут обойтись, как с настоящим преступником. На какие только хитрости не толкала Лючию Санту беспросветная бедность!

В оранжевом отблеске костра она разглядела мальчика, который, отойдя подальше, разбежался и перепрыгнул через огонь. Джино! Что же останется от его одежды? Его примеру последовал мальчуган поменьше — этот приземлился на самом краю костра, подняв сноп искр. Когда Лючия Санта увидела, что Джино готовится ко второй попытке, она произнесла вслух: «Mannaggia Gesu Crist», забежала на кухню, вооружилась черным tackeril и ринулась вниз по ступенькам. Октавия подняла глаза от книги.

К тому моменту, когда Лючия Санта появилась на крыльце, Джино как раз перелетал через костер в третий раз. Еще в воздухе он заметил мать и, едва коснувшись земли, хотел было увернуться от удара, но черная палка со всего размаху огрела его по ребрам. Он издал жалобный крик, предназначенный для умиротворения материнской воинственности, и метнулся к родному крыльцу. Теперь над костром взвился Сал; когда он пробегал мимо нее, от его штанов пахнуло паленым. Он тоже хотел увернуться, однако tackeril настиг жертву и на этот раз. Сал взвыл и устремился домой следом за Джино. Поднявшись в квартиру, Лючия Санта увидела куртки и шапки сыновей висящими на вешалке; сами они спрятались под кровать. Что ж, по крайней мере, на полчаса покой обеспечен. Подошел к концу еще один день, еще один сезон, еще один кусок материи, из которой соткана ее жизнь.

— Отложи-ка книгу, — обратилась мать к дочери. — Лучше помоги с детьми.

Октавия со вздохом повиновалась. Она всегда помогала матери воскресными вечерами, как бы искупая грех субботнего отдыха. А ведь воскресным вечером ей всегда делалось спокойно, как никогда.

Октавия сняла с веревки одежду, сушившуюся над ванной, вымыла ванну и пустила в нее горячую воду. Потом она зашла в свою комнату и заглянула под кровать.

— Ну-ка, живо сюда! — скомандовала она.

Джино и Сал выползли наружу.

— Мама до сих пор злится? — осведомился Сал.

— Нет, — строго ответила Октавия. — Но если вы не будете вести себя как следует, она вам задаст. И не смейте драться в ванной, иначе вам несдобровать!

Лючия Санта готовила на кухне ужин. Винни вернулся домой из кино и взялся помогать ей накрывать на стол. Он примет ванну позже.

Когда Джино с Салом показались из ванны, их уже ждало толстое зимнее белье с длинными рукавами и штанинами. Из каких-то забытых потайных мест появились их школьные портфели, поношенные, но еще вполне пригодные. Их ждали также сандвичи с мясом и стаканы с содовой — мать отказывалась поить детей молоком, если они ели перед этим хоть что-то, сдобренное томатным соусом.

После ужина Октавия прочитала Салу, Джино и Винни лекцию. Знакомая песня!

— Теперь, — говорила она, — вы уже не глупые дети. В этом учебном году я хочу видеть у вас в дневниках только хорошие отметки, в том числе и по поведению. Винни, ты и в прошлом году учился неплохо, но теперь, во втором классе старшей школы, тебе придется еще поднажать. Ведь ты, кажется, намерен поступать в нью-йоркский колледж? Если у тебя будут достаточно приличные оценки, то ты сможешь учиться там бесплатно.

Об оплате колледжа не могло быть и речи. Винни повезет, если сразу после школы ему не надо будет впрягаться в лямку. Впрочем, у Октавии были собственные планы и кое-какие сбережения, приготовленные на этот случай. Винни пойдет в нью-йоркский городской колледж. Она не даст семье пропасть. Именно в этой связи она забросила мечты об учительской карьере. Она продолжала:

— Джино, если у тебя будут такие же отметки по поведению, как в прошлом году, ты у меня отправишься в больницу — так я тебя отделаю. И учиться ты бы мог гораздо лучше. Так что одумайся, иначе окажешься в исправительной школе и опозоришь всю семью.

Она, конечно, сгущала краски: Джино никогда не вел себя настолько плохо, чтобы могла зайти речь об исключении; он никогда не получал «неудовлетворительно» по поведению. Октавия собрала внимательную аудиторию. Даже малютка Лена сначала навострила ушки у себя в кровати, а потом перебралась на стул. Октавия посадила ее себе на колени.

— Сал, ты в прошлом году показал себя молодцом. Но сейчас учиться станет труднее. Не волнуйся, я помогу тебе с домашними заданиями. Я ничем не хуже ваших школьных учителей. — Это было уже совсем детское хвастовство. — Вот еще что. Когда я прихожу с работы, извольте быть дома, а не болтаться на улице. К этому времени темнеет, и вам там нечего делать. Пусть кто-то только попробует задержаться на улице после шести вечера — душу вытрясу! И чтобы никаких карт и прочего лоботрясничания до тех пор, пока не будут сделаны уроки и я их не проверю. Винни, Джино и Сал будут по очереди помогать матери по вечерам мыть и вытирать посуду. Дайте ей передохнуть.

Последнее ее предупреждение было нехитрым и искренним, и от того, что прозвучало оно без всяких прикрас, у слушателей кровь застыла в жилах:

— Того, кто останется на второй год, я растерзаю. — Даже Эйлин беспокойно шевельнулась у нее на коленях. — Пусть кто-то только попробует опозорить доброе имя семьи! Не хватало только, чтобы вы росли невежественными итальяшками и жили на Десятой авеню до седых волос!

Завершающий аккорд вызвал раздражение у Лючии Санты, и она вмешалась в разговор:

— Bastanza. Хватит. Не на войну же ты их собираешь! — Обращаясь к детям, она произнесла: — Но вот что запомните, mascaizoni[1] вы этакие! Я в свое время отдала бы все на свете, чтобы ходить в школу и научиться писать и читать. В Италии в школе учились только дети богатых. В вашем возрасте я пасла

---

[1] Мерзавцы (*ит.*).

коз, дергала брюкву и месила навоз. Я скручивала шеи цыплятам, мыла тарелки и убиралась в чужих домах. Школа для меня была бы развлечением, все равно, что кино. Если бы ваш отец ходил в школу, у него была бы работа получше, и, может быть, он — кто знает? — остался бы здоров. Так что не забывайте, как вам повезло; того, кто запамятует, я заставлю опомниться с помощью tackeril.

Сал глядел на мать во все глаза. Джино и Винни присмирели, хотя на них уже мало действовали угрозы.

— Но, ма, — пролепетал Сал перепуганным голосом, — что же будет, если я не смогу учиться, если у меня не хватит мозгов? Ведь в этом не будет моей вины.

Мальчуган был настолько серьезен, что женщины не удержались от улыбки.

— Не беспокойся, — ласково сказала Октавия, — в этой семье у всех хватает мозгов, чтобы переходить из класса в класс. Просто старайся, вот и все. Я тебе помогу — а ведь я в выпускном классе была самой хорошей ученицей...

Винни с Джино прыснули, сочтя ее ласковый голос за приглашение к веселью. Огромные черные глаза Октавии яростно сверкнули, однако она заставила себя улыбнуться и повернулась к Лючии Санте за поддержкой:

— Ведь так оно и было, правда, ма?

Незнакомая им тоска по славе убедила лучше всяких угроз — кроме, конечно, обещания растерзать второгодника, в серьезности которого они не сомневались ни минуты.

Лючия Санта разглядывала дочь. Ей вспомнилось, с каким удовольствием ее Октавия ходила в школу и как заставила мать смириться с американскими глупостями, с этим помешательством на образовании. Она не питала ни малейшего доверия к неутоленным амбициям и высоким целям: чем выше ожидаемое вознаграждение, тем больше риск. В случае сокрушительного поражения человек может оказаться на коленях. Лучше уж надежность, пусть скромная. Однако настойчивость дочери вынудила ее в свое время отступить.

Мать веско подтвердила:

— Да, ваша сестра могла бы стать школьной учительницей, если бы не ваш отец. — Она перехватила напряженный взгляд Джино. — Да! — поднажала она, обращаясь прямо к нему. — Если бы твой отец исполнял свой долг и поддерживал семью, Октавия могла бы не работать. Однако он никогда ни о ком не думал, и ты, figlio de putana, берешь с него пример. Сегодня вечером ты прыгал через костер. Ты портишь хорошую одежду и подаешь дурной пример младшему брату. Теперь мне придется покупать вам для школы новые штаны. Какой же ты animale! Ты никогда ни о ком не думаешь. Но я тебя предупреждаю...

Октавия поспешно перебила ее:

— Верно, ма, но сейчас речь о другом. Главное — чтобы они поняли, какое важное место в их жизни занимает школа. Научишься чему-то в школе — станешь человеком. Иначе быть тебе недотепой и потеть в порту или на железной дороге, как Ларри.

Отправив детей спать, мать принялась гладить свежевыстиранную одежду на следующую неделю и латать дыры. Перед ней стояла корзина, доверху наполненная бельем, и ей даже не приходилось нагибаться, чтобы взять следующую вещь. Октавия пристроила книжку к огромной сахарнице. В квартире было совершенно тихо, если не считать скрипа пружин, доносившихся из спальни, когда кто-нибудь из детей принимался вертеться во сне. Женщинам было спокойно, они совладали со своим племенем, добились от него послушания. Все шло как нельзя лучше; они не оспаривали друг у дружки места: дочь выступала в роли всесильной, но послушной подчиненной, мать же была неоспоримой предводительницей, уважавшей дочь и восхищавшейся ею за помощь и поддержку. Эта мысль никогда не произносилась вслух, но изгнание из семьи отца избавило их от лишнего напряжения и тревоги. Они были почти что счастливы, что его больше нет рядом, ибо теперь их власть стала абсолютной.

Мать встала, чтобы поставить кофе на огонь, зная, что Октавия, погрузившись в чтение, забывает обо всем на свете. Мать недоумевала, что такого написано в этих книжках, что повергает ее дочь в волшебное забытье. Ей так и не удастся это понять; будь она моложе, она бы завидовала грамотным, жалела о своем невежестве. Однако она — занятая женщина, у нее полно важной работы на много лет вперед, и ей недосуг убиваться из-за непознанных радостей. Удовольствия, которые она знала на вкус, и так доставили ей достаточно разочарований. Что ж, ничего не поделаешь. Она скорчила гримасу, сторонясь валящего от утюга пара и собственных невеселых мыслей.

Она отправилась через всю квартиру к леднику, чтобы достать доброй итальянской ветчины с перцем. Надо подкормить Октавию, не то она совсем исхудает. Она услыхала на лестнице шаги, но не обратила на них внимания: наверное, это на третьем этаже, ее семейство в сборе. Она оставила дверь в квартиру открытой, чтобы проветрить после глажки. Все равно никто не сможет проскользнуть мимо их ледника и сбежать — разве что через крышу. Они сидели за столом вместе с дочерью, попивая кофе и кусая prosciutto и грубый хлеб. Шаги зазвучали ближе; над лестницей показалась закутанная в платок голова тетушки Лоуке; старуха с усилием преодолела последние ступеньки и ввалилась в квартиру, изрыгая по-итальянски страшные ругательства.

Здесь жили ее близкие друзья, которые не стали тратить время на выспренние приветствия. Лючия Санта поднялась, чтобы поставить на стол третью чашку и отрезать еще хлеба, хотя отлично знала, что старуха никогда не ест в присутствии других людей. Октавия, сама учтивость, уважительно спросила по-итальянски:

— Как вы себя чувствуете, тетушка Лоуке?

Старуха отмахнулась от нее с сердитым нетерпением, подобно человеку, который ждет с минуты на минуту смерти и посему считает такие вопросы неприличными. Некоторое время они сидели молча.

— Работа, работа... — произнесла, наконец, Лючия Санта. — Школа и все эти чудеса, которые разворачиваются вокруг нее! Детям надо одеваться не хуже, чем самому президенту, а я стирай да гладь, как рабыня!

Тетушка Лоуке что-то пробормотала в знак согласия и снова сделала нетерпеливый жест, отметающий всякие надежды на плавное течение жизни. Она не спеша сняла свое ветхое черное пальто и длинный вязаный свитер с пуговицами до самых колен.

Чувствуя на себе ее буравящий взгляд, Октавия отложила книгу. Читать дальше значило бы проявить неуважение. Она встала и стала медленно проглаживать белье. Мать потянулась к книге и захлопнула ее, чтобы дочь не заглядывала в нее во время глажки. Тут Октавия смекнула, что сейчас удостоится редкой чести: тетушка Лоуке собирается обратиться непосредственно к ней.

— Ну, юная леди, — начала тетушка Лоуке с грубоватой фамильярностью, какую позволяют себе одни старики, — появлялся ли сегодня дома ваш красавчик-брат?

— Нет, тетушка Лоуке, — сдержанно ответила Октавия. Если бы к ней обратился таким тоном кто-нибудь другой, она бы плюнула обидчице в лицо; с особым удовольствием она поступила бы так с кем-нибудь из жирных самодовольных матрон — с этой неперевоспитавшейся деревенщиной, вечно обращающейся к молоденьким женщинам с хитроватой жалостью в голосе — а как же, ведь те еще не отведали сладости супружеского ложа!

— А вы его видели, Лючия Санта? — продолжала допрос тетушка Лоуке. Мать отрицательно покачала головой, и тогда старуха повысила голос: — Значит, вы не заботитесь о своем красавчике-сыне, семнадцатилетнем лоботрясе, в такой стране, как эта? Вам за него не страшно?

На глазах у Октавии лицо матери сморщилось от тревоги. Лючия Санта беспомощно передернула плечами.

— Что же делать? Disgrazia! Субботнюю ночь он всегда проводит вне дома. Что-то стряслось?

Тетушка Лоуке хрипло хохотнула.

— А как же! Разыгралась целая комедия! И, как всегда в Америке, мать узнает об этом последней. Успокойтесь, Лючия Санта, ваш сыночек жив и здоров. «Lady Killer»[1] — она с неимоверным наслаждением произнесла эту американскую фразу — нако-

---

[1] «Погубитель женщин» (*англ.*).

нец-то повстречал девушку, в которой тоже оказалось достаточно жизни. Поздравляю вас, Лючия Санта, с женитьбой сына и с невесткой — в американском стиле.

Новость была настолько ошеломляющей, что Октавия с матерью сначала не могли вымолвить ни слова. Старуха хотела раздразнить их и таким образом позволить им излить гнев на себя; теперь же она закудахтала в подобии хохота, отчего ее древние кости, обтянутые черной материей, мелко затряслись.

— Нет, нет, Лючия Санта, — проговорила она, задыхаясь, — вы уж простите меня, я здесь всецело на вашей стороне, но что за мерзавец ваш Лоренцо! Cue mascaizone. Нет, это уж слишком!

Но тут она увидела, как окаменело лицо подруги, как плотно сжаты ее губы. Выходит, она нанесла ей смертельное оскорбление. Она угомонилась и придала своему костлявому лицу серьезность, соответствующую ее преклонным годам. Впрочем, она все равно не могла относиться к их горю с должной серьезностью.

— Еще раз прошу прощения, — снова заговорила она. — Но скажите, чего еще вы ожидали от сыночка-развратника? Неужели вы предпочли бы, чтобы его поколотили или вообще прикончили? Ваш сын вовсе не глуп, Лючия Санта! Синьора Ле Чинглата, которая не была способна зачать на протяжении двадцати лет, и синьор Ле Чинглата, женатый вторично, с сорокалетним опытом супружеской жизни, которому никак не удавалось стать отцом, наконец-то осчастливлены! — Она насмешливо покачала головой. — Хвала милостивому господу! Супруг Ле Чинглата вообразил было, что обязан счастью коекому поближе, и принялся точить нож, чтобы возвратить долг. Тогда бесстыжая Ле Чинглата и удумала женить вашего сынка. Представить себе только — женщина, рожденная и воспитанная в Италии!.. О Америка — страна, не ведающая стыда!

При этих ее словах Лючия Санта воздела к потолку угрожающий перст, безмолвно проклиная наглых Ле Чинглата, и тут же приготовилась слушать дальше. Тетушка Лоуке продолжала:

— Ваш сын попал в западню к тем самым тиграм, которых так бездумно приручил. Стоит Ле Чинглата шепнуть своему муженьку хотя бы словечко — и он расстанется с жизнью. С другой стороны, если он вздумает подарить этой старой шлюхе надежду, то мало ли что может случиться? Только и жди нового бесчестья. Вдруг она отравит своего старика — тогда жариться им обоим на электрическом стуле! Но вы знаете своего сына — он умен, он сделал все возможное, чтобы никто не услышал от него «нет». Он мчится в муниципалитет и женится на молоденькой невинной итальянке, которая, еще будучи в косичках, смотрела во все глаза, как он гарцует на лошади по Десятой авеню, не смея с ним заговорить. Никто не знал, что они знакомы, он никогда не разговаривал с ней при людях. Ее родители живут на Тридцать первой стрит — Марконоцци, достойные люди, но беднейшие из бедных. Ну и хитрюга ваш сынок — быть ему священником!

— У девушки хорошая репутация? — спокойно спросила мать.

Тетушка Лоуке издала непристойный смешок.

— Такие, как ваш сын, женятся только на безупречных девицах. Такова уж их философия. Кто больше развратника ценит девственниц? Но она — вот такая спичка. — Старуха продемонстрировала костлявый палец с узловатыми суставами, выглядевший хуже самой похабной картинки. — Клянусь богом, он переломит ее надвое, как тростинку. — Она истово перекрестилась.

Октавия была вне себя от гнева: она стыдилась этого брака, столь типичного среди бедняков, стыдилась скандала и мерзости, в которой барахтается брат. Что за отвратительная необузданность заразила всех вокруг? Однако она с удивлением заметила, что мать уже забыла о тревогах и даже слегка улыбается. Октавии было невдомек, что это известие, пусть удивительное и повергающее в оцепенение, новость, которую лучше было вовсе не слышать, на самом деле относится к разряду желанных. Как же иначе, если мать готовилась к тому, что станут реальностью куда худшие кошмары? Она страшилась неведомых хворей, смертоносных извержений похоти, тюрьмы, электрического стула — все было возможно, все могло обрушиться на нее в любую минуту. Лоренцо вполне мог жениться на шлюхе, неряхе, даже ирландке. Да, его женитьба поспешна, но это случается с бедняками сплошь и рядом, и в этом еще нет бесчестья; вот родители девушки — те могут считать себя обесчещенными...

— Все будут воображать худшее, — высказала Октавия общие мысли. — Проклятый плут!

Однако Лючия Санта залилась беззаботным хохотом: ее сынок оказался хитрецом, он отменно надул семейку Ле Чинглата!

— Где он сейчас, мой расчудесный сын? — спросила она тетушку Лоуке.

Та настаивала:

— Дайте мне закончить. Теперь Ле Чинглата не сомневается, что стал отцом. Женщине достаточно взять мужчину за оба уха и заставить поползать перед ней на коленях — после этого она может делать с ним все, что ей вздумается. Нет, загвоздка в другом: надо обо всем рассказать матери девушки, то есть невесты. Вот в чем проблема! Их гордость под стать их бедности. Они сочтут свою дочь опозоренной.

Лючия Санта нетерпеливо махнула рукой.

— Я сама пойду к ним и все выложу. Мы столь же горды и уж наверняка не менее бедны. Мы поймем друг друга. Но где же они?

Старуха встала, охая и скрипя костями. Проковыляв к двери, она выглянула на лестницу и позвала:

— Лоренцо, Луиза, поднимайтесь!

Три женщины ждали появления новоиспеченных супругов и дивились фокусам судьбы. Мать внезапно сообразила, что утрата денег, приносимых старшим сыном, станет для семьи серьезным ударом. Нет уж, покуда у него нет своих детей, придется ему подкидывать кое-что своим осиротевшим братьям и сестрам. Решено! Дальше: вот-вот освободится квартира на третьем этаже; они переедут туда, и она сможет присматривать за невесткой, помогать супругам на первых порах, а потом пойдут ребятишки — она не сомневалась, что скоро станет бабушкой. А как любопытно посмотреть, кого же выбрал в конце концов ее красавчик-сынок, вернее, кому удалось его взнуздать! Октавия тоже размышляла о деньгах. Ну и негодяй этот Ларри — удрать из семьи в тот самый момент, когда ей позарез нужны деньги! Она понимала, где кроется подлинная причина его женитьбы: мать правит в семье железной рукой, отбирает у него почти все заработанное, ограничивает его свободу; вот он и пошел на крайнюю меру, чтобы освободиться от пут. Теперь, когда семья переживает трудные времена, Ларри больше не связывает с ней свое будущее. Октавия приготовилась встретить его как бесстыдного изменника и не оставить у него и у его девчонки ни малейших сомнений насчет ее места в их семье.

Тетушка Лоуке терпеливо ждала. Она искренне радовалась возможности присутствовать на таком отменном спектакле.

Сперва над лестницей появилась черная шевелюра Ларри, потом — его красивая физиономия. Девушка почти потерялась за его спиной. На губах Ларри играла смущенная усмешка, очаровавшая присутствующих: ему при его неизменной самоуверенности был весьма к лицу налет чуждой ему робости. Мать ждала его с вроде бы радушной улыбкой, в которой читалась презрительная снисходительность.

— Мама, сестра, познакомьтесь с моей женой, — поспешно проговорил Ларри. Из-за его спины выглянула тоненькая девушка. — Лу, это моя мать и сестра Октавия.

Мать обняла девушку и пригласила ее сесть. При виде этого прекрасного, но худенького и бледного личика с огромными карими глазами и еще не оформившейся фигурки Октавия прониклась к ней жалостью. Да она дитя, ей ни за что не справиться с Ларри, она не представляет, на какую жизнь обречена! Глядя на брата, его сильный торс и блестящие черные волосы, зная о его романтической уверенности в своих силах, она жалела и его: теперь его мечтам положен конец, жизнь его подошла к концу, не успев начаться. Она вспомнила, как он гарцевал по Десятой на своей черной лошади, выбивающей копытами искры из булыжника и стальных рельс, как разглагольствовал о своем будущем, словно ему была предначертана необыкновенная судьба. Она поняла, что его добродетельность, — он рано начал трудиться, чтобы помогать матери, рано бросил школу, не подготовился к борьбе за жизнь, — оставила его безоружным перед лицом судьбы. Теперь пойдут дети, и годы промчатся так же быстро, как лошадь под мостом, и он оглянуться не успеет, как минет добрая половина жизни. А ведь это — Ларри, ему свойственно витать в облаках. Когда они были детьми, она его очень любила, и сейчас ее пронзила жалость, заставившая ее смилостивиться над его женой, этим ребенком. Она чмокнула Ларри в щеку и обняла золовку, почувствовав, как та сжалась от испуга.

Все уселись за праздничный стол, на котором не было ничего, кроме кофе и булочек, и договорились, что супружеская пара станет ночевать у них в квартире, пока не освободится квартира этажом ниже. Ларри оживился и радостно затараторил. Все шло как нельзя лучше, и он снова обрел уверенность. Но тут Луиза закрыла лицо руками и пробормотала сквозь рыдания:

— Мне надо пойти домой и сказать обо всем матери.

Лючия Санта встала и решительно произнесла:

— Пойдем вместе. Надо ведь нам познакомиться, раз мы теперь родственники.

Ларри предпочел остаться в стороне.

— Слушай, ма, — сказал он, — мне сегодня идти в ночную смену. Ступайте туда с Лу, а я зайду к ним завтра.

Новобрачная взглянула на него с удивлением и испугом. Октавия сердито отрезала:

— Черта с два, Ларри! Брачная ночь — вполне уважительная причина, чтобы хоть раз не ходить на работу. Ты как миленький пойдешь с матерью и Луизой к ее родителям. Нечего сразу оставлять жену одну!

Луиза смотрела на нее, широко раскрыв глаза,

словно услыхала богохульство. Ларри со смехом ответил:

— Ладно, сестренка, брось создавать проблему. Хочешь, чтобы я пошел, Лу? — Девушка кивнула. Он покровительственно положил руку ей на плечо и сказал: — Тогда я пойду.

— Спасибо, Ларри, — пискнула девушка.

Октавия расхохоталась. К ее удивлению, мать бросила на нее угрожающий взгляд; разве не ей, матери, надлежало призвать Ларри к порядку? Но тут мать обратилась к Ларри с такими словами:

— Думаю, лучше тебе пойти с нами, Ларри.

Теперь Октавия сообразила, что происходит: мать примеряет новую роль! Она уже не считает себя властительницей над старшим сыном, она словно бы вырывает его из собственного сердца — не гневаясь, без злого умысла, не от недостатка любви, а просто потому, что так будет проще собраться с силами и взвалить на плечи привычную ношу, прибавившую в весе. Дождавшись, пока все уйдут, Октавия, чтобы отвлечься от печальных мыслей, взялась за утюг и перегладила все оставшееся белье; она больше ни разу не открыла книгу.

Жизнь ребенка всегда переполнена неожиданностями. Поэтому Джино ни капельки не удивился, когда на следующее утро увидел на подушке брата черноволосую девичью головку. Тихо стоя над ними в своем плохоньком зимнем белье, Джино внимательно рассматривал их лица. Оба были мертвенно-бледны после сна в холодной квартире, оба казались беззащитными в своей страшной обессиленности, глубоком забытьи; они словно приготовились к смерти, если уже не умерли. У обоих были черные как смоль волосы, всклокоченные и переплетающиеся, заслоняющие лица. Через некоторое время Ларри пошевелился; жизненная сила стала возвращаться в его тело, от прихлынувшей к лицу крови порозовели щеки. Густые черные брови задвигались, черные глаза открылись и сверкнули. Ларри отодвинулся на край подушки, чтобы его волосы не переплетались с волосами жены; теперь он снова был сам по себе. Увидев рассматривающего его Джино, он осклабился.

Винни тем временем успел содрать с молочной бутылки крышечку: дюймовый слой замерзших наверху сливок был наградой тому, кто раньше встанет. Джино попытался открыть вторую бутылку, однако мать легонько кольнула его в руку острием ножа.

Джино побрел одеваться. Брат Ларри уже полусидел в кровати и затягивался сигаретой; девушка попрежнему спала, повернувшись худенькой спиной ко всему остальному миру. Беленькие бретельки ночной рубашки подчеркивали худобу ее лопаток, торчавших на манер цыплячьих крылышек. При появлении Джино Ларри потянулся к жене и укрыл ее одеялом, чтобы она не замерзла, продемонстрировав при этом волосатую грудь и длинный рукав толстой ночной фуфайки.

Тот год прочно засел в памяти Джино: после женитьбы Ларри произошло еще много неожиданного.

Как-то раз, возвращаясь из школы, Джино увидел Джои Бианко, сидящего на помосте перед фабрикой Ранкеля; его учебники валялись на тротуаре. Джино не поверил своим глазам: Джои рыдал. Однако, несмотря на слезы, лицо его было искажено судорогой ярости. Джино осторожно приблизился к нему и спросил:

— Что случилось, Джои? Что-то с матерью или отцом?

Джои, всхлипывая, покачал головой. Джино подсел к нему на помост.

— Хочешь, сыграем в «семь с половиной»? — предложил он. — У меня есть шестнадцать центов.

— Мне не на что играть, — буркнул Джои. Его прорвало: — Я потерял все свои деньги! Отец велел мне положить их в банк, а банк потерял все мои деньги! Чертовы мерзавцы! Отцу-то что, он надо мной смеется! Все только и твердили, что я смогу взять деньги себе, когда вырасту, а теперь они меня обокрали. И еще смеются! — Он был совершенно уничтожен, он рыдал и бранился.

Джино был потрясен. Он лучше кого бы то ни было знал, как это серьезно. Сколько раз Джино, купив себе мороженое, позволял Джои лизнуть его, потому что Джои хотелось сэкономить два цента! Сколько раз Джои оставался в воскресенье дома, чтобы сэкономить деньги, выданные ему на кино, и положить их на свой банковский счет! Сколько раз Джои воротил глаза от увенчанной оранжевым зонтиком трехколесной тележки с горячими сосисками, нащупывая в кармане заветный пятицентовик, пока Джино уплетал мягчайшую длинную булку с сочной красной сосиской, кислой капустой и желтой горчицей, норовя проглотить «хот дог» в один присест! Джино чувствовал, что тоже обворован, потому что деньги эти были в какой-то мере и его деньгами. Пусть остальные мальчишки смеялись над Джои, Джино всегда уважал его и давал откусить от своей сосиски или пиццы, лизнуть мороженого, чтобы соблазн не сделался невыносимым. Даже на Пасху, когда все покупали алые и белые сахарные яйца по десять центов, Джои мужественно постился, хотя Пасха бывает всего раз в году. Джино гордился, что дружит с самым богатым мальчиком если не во всем Челси, то уж, по крайней мере, на Десятой авеню. Заикаясь и заранее боясь ответа, он спросил:

— Джои, сколько же ты потерял?

Обретя в отчаянии подобие спокойствия и достоинства, Джои произнес, не веря самому себе:

— Двести тринадцать долларов.

Мальчики посмотрели друг на друга расширенными от ужаса глазами. Джино и представить себе не мог такой суммы, а Джои впервые осознал, что за страшная трагедия с ним разыгралась.

— О господи! — пробормотал он.

— Пойдем, Джои, — позвал Джино. — Собирай учебники и пошли домой.

Но Джои, спрыгнув с помоста, принялся яростно пинать свои книжки, пока они не разлетелись по всему тротуару.

— К черту книги! — орал он. — К черту школу! Теперь я со всеми посчитаюсь! Никогда не вернусь домой!

Он побежал в сторону Девятой авеню и затерялся в серой зимней тени надземной железной дороги.

Джино подобрал его учебники. Они изорвались, перепачкались конским навозом. Он, как мог, обтер их о собственные штаны и пошел по Десятой авеню в сторону дома 356, где обитал Джои.

Бианко жили на третьем этаже. Едва Джино постучал в дверь, как до него донесся женский плач; он хотел было удрать, однако дверь тут же распахнулась. Маленькая женщина во всем черном — мать Джои — пригласила его войти.

Джино удивился, застав отца Джои дома в столь

неурочный час. Отец сидел за кухонным столом. Он был мал ростом и сутул, зато носил грандиозные усищи. На улице он никогда не снимал мятой серой шляпы; почему-то она была на нем и сейчас. Перед ним стоял кувшин с темно-красным вином и наполовину опорожненный стакан.

— Я принес учебники Джои, — сообщил Джино. — Он поможет учительнице и придет.

Он положил книжки на стол. Отец Джои поднял глаза и с хмельным радушием произнес:

— Bliono giovanetto — славный мальчик. Ты — сын Лючии Санты, приятель Джои — славный мальчик! Ты ведь никогда никого не слушаешься? Всегда идешь своим путем. Вот и хорошо. Отлично! Выпейка со мной винца. И благодари господа, что у тебя нет отца.

— Я не пью, Zi' Паскуале, — ответил Джино. — Но все равно спасибо. — Ему было жаль мистера Бианко: оказывается, отец тоже убивается из-за неудачи сына. Мать сидела за столом и пристально смотрела на мужа.

— Пей, пей, — сказал дядюшка Бианко. Женщина пододвинула ему крохотную рюмочку, и он налил в нее вина. — За президентов американских банков, пусть они сожрут с потрохами собственных матерей!

— Успокойся, успокойся! — зашикала миссис Бианко.

В прежние времена Джино приходилось наблюдать, как дядюшка Бианко претерпевал ежедневное воскрешение и праздновал победу. Сперва это был согнутый, пришибленный человечек, состоящий из сплошных обид и шишек, притащившийся с сортировочной станции и с трудом перешагивающий через рельсы, протянувшиеся вдоль Десятой авеню. Он выглядел смертельно усталым, он был покрыт коростой грязи и пыли, высохший пот закупоривал все поры его измученного тела. Круглая шляпа, серая от пыли и рябая от пятен, лоснилась на солнце. Пустая корзинка для еды болталась у него на боку; он с трудом взбирался по темной лестнице и вваливался в квартиру.

Тут он сбрасывал свое рубище, залезал под струю теплой воды и принимался с ожесточением тереть мокрой тряпкой свою изломанную спину. Потом он в чистой голубой рубашке, наскоро опрокинув первый стаканчик, появлялся за столом с кувшином вина.

Сперва он заглядывал всем присутствующим в глаза, даже Джино, если тому случалось при этом находиться, и покачивал головой, словно отпуская им неведомые грехи. После этого он отхлебывал вина. Постепенно спина его выпрямлялась, словно тело снова наливалось силой. Жена наклонялась к нему с глубоким блюдом фасоли и макарон, от которого шел густой дух чеснока и бурого соевого соуса. Дядюшка твердо брался за ложку, словно это его лопата. Одно движение — и невероятная гора фасоли и макарон исчезала во рту умелого грузчика. Отправив в бездну под усами три таких порции, он откладывал ложку и отрывал от буханки здоровенный ломоть.

Держа в одной руке ложку, а в другой — хлеб, он словно возрождал собственную душу, вливая в нее энергию жизни. Каждый глоток делал его сильнее, он рос прямо на стуле и уже возвышался над остальными. Кожа на его лице приятно розовела, во рту начинали сверкать белоснежные зубы, из-под усов, пропитавшихся соусом, показывались ярко-красные губы. Он раскусывал хлебную корку с оглушительным треском, напоминавшим пушечный залп, а громадная ложка резала воздух над столом, как сабля.

Он осушал свой стакан. Стол выглядел, как после побоища; над ним висел запах раздавленных виноградных гроздьев, рассыпанной муки и затоптанных в землю бобов.

Под конец дядюшка, взяв у жены нож, отрезал от огромного круга сыра с черной коркой рыхлый зернистый пласт и поднимал его к свету, чтобы все смогли насладиться ни с чем не сравнимым ароматом. Другой рукой он подбирал со стола остаток хлебной буханки и — могущественный, умиротворенный, наделенный почти сверхъестественной властью — с улыбкой спрашивал их всех на своем гортанном итальянском, выдающим южанина: «Ну, кто же счастливее меня?»

Жена издавала короткое: «Эге», словно подтверждая собственное твердое убеждение, с которым муж до поры до времени не соглашался. Мальчики же всегда внимательно наблюдали за ним, стараясь понять, что происходит.

В конце концов им открывалась правда. Кто же наслаждался трапезой больше, чем он? У кого веселее разливалось по жилам вино? Чья плоть, чьи кости, чьи нервы успокаивались от блаженного отдыха? Дядюшка сладко постанывал, чувствуя, как улетучиваются боль и усталость. Он слегка приподнимался, чтобы освободиться от избытка газов, и серьезно вздыхал. Кто же больше, чем он, наслаждался жизнью в эту минуту?

Сегодня Джино попытался успокоить его:

— Ничего, Zi' Паскуале, Джои снова накопит денег. Я буду помогать ему продавать уголь с железной дороги, а следующим летом мы снова станем торговать льдом. Мы быстро наверстаем!

Усищи заходили ходуном, лицо покрылось морщинками смеха.

— Мой сын со своими деньгами!.. Ах, figlio mio, если бы дело было только в этом! Да знаешь ли ты, чего лишился я, знает ли мой сын, что я потерял? Пять тысяч долларов! Двадцать лет я вставал до рассвета и вкалывал, невзирая ни на холод, ни на проклятую американскую жару. Я сносил оскорбления от босса, я поменял даже фамилию, а ведь этой итальянской фамилии тысяча лет — Баккалона! — Теперь его голос гремел на всю кухню. — Мы из итальянского города Салерно. Я от всего отказался. А теперь мой сын рыдает на улице. — Он снова выпил. — Пять тысяч долларов, двадцать лет жизни... У меня ноют кости, потому что деньги эти добыты потом, вместе с которым вытекал костный мозг. Да обрушатся на них небеса, да покарает их сам Иисус Христос! Они обокрали меня без всякого револьвера, даже не пригрозив ножом, при свете дня. Как же это так?

Жена сказала:

— Паскуале, перестань пить. Завтра тебе на работу, ведь ты сегодня не работал. В эту депрессию многие лишаются работы. Поешь немного и иди спать. Давай, давай!

— Не тревожься, женщина! — мягко сказал дядюшка Паскуале. — Завтра я выйду на работу. Не бойся. Разве я не вышел на работу, когда умерла наша малышка-дочь? Разве я не выходил на работу, когда ты рожала? Когда болела ты, когда болели дети? Пойду, пойду, не бойся. Но ты, бедная женщина, никогда не зажигающая электричества, пока не наступит кромешная тьма, лишь бы сэкономить лишний цент, помнишь, как ты ела шпинат без мяса и носила дома свитеры, чтобы сберечь уголь? Неужели все это для тебя ничего не значит? О женщина, да ты железная! Слушай меня, малыш Джино, поберегись их!

Дядюшка Паскуале осушил еще один стакан вина и, не произнося больше ни слова, без чувств свалился на пол.

Жена, надеясь, что муж не слышит ее, принялась причитать. Потом Джино помог ей оттащить мистера Бианко в спальню; она все рыдала и заламывала руки. Он наблюдал, как она раздевает мужа, пока тот не превратился в жалкую, согбенную фигурку в старом нижнем белье с длинными рукавами и штанинами; он пьяно похрапывал в усы — ни дать ни взять персонаж комикса.

Она усадила Джино с собой на кухне и спросила, где Джои. Затем пошло-поехало: бедный муж, он был их надеждой, их спасением, он не должен клониться под ударами судьбы. Деньги пропали — да, это ужасно, но еще не смертельно.

Америка, Америка, что за мечты вселяет одно твое имя? Какие кощунственные мысли о счастье зароняешь ты в людские умы? За все надо расплачиваться, однако людям свойственно надеяться, что можно обрести счастье, не заплатив страшной цены. Здесь было на что надеться, в Италии же жизнь была безнадежна. Они начнут все сначала, ведь ему всего сорок восемь лет. Он сможет проработать еще лет двадцать. Ведь человеческое тело — это золотая жила. Труд — руда, из которой выплавляются пища, кров, спасающий от непогоды, свадебные лакомства и похоронные венки, висящие на дверях. В этом изломанном непосильным трудом, до смешного тщедушном тельце в длинном зимнем белье, единственным украшением которому служили чудовищные усы, еще оставалось сокровище, поэтому с присущим женщинам практицизмом миссис Бианко беспокоилась скорее о муже, чем о безвозвратно канувших деньгах.

Прошло немало времени, прежде чем Джино смог уйти. Он опоздал домой: все уже сидели за столом. Как хорошо снова оказаться в теплой кухне, пропахшей чесноком и оливковым маслом, где пузырится в кастрюле томатный соус, похожий на темное вино!

Каждый накладывал себе спагетти из общего блюда, возвышавшегося над столом. В четверг им не полагалось другого мясного, кроме дешевой рубленой говядины, которая настолько размякла в соусе, что разваливалась от одного прикосновения вилкой. В разгар трапезы из квартиры этажом ниже поднялись Ларри с женой и сели с ними за стол.

Все были рады видеть Ларри, особенно младшие. Он всегда веселил их шутками и историями о железной дороге, он знал все сплетни о семьях с Десятой авеню. В его присутствии Октавия и Лючия Санта приободрялись и не ворчали на детей.

Джино заметил, что Луиза толстеет, а голова ее делается меньше.

— ...Ага, — рассказывал Ларри, — Panettiere лишился на фондовой бирже десяти тысяч долларов, кое-какие деньги пропали у него в банке, но ему все равно не приходится тужить — ведь у него магазин. Многие на авеню потеряли деньги. Благодари бога за свою бедность, ма.

Октавия с матерью улыбнулись друг другу. Их деньги были секретом от остальных; кроме того, они доверили сбережения не банку, а почте. Лючия Санта сказала Луизе:

— Ешь больше, тебе надо поддерживать силы. — Она забрала с тарелки Ларри большой кусок говядины и отдала его Луизе. — Animale, — сказала она Ларри, — ты и так силен как бык. Ешь спагетти, а мясо уступи жене.

На лице девушки появилось странное, довольное выражение. Она была воплощением спокойствия, она редко говорила, но сейчас она скромно молвила:

— Спасибо, мама.

Джино с Винсентом переглянулись. Что-то тут не так. Уж они-то знали свою мать: она неискренна, на самом деле она недолюбливает невестку, а та произнесла слова благодарности слишком горестным тоном.

Ларри улыбнулся братьям и подмигнул им. Зачерпнув ложкой соус, он удивленно воскликнул:

— Посмотрите-ка на тараканов на стене!

Это была старая игра: так он воровал по субботам жареную картошку у них с тарелок. Джино с Винни и не подумали оборачиваться, но наивная Луиза повернула голову. Ларри воспользовался этим, подцепил кусок говядины, откусил от него и поспешно положил обратно. Дети рассмеялись, но Луиза, поняв, что ее провели, расплакалась. Все очень удивились.

— Брось, — стал утешать ее Ларри, — это старая шутка нашего семейства. Просто баловство, ничего больше.

Мать с Октавией поддакнули, тоже сжалившись над ней. Однако Октавия опрометчиво произнесла:

— Не трогай ее, когда она в таком настроении, Ларри.

— Луиза, твой муж — зверь, и игры у него зверские, — сказала мать. — В следующий раз возьми да плесни ему в лицо горячего соусу.

Но Луиза вскочила из-за стола и бросилась к себе в квартиру.

— Лоренцо, ступай за ней и отнеси ей еды, — распорядилась Лючия Санта.

Лари сложил руки на груди.

— И не подумаю, — заявил он и снова принялся за спагетти. Все примолкли.

Наконец-то Джино удалось вставить словечко:

— Джои Бианко потерял двести тринадцать долларов, вложенных в банк, а его отец — целых пять тысяч.

На лице матери появилось выражение угрюмого торжества. У нее был такой же вид несколько минут назад, когда она услыхала о бедах Panettiere. Но потом Джино поведал, как дядюшка Паскуале напился, и выражение на лице матери изменилось, она удрученно произнесла:

— Даже умные люди беззащитны в этом мире — вот как обстоит дело.

Они с Октавией обменялись понимающими взглядами. Им повезло: они по чистому наитию открыли почтовый счет. Просто они постеснялись входа с белыми колоннами и просторного мраморного вестибюля — больно мало у них было денег.

С абстрактной печалью, словно пытаясь искупить вину за недавнее чувство торжества, мать сказала:

— Бедняга, уж так он любил деньги, а женился по любви, на бедной-пребедной девушке. Они были счастливы. Прекрасный брак! Однако что бы человек ни делал, все всегда идет наперекосяк.

На эти слова Лючии Санты никто не обратил внимания. Все слишком хорошо ее знали. На словах, как и в мыслях, она относилась к жизни с безнадежным пессимизмом. Однако жила она как человек, свято верующий в фортуну. Поутру она вставала с легким сердцем и вонзала зубы в хлеб, зная, что он окажется вкусен. Ее надеждой была телесная энергия, подкрепляемая любовью к детям и необходимостью вести за них постоянное сражение. Они верили, что ей неведом страх. Поэтому ее печальные слова мало что значили, они говорили только об опасении сглазить. Они мирно доели свои порции. После еды Ларри откинулся на спинку стула с сигареткой в зубах, и Октавия с матерью завели с ним разговор, припоминая его юношеские проделки. Винни взял оставленную Луизой тарелку со спагетти и на минуту опустил ее кусок говядины в горячий соус. Потом он накрыл все другой тарелкой.

— Вот и молодец, — одобрила Лючия Санта. — Отнеси невестке поесть.

Винни спустился вниз по лестнице с тарелками и питьем. Через несколько минут он возвратился с пустыми руками и снова уселся за стол.

Окинув его взглядом, Ларри спросил:

— Ну, как она?

Винни кивнул, и Ларри вернулся к прерванному рассказу.

ГЛАВА 10

Субботним днем конца марта Октавия Ангелуцци стояла у кухонного окна, глядя на задний двор. Он был разделен деревянными заборчиками на множество отдельных двориков.

Октавия разглядывала эти каменные сады с бетонной почвой. Какой-то paesano, заскучавший по родине, притащил во двор ящик, напоминающий формой шляпу-треуголку, и насыпал в него пыли, воображая, что это земля; из пыли поднимался костлявый ствол. Внизу от ствола отходили маленькие отростки, похожие на пальцы, на которых дрожали мертвые желтые листочки. Из зацементированной серой клумбы торчал, озаряемый серебристым зимним светом, красный цветочный горшок. Над ним густо висели, перекрещиваясь так замысловато, что между ними не смогла бы пролететь самая хитроумная ведьма, бельевые веревки, уходящие от окон к смутно виднеющимся деревянным шестам.

Октавия чувствовала чудовищную усталость. Видимо, думала она, во всем виноват холод, эта длинная зима без единого солнечного лучика. Из-за депрессии стали хуже платить, и она работала теперь больше, а получала все равно меньше. Вечерами они с матерью пришивали на лоскутья пуговицы, порой призывая на помощь и детей. Однако мальчики фыркали из-за нищенской оплаты — цент за лоскут — и всячески отлынивали от работы. Это вызывало у нее только смех: дети могут позволить себе независимость.

У нее болела грудь, глаза, голова. Наверное, у нее жар. Из головы не выходила одна и та же мысль: что станет с ними без денег от Ларри, как они будут поднимать четверых детей? Не проходило недели, чтобы она не снимала с их с матерью почтового счета некоторой суммы. Прекрасная мечта потеряла очертания: они были отброшены назад, от владения собственным домом их снова отделяли долгие годы.

Глядя вниз на безрадостный двор, который внезапно обрел жизнь благодаря кошке, прошедшейся по забору, она думала о Джино и Сале, обреченных, возможно, на участь безмозглых грузчиков — неотесанных, грубых, увязших в трущобах, обзаводящихся детьми и обрекающих их на столь же нищенское прозябание. Ее охватила невыносимая тревога, сменившаяся страхом и настоящей тошнотой. Она уже видела, как они раболепствуют перед подлецами и клянчат подачку, подобно своим родителям. Беднякам приходится побираться — иначе не выживешь.

А как же Винни? Октавия вздрогнула: его будущее она уже и вовсе не принимала в расчет. Ему придется рано начать трудиться, чтобы помогать братьям и сестрам. Иного выхода не просматривалось.

Ах, этот проклятый Ларри — ведь он бросает семью в тот самый момент, когда она больше, чем когда-либо, нуждается в его помощи! И еще смеет приходить к ним лопать!

Впрочем, все мужчины — подлецы. Ей внезапно представился мужчина вообще — волосатый, как горилла, голый, с огромным, торчащим кверху органом для изготовления детей. Да, такие они и есть! Кровь прилила ей к лицу, и она почувствовала такую слабость, что едва добралась до кухонного стола и осела на табурет. Ее грудь раздирала боль, от которой перехватывало дыхание. Она с обреченным ужасом поняла, что больна.

Октавию, упавшую лицом на стол, рыдающую от страха и от боли и пачкающую белую клеенку с голубым рисунком своей мокротой, окрашенной кровью, первым обнаружил Джино. Октавия прошептала:

— Сходи за матерью и тетушкой Лоуке...

Джино так перепугался, что, ни слова не говоря, кубарем скатился по лестнице.

Озабоченная родня застала Октавию отчасти пришедшей в себя, с выпрямленной спиной. Однако пятна на клеенке говорили сами за себя. Октавия собралась было вытереть стол, чтобы не всполошить мать, но потребность в симпатии и опасение быть обвиненной в симуляции в ближайшей же семейной ссоре вынудили ее оставить все как есть.

Лючия Санта ворвалась к ней первой. Ей сразу бросился в глаза удрученный, болезненный, виноватый вид дочери; она перевела взгляд на кровь на клеенке, заломила руки, запричитала и разразилась слезами. Эта театральность всегда выводила Октавию из себя; даже Джино пробормотал из-за материнской спины:

— Ради бога...

Однако сцена отняла всего минуту. Мать мгновенно овладела собой, взяла дочь за руку и повела ее через комнаты.

— Бегом к доктору Барбато! — крикнула она на ходу Джино.

Тот, чуя приключение и полный сознания собственной значительности, помчался вниз еще шустрее, чем несколько минут назад.

Уложив Октавию в постель, Лючия Санта вооружилась пузырьком со спиртом и уселась рядом с дочерью в ожидании врача. Щедро поливая спиртом ладонь, она протирала Октавии лоб и щеки. Обе успели успокоиться; Октавия видела на лице матери знакомое сердитое выражение, означавшее, что дочь и остальная семья теперь и подавно заслоняют от нее весь остальной мир. Она попробовала пошутить:

— Не волнуйся, ма. Я поправлюсь. Во всяком случае, я не собираюсь родить ребенка без мужа. Я по-прежнему хорошая итальянская девушка.

Однако в подобные моменты Лючии Санте изменяло чувство юмора. Жизнь научила ее уважительному отношению к ударам судьбы. Она сидела у изголовья дочери, как маленький Будда в черном. Дожидаясь врача, она лихорадочно размышляла, что будет означать для семьи болезнь, к каким новым лишениям она приведет. Невзгоды подступали со всех сторон: муж отнят, сын женился раньше времени, депрессия лишает работы, а теперь еще болезнь дочери. Она собиралась с силами, ибо понимала, что речь идет теперь не об отдельных неприятностях. Под ударом оказалась вся семья, самая ее ткань, жизнь. Семье грозила теперь не череда ударов, а полное уничтожение, бездна отчаяния.

Доктор Барбато поднялся следом за Джино по лестнице и прошел к кровати Октавии. Он был, как всегда, щеголевато одет, усики его были аккуратно подстрижены. Он приобрел билеты на оперу в Бруклинскую Академию музыки и теперь торопился. Он едва не отказался от посещения больной, едва не посоветовал мальчишке обратиться в «Белльвю».

Стоило ему увидеть девушку и выслушать их рассказ, как ему стало ясно, что он напрасно пришел сюда. Девушке все равно не миновать больницы. Однако он уселся у ее кровати, видя, насколько она смущена тем, что ее будет осматривать такой молодой мужчина и что при этом будет присутствовать ее мать, не спускающая с нее глаз. «Эти итальянцы воображают, что мужчина не побрезгует женщиной даже на смертном одре», — неприязненно подумал он.

— Что ж, синьора, — произнес он, — придется мне осмотреть вашу дочь. Попросите мальчика выйти.

Мать обернулась и увидела, как расширились у Джино его любопытные глаза. Шлепнув его, она прикрикнула:

— Брысь! Раз в жизни разрешаю тебе: можешь убегать.

Джино, ожидавший похвалы за проявленную прыть, удалился на кухню, бормоча проклятия.

Доктор Барбато приложил стетоскоп к груди Октавии и, как того требовала профессия, уставился в пространство; на самом деле он прекрасно рассмотрел тело девушки. К его удивлению, она оказалась совсем худенькой. Полная грудь и широкие, округлые бедра создавали обманчивое впечатление. Она здорово потеряла в весе, но по ее крупному лицу этого невозможно было заметить, поскольку, при всей его миловидности, его трудно было представить изможденным. Ее огромные темные глаза испуганно наблюдали за ним. Врач успел отметить — не выходя, впрочем, за рамки профессионализма, — насколько созрело ее тело для любви. Она напомнила ему обнаженную красавицу с картины, которую он видел в Италии, путешествуя после окончания медицинского факультета. Она была женщиной классического типа, самой природой предназначенной для деторождения и обильных утех на супружеском ложе. Лучше бы ей побыстрее выйти замуж, не обращая внимания на болезнь.

Он встал, накрыл плечи девушки простыней и со спокойной уверенностью сказал:

— Поправитесь!

После этого он поманил мать в соседнюю комнату. Однако Октавия, к его удивлению, взмолилась:

— Доктор, прошу вас, говорите при мне! Матери все равно придется все мне рассказать. Иначе она не будет знать, как ей поступить.

Врач знал, что с такими людьми все равно не

удастся соблюсти тонкостей профессии. Поэтому он безмятежно произнес:

— У вас плеврит. Несильный, но в больницу придется лечь все равно: там вам будет спокойно, там вам сделают рентген. Кровохарканье — дело нешуточное. Вдруг у вас не в порядке легкие?

Последние слова напомнили ему об опере, которую ему предстояло слушать вечером. Там героиня, умирающая от туберкулеза, станет голосить, как безумная, в огнях рампы... Она лишается всего лишь любви, то есть удовольствий; к ее смерти трудно отнестись серьезно. Стараясь, чтобы его голос звучал как можно искреннее, он сказал:

— Не беспокойтесь. Даже если задеты легкие, надеюсь, что все обойдется. Вам нет причин пугаться. Самое худшее, что может случиться, — что дочери придется несколько месяцев отдохнуть. Так что прямо завтра — в больницу «Белльвю». Пока я оставлю ей кое-каких лекарств. — Он вручил матери несколько образцов, присылаемых ему аптеками. — Запомните: не позднее завтрашнего дня — в «Белльвю». В квартире холодно, дети шумят, а ей нужен покой. И рентген. Уж не подведите меня, синьора! — И он добавил чуть ласковее: — Не беспокойтесь.

Врач ушел, чувствуя одновременно отвращение к самому себе и удовлетворение. Он бы мог заработать пятнадцать долларов, а не жалкие два: лечить ее всю следующую неделю в своем кабинете, там же сделать рентген и так далее. Однако для него не представляла тайны бедность этой семьи. Чуть погодя он уже негодовал на себя, сокрушаясь, что ему приходится так дешево продавать свое умение и что жертвы, понесенные его отцом, дают такую мизерную отдачу.

В его руках находилось мощное оружие для добывания денег, но он не мог использовать его сполна. Вот ведь незадача: почему она — не дочь Panettiere? Его бы он доил и доил, от него бы он не отстал. Причем никто не был бы вправе упрекнуть его в недобросовестности. Ничего, придет время, когда он приобретет практику на таком участке, где сможет с чистой совестью сколотить настоящее состояние. Что поделаешь: он, доктор Барбато, не выносит вида и запаха бедности! Проявив сострадание и участие, он потом много дней подряд корил себя за это. Он совершенно искренне рассматривал это свое качество не как достоинство, а как крупный недостаток.

Сал и Винни, вернувшиеся домой после воскресного похода в кино, сидели на кухне и утоляли голод большущими кусками грубого хлеба, сдобренного уксусом и оливковым маслом. Джино, надувшись, забился в угол и корпел над уроками. Лючия Санта хмуро обвела взглядом свое потомство.

— Джино! — позвала она. — Возьми из моего кошелька десять центов — это тебе. Потом сходишь за своим братом Лоренцо — пускай поднимается к нам. Subito![1]

Глядя, с каким рвением он помчался выполнять ее просьбу, моментально забыв об обиде, она испытала прилив любви к сыну, подействовавший на ее напряженные нервы как целебный бальзам.

На следующее утро Лючия Санта совершила настолько чудовищный поступок, что мгновенно утратила симпатию всей Десятой авеню и всех тех, кто сочувствовал ей в новом обрушившемся на нее горе.

---

[1] Сейчас же! (*ит.*)

Доктор Барбато до того разгневался, что выругался по-итальянски — с момента поступления на медицинский факультет с ним ни разу не случалось ничего подобного. Даже тетушка Лоуке отругала Лючию Санту. Ведь это глупо, аморально, это просто поразительно; и все это говорилось всего лишь о поступке, продиктованном любовью... Лючия Санта не отдала дочь в благотворительную больницу «Белльвю»; вместо этого она велела Ларри отвезти их во Французскую больницу, что между Девятой и Восьмой авеню, всего-то в квартале с небольшим от их дома. Это была радующая глаз, чистенькая, но очень дорогая больница. Здешние медсестры будут вежливы, врачи обворожительны, секретари услужливы. Здесь не придется часами ждать в мрачных казематах. Здесь с дочерью Лючии Санты обойдутся как с человеком, то есть как с платежеспособным членом общества.

При этом Лючия Санта была удивлена своим поступком больше, чем кто-либо еще. Это был фантастически глупый шаг, грозящий поглотить сбережения целого года в момент, когда они всего нужнее. Ведь дом на время лишался основного работника! Такое можно было учудить только в полном ослеплении.

Однако у Лючии Санты были на то свои причины. Она пролежала с открытыми глазами всю ночь, и, несмотря на бодрствование, ее терзали кошмары. Она представляла себе свою молоденькую красавицу-дочь заключенной в тюремных бастионах «Белльвю», потерянно ползающей по зловещим закоулкам, собирающей презрительные плевки, как брошенный в зловонную клетку зверек. Кроме того, сыграло роль суеверие: ее муж, попав в «Белльвю», так и не вышел оттуда. Нет, эта больница — форменная покойницкая: ее дочь погибнет там, ее разрубят на мелкие кусочки и распихают по колбам...

В ранний предутренний час Лючия Санта пришла к окончательному решению и почувствовала такое облегчение, что махнула рукой на мнение друзей, родственников, соседей. В темноте, уткнувшись лицом в подушку, она горько всплакнула — одинокими, страшными слезами, не предназначенными для чужих глаз; они помогли ей справиться с тревогой лучше всяких утешений, кто бы ни утешал — пусть даже друг или любимое существо. Лючия Санта оплакивала уходящие силы, ибо ей было не у кого их черпать. Так плачут люди, которые слишком горды, чтобы показать, что нуждаются в жалости. На рассвете слезы ее высохли; когда пришло время вставать, лицо ее приняло решительное, непреклонное выражение.

Дети отправились в школу; пришел Ларри; они завернули тепло одетую Октавию в одеяла. Снеся ее вниз по лестнице едва ли не на руках, они усадили ее в машину Ларри. Сев рядом с сыном, Лючия Санта скомандовала:

— Во Французскую больницу!

Октавия пыталась возражать, однако мать прикрикнула на нее:

— Спокойно! Больше ни слова!

Формальности отняли совсем немного времени. Октавию поместили в тихую, чистую, симпатичную палату с молодой соседкой. На стенах палаты висели картины. По дороге домой Ларри, всегда ревновавший мать к сестре, объявил, что станет давать семье по пять долларов в неделю, пока Октавия снова не выйдет на работу. Мать потянулась к нему, потрепала по щеке и сказала по-итальянски:

— Ты славный мальчик, Лоренцо.

Однако тот расслышал в ее тоне отступничество: она уже не принимает его в расчет, он вышел у нее из доверия, в новом кризисе она не может на него опереться. А ведь будь он на месте Октавии, доверяй мать не ей, а ему, он никогда бы не дезертировал, как она.

ГЛАВА 11

Лючия Санта Ангелуцци-Корбо, подобно генералу, попавшему в окружение, вершила судьбу своего семейства, стараясь облегчить его муки: она просчитывала тактические ходы, размышляла над стратегией, взвешивала наличные ресурсы, определяла степень надежности союзных сил. Октавия проведет вдали от семьи, в доме отдыха, полгода. Видимо, она не будет работать в общей сложности год. Зарплату за целый год — долой.

Лоренцо давал ей в неделю по пять долларов, иногда на два-три доллара больше. Винченцо станет подрабатывать в пекарне — еще пять долларов в неделю плюс экономия на хлебе. От Джино не было ни малейшего толку, Сал и Эйлин были еще слишком малы...

А тут еще беременность Луизы, жены Лоренцо, — новая трещина в щите... Лучше, видимо, вообще не принимать в расчет деньги от Лоренцо.

А если зайти с другого конца? Винченцо осталось еще три года до окончания школы. А обязательно ли ему доучиваться до последнего класса? Джино слиш-

8 – 2269

ком своеволен, но его придется приручить: он обязан помогать, нечего проявлять к нему столько снисходительности.

Теперь мать лучше, чем раньше, понимала, как важна для семьи Октавия, и не только в смысле денег. Ведь это она заставляла детей учиться на хорошие оценки, это она водила их в бесплатную зубную поликлинику Гудзоновой Гильдии, это она планировала экономию и взносы на сберегательный счет, независимо от того, сколько им требовалось денег на еду и одежду. Это Октавия вселяла в мать силы, это на нее та опиралась в нечастые минуты слабости.

Теперь, размышляла Лючия Санта, ей снова приходится в одиночку вести страшную битву. Однако она стала старше, закалилась в борьбе, поднакопила опыта и не ведает больше беспомощного отчаяния и ужаса, которые испытывала, когда осталась молодой вдовой. Она напоминала украшенного шрамами ветерана, прошедшего через множество невзгод; ее воинственный дух не раскисал больше от глупых мечтаний, присущих молодости. Теперь она сражалась с небывалым отчаянием, ибо понимала, что борьба идет за саму жизнь.

Лючия Санта приняла решение, подсказанное обстоятельствами: ей не оставалось иного выхода, кроме как запросить благотворительной помощи, обратиться за пособием. Прийти к такому решению оказалось непросто. Ей пришлось много о чем передумать.

О чем не шло речи, так это о совести, о сомнении, честно ли она поступает, заставляя власти брать ее семью на содержание. Ведь она родилась в стране, где народ и государство — непримиримые враги. Нет, ее мучили сомнения иного свойства.

Благотворительность — это соль, обильно присыпающая раны. Соглашаться на нее — значит, причинять себе боль. Государство оказывает помощь с горькой ненавистью, какую испытывает жертва шантажа. Получатель благотворительных денег вызывает раздражение, на него сыплются оскорбления, он подвергается глубокому унижению. Газеты клеймят бессовестных типов, которые предпочитают попрошайничать, вместо того чтобы голодать вместе со своими детьми. Никто не сомневается, что бедняки, выклянчивая помощь, обводят государство вокруг пальца, испытывая от этого немалое наслаждение. Что ж, некоторые действительно поступают именно так. Ведь есть же люди, находящие удовольствие в том, чтобы втыкать себе в брюхо раскаленные иглы и глотать бутылочные осколки! О вкусах не спорят. Если же говорить о гуманности вообще, то бедняк принимает благотворительность, испытывая стыд и утрачивая уважение к самому себе — разве это зрелище не достойно жалости?

Ларри вызвал социального работника к ним домой, но сам при беседе не присутствовал — этого не выдержала бы его мужская гордость. Нет, не станет он в этом участвовать! Он не имеет к этому никакого отношения. Лючия Санта спрятала подальше импортное оливковое масло, без которого она не мыслила стряпни; стоит визитеру приметить его — и пиши пропало.

Гость явился под конец дня. Он оказался серьезным молодым человеком с круглыми, как плошки, глазами, на которого трудно было смотреть без смеха. Густыми круглыми бровями и темными кругами под глазами он напоминал сову. Однако он был отменно вежлив: он учтиво постучался, а обследуя квартиру, то и дело извинялся; он распахивал дверцы шкафов и рыскал по квартире скорее как будущий квартиросъемщик, а не как чиновник, решающий вопрос о пособии. Он обращался к Лючии Санте «синьора», а сам именовался элегантно: Ла Фортецца.

Он внимательно выслушал рассказ Лючии Санты и записал в книжечку все подробности, кивая и шепотом сочувствуя ей по-итальянски. Он говорил по-итальянски так, словно выучил его в колледже, но понять его было можно.

Он разложил на столе формуляры и принялся задавать свои вопросы. Нет, нет, ни у нее, ни у ее детей нет банковского счета; у нее ничего нет, никакой страховки; у нее нет на продажу никаких драгоценностей, кроме обручального кольца — впрочем, он заверил ее, что кольцо не в счет. Когда эта канитель, наконец, завершилась, мистер Ла Фортецца уселся на стул, уцепившись руками за край стола, как когтями, и устремил на Лючию Санту осуждающий взгляд своих круглых совиных глаз.

— Синьора Корбо, — начал он, — мне очень неприятно говорить вам об этом, но я вынужден уведомить вас, что у нас будут трудности. На троих ваших старших детей в связи с несчастным случаем с их отцом заведены опекунские банковские счета. Строго говоря, если вы хотите получать пособие, то вам придется отказаться от этих денег. Таково требование закона. Если я не заявлю об этих ваших деньгах, то у меня возникнут неприятности. — Он пристально посмотрел на нее.

Эти слова застали Лючию Санту врасплох. Такой вежливый итальянский юноша — а шпионит, ходит по соседям, собирая сведения, подстраивает ей ловушку! Это взбесило ее. Она с горечью произнесла:

— Хорошо, я выброшу эти деньги на улицу.

Он улыбнулся ее словам, как хорошей шутке, и стал ждать. Она почувствовала, что еще не все потеряно.

— Так вы совсем ничего не можете для меня сделать? — спросила она.

Ла Фортецца немного поерзал и улыбнулся, как сова, глотающая огромную мышь.

— Ах, синьора, — проговорил он, — знаете, как говорят, услуга за услугу. — Все еще испытывая неудобство (он был пока слишком молод, чтобы как ни в чем не бывало расписываться в нечестных намерениях), он объяснил, что рискнет служебным положением и будет приносить ей раз в две недели по шестнадцать долларов, но взамен она тоже будет платить ему — по три доллара. Дело в том, что на самом деле она не имеет на эти деньги права; помогая ей, он нарушает закон. И так далее. Сделка была заключена. Лючия Санта была так благодарна благодетелю, что угостила его кофе с пирожным, хотя законы гостеприимства настаивают на одном кофе и больше ничего не требуют. За кофе мистер Ла Фортецца поведал ей о своих горестях: как он выучился на юриста ценой самопожертвования родителей — совсем таких же, как она, бедных людей; как теперь не стало работы и он вынужден подрабатывать на городские власти, как это ни унизительно. Разве он когда-нибудь сможет отплатить отцу за все то, что тот для него сделал, если будет ограничиваться своей низкой зарплатой? Он испытывает угрызения совести, занимаясь таким делом, но если не получать дополнительных денег, то надо расстаться с мечтами о собственной практике. Кроме того, сделка выгодна им обоим: на самом деле синьора не имеет права на пособие. И так далее. Они расстались друзьями.

Мистер Ла Фортецца стал раз в две недели являться к ним с чеком. Его приход обставлялся особой церемонией. Джино посылали в бакалею оплатить долг и обналичить чек. Он приносил оттуда четверть фунта американской ветчины — розового деликатеса в оболочке белого жира, мягкого американского хлеба, нарезанного ломтиками, и желтого американского сыра: у Ла Фортецца оказался слабый желудок, и он воротил нос от славного итальянского салями с pepperoni[1], от обжигающего проволоне, от грубого итальянского хлеба, режущего десны.

Джино, широко распахнув глаза, наблюдал за разворачивающимся перед ним действом. Тоненькие розовые и желтые кусочки выкладывались на длинную церемониальную тарелку, рядом ставилась чашка с кофе; Ла Фортецца, чувствуя себя как дома и положив натруженные ноги на другой стул, жаловался Лючии Санте на свои злоключения, а мать, переживая за него, покачивала головой. Бедняжка, сколько ему приходится карабкаться по лестницам, лаяться с самыми никчемными итальянцами, скрывающими от него работу сыновей и проклинающи-

---

[1] Перец (*ит.*).

ми его за то, что он не записывает их на помощь, обзывающими его евреем — ибо какой итальянец станет служить правительству и притеснять своих соплеменников?

— Ах, — неизменно говорил Ла Фортецца, — неужели только ради этого мои несчастные родители экономили каждый цент? Довольствовались в будни scarola и pasta? Только ли ради того, чтобы их сын зарабатывал себе на хлеб ценой здоровья?

Лючия Санта при этих его словах начинала кудахтать от жалости.

Совиные глаза гостя излучали печаль. Еще бы: Ла Фортецца вынужден ковылять по улицам в любую погоду. А ведь он слаб здоровьем... Четыре года напряженной учебы в университете!

— Синьора, — напирал он, — я был не из лучших студентов. В конце концов, мои родичи многие тысячи лет оставались неграмотными крестьянами, так что сейчас родители довольны и тем, что мне не приходится заниматься ручным трудом.

Съев ветчину и сыр, он вставал и собирался уходить. Лючия Санта с величайшим тактом совала ему три доллара: она хватала его руку и перекладывала туда деньги, словно он категорически отказывался и ей приходилось его уговаривать. Ла Фортецца изображал нерешительность и делал вид, что собирается вернуть деньги; потом он вздыхал, приподнимал одну бровь и издавал нечленораздельный звук, символизирующий отказ от борьбы.

Если вникнуть, то они были довольны друг другом. Почтенная Лючия Санта нравилась ему вежливостью, уважением к его чувствам, заботой и кофе. Она, со своей стороны, симпатизировала этому печальному юноше и благодарила бога, что никто из ее сыновей не утратил, в отличие от него, вкуса к жизни. Необходимость делиться с ним пособием не вызывала у нее возражений.

Прошло несколько недель, и к прежнему семейному пособию прибавилось пятнадцать долларов ежемесячно — на квартплату. Тогда Лючия Санта, не заставляя его заводить трудный разговор, сама стала подсовывать ему пять долларов вместо трех. Их взаимопонимание зиждилось на твердой, как скала, основе.

Взаимопонимание росло вместе с размером пособия. Он накинул ей еще четыре доллара в неделю. Теперь Лючия Санта завела привычку передавать ему пакетик с лакомствами: фунтом свежей ветчинки и бутылочкой домашней анисовки, которая пойдет на пользу его пищеварению. Теперь, когда Ларри обзавелся развалюхой-«Фордом», с которым он копался все свободное время, мать заставляла его отвозить мистера Ла Фортецца до самого дома — а жил тот далеко, в Бронксе, на Артур-авеню.

Поездку они совершали втроем — Ларри, Ла Фортецца и Джино; они тряслись в жалкой колымаге, выискивая местечко, чтобы протиснуться между гужевыми повозками, трамваями и другими автомобилями. Джино обратил внимание, что Ларри неизменно сохраняет вежливость, однако его неуважение к плюгавому адвокатишке прорывается в невинных насмешках. Впрочем, сам Ла Фортецца не замечал, что сделался предметом издевательств, и прилежно перебирал свои невзгоды, как четки. Братья только и слышали о том, какую низкую зарплату кладет служба пособий своим работникам, как много денег приходится платить в качестве рассрочки за дом в Бронксе, как постарели его родители и как они не могут больше работать, так что ему приходится помогать им и платить рассрочку самому. Когда он заводил речь о том, как отчаянно нуждается в деньгах, в его голосе звучал неподдельный ужас, что всегда повергало Джино в недоумение. Ведь Ла Фортецца — подлинный богач! Он учился в колледже, он живет в отдельном доме на две семьи, летом его семейка уезжает на отдых. Все то, чего обитатели Десятой авеню могли мечтать достигнуть только после сорока лет тяжелого труда, у этого юнца уже имелось. Он жил в стране мечты, но испытывал куда больший страх перед жизнью, чем самый последний грузчик с Десятой.

Когда Ла Фортецца выбирался из машины, сжимая под мышкой коричневый кулек с гостинцами, Ларри прикуривал и подмигивал Джино. Джино подмигивал старшему брату. После этого они катили к себе на Десятую веселые и умиротворенные, словно были завоевателями и перед ними лежал безоружным весь мир.

Доктор Барбато, взбираясь на четвертый этаж к Ангелуцци-Корбо, скрипел зубами и убеждал себя, что уж на этот раз он с божьей помощью заставит эту семейку расплатиться сполна. Попробуй только помочь — и деньги, которые вполне мог заработать ты сам, мигом перекочевывают в чужой карман. С какой стати ему делиться доходами с Французской больницей?

Выходит, этим невежественным итальяшкам не

годится «Белльвю»? Выходит, им подавай лечение по последнему слову медицинской науки? Да за кого они себя принимают, эти miserabili, попрошайки, не имеющие даже ночного горшка, получающие семейное пособие, но содержащие дочку в санатории в Рейбруке?

Дверь на верхнем этаже была распахнута настежь. Караул нес маленький Сал, гордый почетным поручением. Стол на кухне был завален оставшейся от ужина посудой, на желтой клеенке красовались остатки жареного картофеля и яичницы. На краю стола Джино и Винни резались в карты. «Ну и бандиты!» — сердито пронеслось в голове у доктора Барбато. Но он мигом смягчился, стоило Джино оторваться от игры; мальчик провел его через комнаты, проявляя при этом естественную, застенчивую вежливость и вкрадчиво объясняя ему, что на этот раз заболела мать.

В темной спальне без окон врач увидел на кровати лежащую Лючию Санту. Рядом с матерью стояла малышка Эйлин, подставляющая ей руки и личико: мать обтирала их полотенцем, которое обмакивала в таз с водой. Эта сценка напомнила врачу картину, когда-то виденную в Италии, и не сентиментальностью, а композицией: там мать, возлежавшая на кровати, точно так же умывала своего ребенка; та комната была точно так же освещена: здешний электрический свет был столь же тускл, на стенах лежали такие же тени.

Он попытался лучше разобраться в возникшей аналогии и понял, что стал свидетелем сцены воспитания в крестьянской семье, где ребенок всецело доверяется своей матери. Перед ним находились как раз такие люди, какие позировали когда-то великим живописцам.

Доктор Барбато остановился в ногах кровати и важно произнес:

— Ах, синьора Корбо, вам этой зимой сильно не везет!

Этими словами он намеревался не только выразить свою симпатию к заболевшей, но и напомнить ей о том, как дурно она поступила, доверив исцеление Октавии чужим людям.

Даже лежа в постели, Лючия Санта умудрилась так рассердиться, что ее глаза и щеки заметали молнии. Однако преклонение бедной женщины перед такой недосягаемой личностью, как врач, вынудило ее попридержать язык, а ведь она уже собралась напомнить ему, что он тоже принимал когда-то из ее рук кусок грубого итальянского хлеба. Она смиренно произнесла:

— Доктор, у меня отнялись ноги и спина, я не могу ни ходить, ни работать.

— Сперва отправьте ребенка в кухню, — распорядился врач.

Девочка, наоборот, пододвинулась ближе к матери и положила ручонку на ее лоб.

— Иди, Лена, — ласково сказала мать, — иди в кухню, помоги братьям вымыть посуду. — Заметив улыбку на губах врача, мать крикнула по-итальянски: — Винченцо, Джино, мерзавцы вы этакие, вы начали мыть посуду? Неужели вы показали доктору кухню в таком беспорядке? Ну, погодите, я вас обоих искалечу! Иди, Лена, потом расскажешь мне, работают ли они.

Малышка, довольная шпионским поручением, выбежала прочь.

Доктор Барбато обошел кровать и уселся с краю. Отогнув одеяло, он приставил к груди матери стетоскоп, сперва не трогая ночной рубашки. Но, когда он открыл рот, чтобы велеть ей поднять рубашку, девочка была уже тут как тут с круглыми от любопытства карими глазенками.

— Джино с Винсентом моют посуду, а Сал убирает со стола, — доложила она.

Заметив, что врач начинает нервничать, мать распорядилась:

— Хорошо, хорошо, Лена, теперь помоги им, заодно и приглядишь за ними. И чтобы сюда никто не входил, пока я не позову. Скажи им об этом.

Девочку как ветром сдуло.

Лючия Санта успела потрепать ее по головке, и врач, заметив ее распухшие запястья, понял, с чем имеет дело. Когда они остались с глазу на глаз, он велел ей перевернуться на живот и завернул на спину ее простую шерстяную рубашку. Обнаружив на пояснице шишки, он с ободряющим смешком провозгласил:

— Да у вас артрит, синьора! Месяц во Флориде — и вы бы родились заново! Вам необходимо солнце, тепло, отдых.

Он тщательно осмотрел ее, безжалостно надавливая в разных местах, чтобы выяснить, где ей больно, где нет. От его внимания не ускользнуло соблазнительное зрелище пышных ягодиц сорокалетней крестьянки. В этом она не отличалась от дочери: обе были обладательницами роскошных ягодиц, подобно чувственным нагим итальянкам, украшающим древние флорентийские стены, — широких и рыхлых; впрочем, зрелище не вызвало у него вожделения. Он никогда не вожделел таких женщин, ибо для него они были нечистыми — такими их делала бедность. Он поправил подол ее ночной рубашки.

Женщина снова повернулась на спину. Врач серьезно посмотрел на нее и сердито молвил:

— Как же так, синьора? Неужто вы не можете работать и ходить, даже по дому? Все не так серьезно. Верно, вам необходим отдых, но ходить-то вам под силу! У вас распухли суставы рук и ног, вас беспокоит поясница, но все это не слишком опасно.

Лючия Санта долго смотрела на врача. Потом она сказала:

— Помогите мне встать.

Она неуверенно спустила ноги с кровати, и он попытался помочь ей. Стоило ей попробовать распрямиться, как она издала стон и повисла на нем всей своей тяжестью. Он осторожно опустил ее на кровать. Нет, это не было похоже на симуляцию.

— Что ж, значит, без отдыха не обойтись, — заключил доктор Барбато. — Но все пройдет. Не до конца, конечно, — какое-то беспокойство все равно останется, но скоро вы у меня опять будете стоять у плиты.

Лючия Санта встретила его шутку улыбкой.

— Большое спасибо, — сказала она.

Выйдя из квартиры Корбо на свежий воздух, он остановился на Десятой авеню и задумался над коренными вопросами мироздания. Он поймал себя на чувстве, напоминающем благоговейный трепет. Усмехнувшись про себя, он попробовал припомнить все невзгоды этой семьи: муж в доме для умалишенных, дочь, чью восхитительную грудь разъедает болезнь, погибший от несчастного случая первый муж, сын, скоропалительно женившийся на беднейшей из бедных, еще не достигшей зрелости девчонке. А теперь и сама мать, отягощенная детьми, стала инвалидом. Лежит там на своей великолепной заднице, придавив кровать своим толстым телом, как мраморной глыбой, и еще имеет дерзость злиться на его замечания!

Он устремил взгляд вдоль вереницы домов, окна которых сейчас, на закате, подрагивали на ветру и отражали красный солнечный шар. Чувствуя головокружение, он пробормотал, сам не зная, куда заведет его эта мысль:«Какого черта, на что они надеются?» С Гудзона и с просторного пустыря сортировочной станции налетел порыв ветра: врач задохнулся и почувствовал, как пылают его щеки. Он злился, словно ему брошен вызов: с какой стати такие беды творятся у него на глазах? Это было под стать пощечине. Он помимо воли вовлекался в водоворот, закрученный сверхчеловеческими силами. Кровь его забурлила. Нет, это уж слишком. Слишком! «Ладно, — решился он, — посмотрим, что тут можно сделать». Кровь его стала такой горячей, что он, невзирая на порывы ветра, расстегнул воротник и снял шарф, любовно связанный для него матерью.

Следующие два месяца доктор Барбато, разъярившись, практиковался в искусстве исцеления. Он навещал Лючию Санту через день, делал ей уколы, ставил компрессы и минут по двадцать болтал об ушедших временах. Ей становилось все лучше, но она пока не могла подняться с постели. Тогда доктор Барбато стал развивать тему об Октавии и о том, как она расстроится, если, вернувшись из санатория, найдет мать больной. За несколько дней до возвращения Октавии он резко увеличил дозы витаминов и инъекций; накануне возвращения дочери он застал мать гладящей на кухне, хотя пока что сидя; дети сновали вокруг, поднося по ее требованию воду и складывая выглаженное.

— Вот и отлично! — радостно молвил доктор Барбато. — Если синьора снова взялась за работу, то это верный признак выздоровления.

Лючия Санта благодарно улыбнулась ему. Впрочем, в этой улыбке, служившей признанием, что она перед ним в долгу, содержалось отрицание его решающей роли. Коли человеку есть чем заняться, он встанет со смертного одра, чтобы вновь приняться за работу, — они оба не сомневались в этом. Доктор Барбато уже готовился к очередному уколу, когда она пробормотала по-итальянски:

— Доктор, как же мне вам отплатить?

Он сам удивился, что не находит в своей душе гнева. С ласковой улыбкой он откликнулся:

— Просто пригласите меня на свадьбу вашей дочери.

Надо ведь уметь находить радость в самой жизни; страдание принесет благотворные плоды; вслед за невзгодами человек познает удачу. Все в конце концов будет хорошо: дочь поправится, вырастут дети, пройдет время...

ГЛАВА 12

Октавия отсутствовала полгода. За все это время Лючия Санта ни разу не навестила дочь — это и впрямь было невозможно: слишком дальней была бы поездка, слишком много дел ждало ее дома; кроме того, она не доверяла Ларри и его разваливающейся машине. Ей и в голову не приходило оставить детей без присмотра.

В день возвращения Октавии Ларри с Винни отправились встречать ее на вокзал Гранд-Сентрал. Остальное семейство ждало ее дома; дети оделись в воскресный наряд, Лючия Санта натянула лучшее свое черное платье. По кухне металась тетушка Лоуке, кипятившая воду и яростно помешивавшая томатный соус.

Наконец Джино, несший вахту у окна, ворвался в кухню с криком:

— Ма, едут!

Лючия Санта поспешила вытереть выступившие на глазах слезы. Тетушка Лоуке принялась вываливать равиоли в кипящую воду. Дети выбежали в открытую дверь квартиры и выстроились на лестнице, свешиваясь с перил и прислушиваясь к шагам на нижних этажах.

Появившуюся перед ними Октавию было трудно узнать. Они готовились встретить бледное, увечное создание, за которым придется долго и терпеливо ухаживать; они ожидали увидеть раздавленное судьбой существо, вставшее из могилы. Вместо этого взорам семьи предстала здоровая американская девушка. Даже кожа ее утратила прежнюю бледность. Щеки ее розовели, волосы были аккуратно завиты, как того требовала американская мода. На ней были юбка и свитер, поверх которого был надет жакет с пояском. Но больше всего их поразил ее голос, при звуке которого они почувствовали себя чужими ей, ее речь, тон, которым она приветствовала их.

Она радушно улыбнулась, продемонстрировав зубы, блеснувшие между тщательно растянутыми губами. Она испустила крик — радостный, но вполне цивилизованный, потискала Сала и Эйлин и сказала ему и ей:

— Миленькие, как я без вас соскучилась!

После этого она подошла к Лючии Санте и поцеловала ее не в губы, а в щеку, сказав приятным, кокетливым голоском:

— О, как я рада вернуться домой!

Ларри и Винченцо поднялись за ней следом, неся по чемодану каждый, и выглядели несколько смущенными.

Октавия клюнула Джино в щеку и произнесла:

— Гляди-ка, да ты становишься красавчиком!

Джино отпрянул. Все таращили на нее глаза. Да что с ней произошло?

Ее новому облику и манерам радовались только двое — маленькие Сал и Эйлин. Эти не отходили от нее, буквально пожирали ее глазами, ушами, льнули к ней, дрожали от удовольствия, когда она гладила их по головам и снова и снова тискала, приговаривая:

— Какие вы теперь большие!

Лючия Санта тут же предложила Октавии присесть. Уж она-то не обратила никакого внимания на ее изменившийся вид. Ей хотелось только, чтобы дочь передохнула после карабканья по лестнице. Тетушка Лоуке, уже подававшая обед, сказала Октавии:

— Слава богу, что вы вернулись! Вы так нужны своей матери!

Прежде чем Октавия успела ответить, она отскочила обратно к плите.

Никогда еще трапеза в семействе Ангелуцци-Корбо не проходила в обстановке такого сильного смущения. Разговор ограничивался вежливым обменом информацией, словно они не родные, а чужие друг другу люди. Джино и Винни не дрались за столом. Сал и Эйлин и вовсе вели себя, как пара ангелочков, и даже не думали пререкаться из-за размера порций. Луиза поднялась к ним в квартиру с младенцем на руках и неуверенно поцеловала Октавию куда-то за ухо, видимо, опасаясь инфекции. Потом она уселась рядышком с Ларри, держа младенца подальше от Октавии. Та поворковала, но и не подумала притронуться к новорожденному. Ларри поел, извинился и поспешил на работу: ему предстояло выйти в четырехчасовую смену и работать до полуночи. Он торопился.

Когда Октавия хотела убрать со стола, все в ужасе вскочили. Даже Джино бросился к раковине с тарелками. Лючия Санта прикрикнула на нее:

— Ты что, снова хочешь слечь?

Октавия послушно села; малыши Сал и Эйлин прижались к ее ногам, преданно заглядывая ей в лицо.

Одна лишь мать чувствовала за улыбкой Октавии и оживленным разговором глубокую печаль. Оказавшись снова под родной крышей, обозревая комнаты, загроможденные кроватями, не закрывающимися шкафами и детским хламом, Октавия не могла не погрустнеть. День плавно сменялся вечерними сумерками; Октавия наблюдала, как мать исполняет памятный, неизменный ритуал: мытье посуды, глажение свежевыстиранного белья, зажигание керосиновой плиты на кухне и угольной — в гостиной; вечером мать зажгла газовый светильник, населивший комнату длинными тенями; наконец, мать стала укладывать детей спать. Октавия представляла себе, чем бы она занималась сейчас, в эту минуту, в санатории. Они с подругой прогуливались бы по саду; потом они возвратились бы в палату и стали дожидаться ужина, сплетничая о местных любовных интригах. Трапеза проходила сообща; потом наступал черед бриджа в комнате для игр. Октавия мучилась ностальгией по жизни, которую она там вела: ведь там она могла заботиться только о себе, о собственном здоровье и удовольствиях, не ведая ни беспокойства, ни ответственности. В родном же доме ей было неуютно, семья казалась ей сборищем чужих людей. Она настолько погрузилась в свои мысли, что не заметила, с каким трудом передвигается по квартире ее мать.

Ближе к ночи, когда Джино с Винни раздевались у своей кровати, первый шепнул второму:

— Она за целый день ни разу не выругалась.

— Наверное, в больнице нельзя браниться, — задумчиво ответил Винни. — Вот она и отвыкла.

— Надеюсь, — вздохнул Джино. — Куда это годится, когда ругается девушка, тем более сестра...

Октавия и Лючия Санта остались в кухне вдвоем. Они сидели за огромным круглым столом с неизменной желтой клеенкой. Перед ними белели кофейные чашки. В углу комнаты Лючию Санту ждала груда белья, которое еще предстояло перегладить. На плите закипала кастрюля с водой. Из комнат доносилось мерное дыхание спящих детей. В заливающем кухню бледном свете мать и дочь смотрели друг другу в глаза; мать принялась рассказывать о бедах, которые ей пришлось пережить за эти полгода: Джино стал совсем непослушным, Винни с малышами все больше становятся ему под стать. Ларри и его жена Луиза помогают ей меньше, чем могли бы, да и сама она прихворнула; впрочем, она ни словом не обмолвилась обо всем этом в своих письмах Октавии, чтобы не расстраивать ее.

Рассказ получился долгим; Октавия то и дело перебивала ее, повторяя:

— Ма, почему ты мне ничего не писала, почему не сказала?

— Я хотела, чтобы ты спокойно поправлялась, — отвечала мать.

Они никак не проявляли любви друг к другу. Наконец Октавия произнесла:

— Не волнуйся, мам. На следующей неделе я выйду на работу. Я позабочусь, чтобы дети хорошо учились и помогали по дому.

Она почувствовала прилив сил, уверенности в себе, гордости за себя — ведь мать так нуждается в ней! От недавней отчужденности не осталось и следа. Она снова была дома. Когда Лючия Санта взялась за утюг, Октавия сходила в свою комнату за книгой, которую она станет читать, чтобы составить матери компанию.

Спустя неделю состоялась встреча Октавии с чиновником из ведомства пособий. До этого момента она оставалась воплощением любезности: она была счастлива, что вернулась домой, и, казалось, забыла о былых командирских замашках, ругани и пронзительных криках.

Но как-то раз, решительно распахнув часа в четыре вечера дверь квартиры, она с удивлением увидела мистера Ла Фортецца, закинувшего ноги на стул, попивающего кофе и заедающего его сандвичем с ветчиной. Ла Фортецца, оценив ее миловидность, отложил сандвич и учтиво приподнялся.

— Это моя дочь, — гордо сказала Лючия Санта, — Октавия, старшая.

Ла Фортецца, отбросивший по такому случаю свои итальянские замашки, сказал дружелюбным американским голосом, но скороговоркой и без лишних церемоний:

— Я много о вас слышал, Октавия. Мы с вашей матерью подолгу беседуем как старые друзья. Мы теперь и есть старые друзья.

Октавия холодно кивнула, и в ее больших черных глазах появилось неприязненное выражение, хотя она вовсе не имела в виду демонстрировать ему свою неприязнь. Лючия Санта, желая сгладить дочернюю нелюбезность, сказала:

— Выпей кофейку и поговори с молодым человеком. — Она повернулась к Ла Фортецца: — Она у нас умная, все время читает.

— Да, выпейте кофе! — подхватил Ла Фортецца. — Я с удовольствием побеседую с вами, Октавия.

Октавия почувствовала себя до того оскорбленной, что едва не чертыхнулась. Он снисходительно называет ее по имени, позволяет себе непростительную фамильярность! Она сплюнула, но все же в платок, что позволительно недавно выписавшейся пациентке легочного санатория. Мать и нахал наблюдали за ней с пониманием и симпатией. Она села и приготовилась слушать, как заискивает мать перед чиновником ведомства пособий.

Мистер Ла Фортецца, естественно, читал романы, в которых бедная девушка, ведущая скромную трудовую жизнь, довольствуется мимолетной улыбкой и снисходительностью молодого человека из привилегированного сословия и, не веря своему счастью, валится перед ним на спину, болтая в воздухе ногами, как собачонка. Происходит это, ясное дело, не из-за денег, а из почтения к его благородству. Увы, Ла Фортецца имел не столь блестящий вид, не обладал ни улыбчивостью, ни смелостью, ни очаровательным радушием подтянутого американца, ни миллионом долларов (сакраментальный миллион!), который, впрочем, для такой героини ничего не значит. Поэтому Ла Фортецце пришлось проявить живость, словоохотливость, максимум очарования, насколько это позволяли его совиные очи. Октавия взирала на него со все большей холодностью. Джино с Винсентом вернулись домой и, увидев на лице сестры полузабытое выражение, принялись в предвкушении развлечения слоняться по комнате.

Ла Фортецца заговорил о литературе:

— О, Золя! Вот кто знал, как писать о бедноте! Ну, знаете, великий мастер, француз...

— Знаю, — сдержанно кивнула Октавия.

Но Ла Фортецца не унимался:

— Хотелось бы мне, чтобы он жил сейчас! Уж он бы описал, как бедные перебиваются на грошовое пособие. Это же фарс! Вот чьи книги надо было бы прочесть вашей дочери, синьора Корбо. Это одно стоит целого образования. Тогда вы, Октавия, поймете и себя, и все, что вас окружает.

Октавия, борясь с желанием плюнуть ему в глаза, снова с достоинством кивнула.

Ла Фортецца, как и мать, принял это за одобрение. Он с важностью произнес:

— Значит, вы — умная девушка. Хотите сходить со мной в театр? Желая выразить вам свое уважение, я прошу вас об этом в присутствии вашей матери. Я старомодный молодой человек, ваша мать может подтвердить это. Разве не так, синьора?

Лючия Санта с улыбкой кивнула. Ей уже представлялось, как дочь выходит замуж за юриста, обладателя надежного места, оплачиваемого городскими властями. Матери не витают так высоко в облаках, как их дочери, — даже книжные матери. Она благосклонно молвила:

— Он — славный итальянский юноша.

Ла Фортецца продолжал:

— Мы с вашей матерью о многом переговорили и теперь хорошо понимаем друг друга. Уверен, что она не станет возражать, если мы с вами по-дружески встретимся. Городские власти продают нам театральные билеты со скидкой. Это будет для вас новым впечатлением — не то что кино.

Октавия много раз бывала в театре с подругами. Пошивочные мастерские тоже получали билеты со скидкой. Октавия читала те же романы, что и он, и испытывала бесконечное презрение к их героиням, безмозглым девицам, обрекавшим себя на осмеяние, идя на поводу у мужчин, использующих свое состояние как безупречную приманку. Но этот безмозглый полуголодный итальяшка, кажется, вообразил, что может опозорить ее только потому, что кончил колледж! Она сверкнула глазами и, сорвавшись в конце концов на крик, ответила на приглашение следующим образом:

— Да навали ты себе в шляпу, подонок вшивый!

Забившиеся в угол Джино и Винни хором протянули:

— Ну-у, опять она за старое!

Лючия Санта, подобно невинной овечке, сидевшей на бочке с порохом и лишь в последний момент заметившей тлеющий фитиль, огляделась, как во сне, словно не зная, куда бежать. К лицу Ла Фортецца прихлынула кровь, так что покраснели даже его совиные глаза. Он окаменел от ужаса.

От визга юной итальянской мегеры и впрямь может застыть в жилах кровь. Октавия продолжала поносить его своим высоким, сильным сопрано:

— Ты забираешь у моей нищей матери по восемь долларов в месяц, а ведь ей приходится кормить четверых маленьких детей и больную дочь! Ты сосешь кровь из такой забытой судьбой семьи, как наша, и еще смеешь приглашать меня? Да ты — поганый сукин сын, мерзкий, ничтожный воришка! Мои братья и сестра отказывают себе в кино и сладостях, чтобы мать могла с тобой расплачиваться, — и ты еще предлагаешь мне свое общество? — Ее голос звенел неподдельным изумлением и возмущением. — Хорошо, ты старомоден. Но знаешь ли ты, что только самая задрипанная идиотка, недавно притащившаяся из Италии, купится на всю эту твою дерьмовую болтовню насчет «синьоры»? Я, между прочим, закончила школу, я тоже читаю Золя, я бывала в театре! Так что поищи другую зеленую девчонку, только что слезшую с корабля, на которую ты произведешь такое впечатление, что она ляжет под тебя. А я тебя вижу насквозь: ты врун, полный дерьма!

— Октавия, Октавия, уймись! — крикнула потрясенная Лючия Санта и повернулась к молодому человеку, надеясь хоть что-то ему объяснить. — Она больна, у нее жар!

Однако Ла Фортецца пулей вылетел в дверь и помчался вниз по лестнице. Он не захватил с собой традиционный кулек. Перед бегством он походил на человека, застигнутого с поличным при совершении постыднейшего из грехов; больше никто в семье никогда не видел этого лица. Спустя две недели к ним пожаловал новый социальный работник, пожилой американец, урезавший им пособие, но объяснивший, что опекунские деньги не должны учитываться при назначении пособия как принадлежащие семье, поскольку они могут быть выплачены ей только по суду в случае, если в них будет остро нуждаться конкретный ребенок; на других двух детей и на саму мать потратить эти деньги невозможно.

Зато в памяти Джино и Винсента навсегда запечатлелась последняя сценка с Ла Фортецца. Страшная брань, вылетающая из девичьих уст, заставила их дружно покачать головами. В их сердцах сцементировалось убеждение, что они ни за что на свете не женятся на девушках, похожих на сестру. Впрочем, ее грубость положила конец особой атмосфере, напоминающей больничную, особой вежливости, с которой относятся к члену семьи, возвратившемуся из больницы или из длительного путешествия. Вопросов больше не возникало; перед ними предстала прежняя Октавия. Она снова была собой. Даже мать не смогла долго укорять дочь за неприличное поведение, хотя так никогда и не поняла, что так разгневало Октавию в мистере Ла Фортецца. В конце концов, каждый, кто хочет жить, вынужден за это платить.

ГЛАВА 13

Письмо из Рейвенсвуда Октавия прочла матери в тот же день, но только после того, как все дети улеглись спать. Это было короткое официальное уведомление о том, что отец может быть возвращен в семью на испытательный срок, если супруга подпишет все бумаги. Из текста явствовало, что ему потребуется постоянный уход и наблюдение. Вместе с письмом в конверте лежал вопросник. Требовалось ответить на вопросы о возрасте детей и доходе всей семьи и каждого ее члена в отдельности. Все свидетельствовало о том, что отец остался инвалидом, хоть и безвредным, которого можно отпустить к родным.

Лючия Санта нервно отхлебнула кофе.

— Выходит, он на самом деле не выздоровел, — заключила она. — Просто они хотят попробовать, что из этого выйдет.

Октавии хотелось избежать малейшей несправедливости.

— Физически он здоров, — объяснила она. — Просто он не сможет работать и чем-либо заниматься. За ним придется ходить, как за больным. Но, быть может, через какое-то время он снова сможет выйти на работу. Ты хочешь его забрать?

Сказав это, она покраснела и потупилась, ибо ей в голову полезли неподобающие мысли о собственной матери.

Лючия Санта с любопытством отметила про себя смущение дочери.

— Почему бы мне этого не хотеть? — пожала она плечами. — Ведь он — отец троим моим детям. Он кормил нас на протяжении десяти лет. Если бы у меня был осел или конь, работавший так же тяжко, я и то обошлась бы с ним по-доброму, когда он заболеет или состарится. Почему же мне не хотеть забрать собственного мужа?

— Я не стану тебе мешать, — пообещала Октавия.

— Тут и без тебя не оберешься хлопот, — заверила ее мать. — Кто знает, вдруг он станет преследовать детей? Разве можно снова пережить такие же страшные годы? Всем нам придется страдать, даже рисковать жизнями, чтобы дать ему шанс начать новую жизнь. Нет, это слишком, слишком!..

Октавия промолчала. Так они просидели несколько часов — или им только показалось, что прошло столько времени? Октавия держала наготове ручку, чернильницу и лист бумаги, чтобы писать ответ в санаторий.

Мать, нахмурившись, размышляла, как поступить. Она вспоминала похожие случаи в других семьях, когда любимые всеми люди возвращались к семье и, снова впадая в безумие, совершали преступления, даже убийства. Она не могла не думать об Октавии, которой придется страдать и которая будет вынуждена раньше срока покинуть дом, рано выскочить замуж, лишь бы не жить в бедламе.

Нет, они не могут позволить себе такого риска. Полностью сознавая все последствия своего решения (ей представлялся безумный зверь, запертый в каменный карцер со стальными решетками на долгие годы), она безжалостно обрекла своего супруга, отца своих детей, на протяжении одного долгого лета делившего с ней наслаждения супружества, на гибель в безысходном отчаянии. Она покачала головой и медленно произнесла:

— Нет, я не подпишу. Пусть там и остается.

Октавия была удивлена, даже потрясена. Ей вспомнилось, как наяву, горе, охватившее ее, девчонку, при вести о гибели ее собственного отца. Что, если бы каким-то чудом он вернулся к жизни, как сейчас им предоставлялась возможность вернуть к жизни отчима? Она внезапно поняла, что никогда не сможет смотреть в глаза Джино, Салу и Эйлин, если не постарается вернуть им отца.

— Мне кажется, нам следовало бы поговорить с Джино и Салом. В конце концов, речь идет об их отце. Узнаем хотя бы их отношение. Может быть, нам все же лучше взять его домой, ма.

Лючия Санта испытующе взглянула на дочь, как бы осуждая ее за несоответствие материнским ожиданиям. Этот взгляд всегда повергал Октавию в растерянность своей обезличенностью. Мать сказала:

— Что могут знать дети? Оставь их в покое, их мучения еще впереди. Мы не можем позволить себе брать домой их отца.

Октавия, глядя в свою чашку, попыталась возразить:

— Давай все-таки попробуем, ма. Ради детей. Им его недостает.

Отвечая, мать вложила в свой голос максимум презрительности, сильно удивив этим дочь. Покачивая головой, она заявила:

— Нет, дочь моя. Тебе легко быть доброй и великодушной. Но подумай: столкнувшись с настоящими трудностями, ты пожалеешь о собственном великодушии, ибо тебе придется страдать. Ты будешь злиться на саму себя, когда великодушие выльется для тебя в огромные неудобства. Со мной так уже бывало. Остерегайся добросердечных и нежных, дающих просто потому, что не знают, в какую цену выльется их великодушие. Потом они одумываются и встречают тебя пинками, когда ты начинаешь полагаться на их человечность. Уж как толпились вокруг меня соседушки, когда погиб твой отец, как я умилялась их доброте! Но, увы, мы неспособны на вечную доброту, вечное великодушие: мы слишком бедны, чтобы позволить себе такую роскошь. Даже твоя тетушка — уж такая богачка! — и та взбунтовалась. Конечно, великолепно побыть великодушной — но только недолго. Постоянное великодушие — это противоестественно, против этого восстает сама человеческая природа. Ты устанешь от отчима, пойдут ссоры, крики, проклятия, ты выйдешь замуж за первого попавшегося — ищи тебя после этого! За твое большое, доброе сердце придется расплачиваться мне. — Она помолчала. — Он останется больным на всю жизнь.

Слова эти прозвучали пожизненным приговором ее мужу.

Женщины вымыли за собой кофейные чашки. Мать задержалась в кухне, чтобы вытереть стол и подмести; Октавия отправилась к себе, размышляя о том, как она станет утром говорить с детьми; через некоторое время она поймала себя на мысли, что просто ищет способ снять с себя вину.

Уже в постели она стала думать о матери, ее черствости и хладнокровии. Потом она вспомнила, что оставила письмо на столе в кухне. Она встала и в одной ночной рубашке направилась в кухню.

Свет все еще горел. Лючия Санта сидела за кухонным столом, окруженная мешочками с сахаром, солью и мукой и наполняя всем этим опустевшие банки и коробки. Перед ее глазами лежал строгий конверт и письмо с черной официальной печатью. Она не сводила с письма глаз, словно умела читать; Октавии показалось, что она изучает каждое слово в письме. Подняв глаза на дочь, мать произнесла:

— Пусть письмо пока побудет у меня, ты сможешь ответить на него утром.

Джино, лежа без сна рядом с посапывающим Салом, слышал каждое слово через открытое окошко под потолком, выходящее на кухню. Он не осуждал мать за ее решение, не сердился на нее, но чувствовал тошноту, как при несварении желудка. Через некоторое время свет в кухне погас, и он услышал, как мать идет мимо его кровати в свою комнату; после этого он уснул.

Лючия Санта не могла спать. Она дотронулась в темноте до спящей Эйлин, провела ладонью по ее гладкой коже, худеньким плечикам, всему детскому тельцу, привалившемуся к холодной оштукатуренной стене. Прикосновение к этой невинной, беспомощной плоти наделило ее силой: она трогала саму жизнь, полностью зависимую от нее. Она была защитницей им всем, она держала в своих руках их судьбу. От нее зависит, что ждет их в жизни — добро или зло, радость или неблагодарный труд. Именно по этой причине она не стала извлекать мужа из ямы.

Но тут было и другое. Она вспомнила, сколько раз он бил ее, как проклинал пасынков и падчерицу; как он бушевал по ночам, повергая в ужас собственных детей; как неровно трудился, как дорого обошлась семье его религиозность. Однако она отринула все эти воспоминания, вложив все свое горе в один отчаянный крик, прозвучавший у нее в душе: «Фрэнк, Фрэнк, почему же ты не поостерегся? Почему позволил себе так заболеть?!» Она вспомнила, как он рвал в клочья заработанные соленым потом деньги, оскорбленную гордыню на его лице, его доброту к ней, безутешной вдове. Тяжело вздохнув, она смирилась с горькой истиной: она слишком бедна, слишком слаба, чтобы позволить себе милосердие к человеку, которого когда-то любила. Нет, никакого милосердия, ни за что! Она снова прикоснулась к маленькому тельцу, скованному сном, к свежей кожице нового человеческого существа. После этого она сложила руки на груди и, лежа на спине, стала ждать сна. Она вынесла Фрэнку Корбо свой приговор: ему не суждено наблюдать, как растут его дети, делить с ней ложе, стать счастливым дедушкой.

— Боже, боже, — прошептала она по-итальянски, — не оставляй меня, aiuta mi! — словно отказ несчастному в великодушии и впрямь лишил ее надежды на милость всевышнего.

Следующим вечером, дождавшись конца ужина, Октавия поманила Сала и Джино в гостиную для серьезного разговора. Мальчики немного трусили, понимая, что Октавия неспроста так ласкова, терпелива, так подражает школьным учителям; однако стоило ей заговорить, как Джино сообразил, что сейчас последует. Он вспомнил разговор, подслушанный накануне.

Пока Октавия объясняла, почему их отец не сможет возвратиться домой, Джино вспоминал, как отец водил его стричься и как они смотрели друг на друга: мальчуган, уставившийся в зеркало прямо перед собой, чудодейственным образом видел отца, дожидающегося его в проволочном кресле; за спиной отца тоже была зеркальная стена. Отец видел лицо сына в зеркале, хотя глядел ему в затылок; так, не глядя друг на друга, они рассматривали один другого без всякого смущения, полагаясь на стекло, как на щит.

Джино всегда казалось, что эта зеркальная стена, по непонятному волшебству оставлявшая их с глазу на глаз, служит достаточной защитой, чтобы они могли спокойно заглянуть друг другу в глаза, понимая, что составляют вместе неразрывное целое.

Между ними стоял седоусый парикмахер, осыпающий полосатую простыню состригаемыми волосками и щебечущий по-итальянски, обращаясь к отцу. Джино сидел, погруженный в транс щелканьем ножниц, мягким падением прядей волос ему на плечи, видом белого кафельного пола, белого мраморного столика парикмахера с зелеными бутылочками пенных лосьонов, отражающимися в зеркалах. Отец улыбался ему сквозь стеклянную стену и пытался вызвать у него ответную улыбку, но ребенок, чувствуя себя в безопасности благодаря стеклянному щиту, отказывался подчиняться и оставался насупленным. Он не мог вспомнить, когда еще отец улыбался так подолгу.

Октавия окончила свою речь, и Джино с Салом

встали, готовые бежать на улицу. Их отец болен; значит, придет время — и он вернется, а время в этом возрасте не ставится ни в грош. Октавия тщетно пыталась разглядеть на их лицах хотя бы тень горя.

— Но вам хотелось бы, чтобы он вернулся прямо теперь? — заискивающе спросила она, на что маленький Сал ответил чуть ли не со слезами в голосе:

— Я не хочу, чтобы он возвращался. Я его боюсь.

Октавия и Джино удивленно переглянулись: Сал любил отца больше, чем все остальные дети.

Джино ощущал некоторое неудобство, потому что считал себя в какой-то мере ответственным за отца. Сколько раз мать твердила ему: «Ты — вылитый отец!», когда он отлынивал от уборки, не слушался, проявлял безответственность. Как тут было не смириться с тем, что в бедах семьи виноват отец, а значит, и он, Джино! Он тихо ответил:

— Что мама ни сделает, все будет правильно. — Помолчав, он добавил: — Мне все равно.

Октавия отпустила братьев. Подойдя к окну, она увидела, как они вываливаются на улицу. Ее охватила великая печаль — не конкретного, а вселенского свойства, будто отчима постигла судьба, подстерегающая все человечество, ее — в том числе.

ГЛАВА 14

Ларри Ангелуцци стал хоть что-то смыслить в жизни только тогда, когда у него родился второй ребенок. Это совпало с переходом их депо на трехдневную рабочую неделю. Тогда же ему довелось взглянуть на себя со стороны, глазами другого человека.

Как-то раз, когда Ларри и Луиза, державшая старшего ребенка за руку, а младшего прижимавшая

9 – 2269

к груди, стояли на углу Тридцать четвертой стрит и Десятой авеню, дожидаясь трамвая, — они направлялись в гости, — Ларри заметил своего младшего брата Джино, наблюдавшего за ними с противоположной стороны авеню. На его смуглом и безжалостном мальчишеском лице застыло выражение потрясенной жалости, смешанной с отвращением. Ларри поманил Джино рукой, и пока тот переходил мостовую, припомнил Джино еще карапузом, запрокидывающим голову, чтобы полюбоваться старшим братом, восседающим на лошади. Он ласково улыбнулся Джино и сказал:

— Видишь, что получается, стоит человеку жениться?

Он думал, что шутит, и не знал, что брат никогда не забудет этих его слов.

Луиза, лицо которой уже успело высохнуть и заостриться, нахмурилась и резко спросила:

— Что, не нравится?

Ларри со смешком ответил:

— Да это я так, шутки ради.

Однако Джино взирал на них серьезно, словно они околдовали его, словно за их спинами его взгляду открылось что-то новое, доселе неведомое. Правда, уступая требованиям родственной учтивости, он дождался вместе с ними трамвая. «Как он растет! — подумал Ларри. — Я в его годы уже работал». Он спросил брата:

— Ну, как дела в школе?

— О'кей, — небрежно ответил Джино, пожимая плечами.

Забравшись вместе с семейством в трамвай, Ларри оглянулся и увидел, что Джино провожает их долгим взглядом; он видел его глаза до тех пор, пока трамвай не свернул за угол.

Покачиваясь в такт трамваю, резво бегущему этим ясным воскресным утром по стальным рельсам, Ларри ощущал невосполнимую утрату; ему казалось, что кончилась, не начавшись, вся его жизнь. Это-то утро, эта встреча, этот не свойственный для него взгляд внутрь себя и заставили его зажить новой жизнью, бросить железную дорогу, где он как-никак оттрубил восемь лет и где мог навсегда забыть о страхе остаться без работы.

На следующей неделе Ларри забежал с утра в panetteria за булочками для завтрака. Ночь перед этим он провел дома, так как железная дорога по-прежнему работала вполсилы. Сын булочника Гвидо, успевший отрастить короткие усики, приветствовал его с непритворной радостью. Они немного поболтали. Гвидо не стал заканчивать школу и посвятил себя отцовской пекарне. Уже чувствуя себя деловым человеком, он спросил Ларри:

— Хочешь получить неплохую работенку?

Ларри улыбнулся и ответил утвердительно, как всегда добродушно, но ни минуты не помышляя о том, чтобы бросить железную дорогу.

— Тогда пошли, — сказал Гвидо, и они отправились в заднюю комнату. Там перед рюмкой с анисовкой сидел Panettiere, занимавший беседой человека одних с ним лет, несомненного итальянца, но одетого по американской моде и, определенно, далеко не новичка в этой стране: у него была аккуратная прическа и узенький галстук скромной расцветки.

— Ларри, познакомься с Zi' Паскуале, мистером ди Лукка, который вырос в Италии вместе с моим отцом. Дядя Паскуале, это мой друг Ларри, о котором я вам рассказывал.

Ларри залился краской: ему доставило удовольствие, что о нем, оказывается, рассказывают. Он сомневался, действительно ли новый знакомый приходится Гвидо дядей, или он просто близкий друг семьи, которого принято именовать «дядей». Ларри широко улыбнулся всем сразу и горячо пожал новому знакомому руку.

— Садись, — велел Panettiere и налил Ларри анисовки.

Ларри со смехом ответил:

— Я не пью, лучше кофе.

Он видел, что мистер ди Лукка рассматривает его откровенным, оценивающим взглядом, как отец, впервые увидевший ухажера своей дочери: сузив глаза, придирчиво и недоверчиво.

Гвидо налил Ларри кофе и наполнил рюмку ди Лукка анисовкой.

— Па, — бросил он, — дядюшка Паскуале говорил, что ищет нового сотрудника, — верно, дядюшка Паскуале? Вот тот, кто вам сгодится, — мой друг Ларри. Помните, что я вам про него рассказывал?

Старшие мужчины повернулись к нему с терпеливыми, ласковыми улыбками. Panettiere воздел руки, как бы признавая недостатки в воспитании сына, а дядюшка Паскуале пожал плечами, как бы желая сказать: «Ничего не поделаешь — молодость!» В Италии подобные дела обставляются по-другому. Дядюшка спросил Panettiere по-итальянски:

— Как он, ничего?

— Un bravo[1], — нерешительно откликнулся Panettiere.

---

[1] Славный паренек (*ит.*).

Мужчины понимающе улыбнулись и не спеша отхлебнули из своих рюмок. Потом они зажгли толстые сигары «Де Нобили». Впрочем, вид мистера ди Лукка не оставлял сомнений, что молодой человек произвел на него неплохое впечатление.

Ларри привык, что на него реагируют именно так. Он давно знал, что его улыбка и манера вести себя почему-то очень приятны другим людям; как мужчины, так и женщины мгновенно проникались к нему симпатией. Однако, зная это, он вовсе не возгордился, хоть и пользовался своим преимуществом, не забывая благодарить судьбу, что только усиливало его чары.

— Как бы ты отнесся к возможности поработать со мной? — обратился к нему ди Лукка.

Вот тут-то и сыграли роль главные достоинства Ларри, его инстинкт, подсказывающий, как вести себя с теми или иными людьми. Ему задан личный вопрос: ты уважаешь меня как человека? Признаешь во мне предводителя племени, второго родителя, почтенного крестного отца? Если бы он осмелился уже на этом этапе спрашивать: что за работа, за какую плату, где, когда, как, каковы гарантии — все рухнуло бы. Надежда пропала бы, едва забрезжив.

Но Ларри, даже не стремясь по-настоящему к новой работе и в мыслях не имея бросить железную дорогу, где он вырос за восемь лет до мастера, а всего лишь руководствуясь врожденной учтивостью и своим безусловным доброжелательством, с неотразимой искренностью сказал:

— Работать с вами было бы для меня большим удовольствием.

Паскуале ди Лукка радостно сдвинул пухлые ладони, произведя неожиданно звонкий хлопок. Глаза его вспыхнули, на лице отразилась негаданная радость.

— Боже всемогущий! — воскликнул он. — Неужто итальянцы до сих пор воспитывают здесь, в Америке, таких вот молодых людей?

Гвидо разразился счастливым смехом; Panettiere обвел всех довольным взглядом. Ларри сохранял на устах скромную улыбку.

— Сейчас я вам покажу, что я за человек, — объявил Паскуале ди Лукка. Вытащив из кармана пачку купюр, он протянул Ларри три двадцатки со словами: — Вот тебе плата за первую неделю. Придешь ко мне в офис завтра утром и сразу приступишь к работе. Наденешь костюм и галстук — не огромный, а тонкий, как у американца, — гляди на мой. Вот адрес. — Он вытянул из нагрудного кармана визитную карточку и вручил ее Ларри. После этого он откинулся на спинку стула и запыхтел сигарой.

Ларри взял деньги и визитную карточку. Он был слишком ошеломлен, чтобы вымолвить хоть что-то, кроме сбивчивых слов благодарности. На железной дороге он зарабатывал вдвое меньше, даже когда работал полную рабочую неделю.

— Что я вам говорил, дядя Паскуале? — гордо сказал Гвидо. Мистер ди Лукка согласно кивнул.

Опустевшие рюмки были наполнены вновь. Теперь Ларри мог спрашивать о новой работе. Ди Лукка объяснил, что Ларри предстоит стать агентом профсоюза пекарей по сбору взносов; у него будет спокойная, нехлопотная территория, и если он достойно проявит себя, то через годик-другой получит более прибыльный участок. Оказалось, что взносы платят не только наемные работники пекарен, но и владельцы, причем гораздо более высокие. Ларри придется вести учетные книги как страховому агенту, проявлять такт, не торопиться, поддерживать со всеми дружеские отношения, никогда не пить в рабочее время, никогда не заводить связей с женщинами из пекарен. Работа непростая, деньги он будет получать не задаром.

Мистер ди Лукка допил последнюю рюмку анисовки, пожал Ларри руку и напомнил:

— Завтра в десять утра.

Потом он по-дружески обнял Panettiere, потрепал Гвидо по щеке и вручил ему свернутую банкноту, ласково присовокупив:

— Старайся помогать отцу. Он слишком снисходителен, как настоящий американец, но гляди — стоит дяде Паскуале услышать, что что-то идет не так, и он лично явится, чтобы научить тебя быть почтительным сыном итальянских родителей. — В его голосе звучала сталь.

Гвидо по-свойски хлопнул его по плечу и ответил:

— За меня не беспокойтесь, Zi' Паскуале.

Взяв дядюшку под руку, он проводил его до двери; по пути они смеялись, довольные друг другом.

— Женись на хорошей итальяночке, которая была бы настоящей помощницей в пекарне, — сказал напоследок гость.

Вернувшись, Гвидо принялся отплясывать вокруг Ларри, восклицая:

— Получилось, получилось! — Успокоившись,

он сказал: — Ларри, пройдет год-другой — и у тебя будет свой дом на Лонг-Айленде. Мой дядюшка — далеко не скряга. Верно, отец?

Panettiere медленно допил свою анисовку и со вздохом сказал:

— Ах, Лоренцо, Лоренцо, славный мой мальчик! Вот теперь ты узнаешь, что такое жизнь, и станешь настоящим мужчиной.

Теперь Ларри Ангелуцци вел завидное существование. Он спал допоздна, обедал дома, а потом обходил пекарни и булочные на своей территории. Булочники-итальянцы были лучше всех: они угощали его кофе и пирожными; поляки держались настороженно, но рано или поздно уступали его обаянию, хотя он твердо отказывался пить вместе с ними крепкие напитки. Они восторгались его успехом у польских девушек, забегавших выпить кофейку и задерживавшихся до тех пор, пока Ларри не уходил в следующую булочную. Иногда он пользовался задней комнатой, чтобы наскоро переспать с девушкой, потому что знал, что булочник, на глазах у которого произошло совращение, воспользуется этим и сам станет таскать ту же девушку в ту же заднюю комнату, причем уже регулярно.

Итальянцы платили взносы смиренно, как богобоязненные крестьяне на родине, носившие яички священнику, чтобы тот прочел им письмо, и вино деревенскому писарю, чтобы тот растолковал им заковыристый закон. Поляки платили просто за его общество и обаяние. С кем у него возникли проблемы, так это с немцами.

Эти не то чтобы вообще отказывались платить,

но он чувствовал, что им не нравится платить именно ему, итальянцу. Они редко предлагали ему кофе с булочками, еще реже болтали с ним, чтобы выказать дружелюбие. Они просто платили, как платят молочнику или другому разносчику. Ларри был готов смириться с этим — он и так пил теперь слишком много кофе, однако такое отношение заставляло его чувствовать себя гангстером.

Впрочем, все, возможно, объяснялось проще: настоящие трудности возникли только с одним булочником, а тот как раз оказался немцем. Ларри было еще больше не по себе по той причине, что именно этот булочник выпекал самый лучший хлеб, самые вкусные и пышные именинные торты и самые замысловатые печенья. Дела у него шли как нельзя лучше, но он все равно отказывался платить взносы. Он был единственным, у кого Ларри ничего не удавалось получить. Когда он доложил об этом мистеру ди Лукка, тот пожал плечами и сказал:

— Ты хорошо зарабатываешь? Так старайся! Попытайся еще месяца два, а потом расскажешь мне о результатах.

Как-то раз Ларри задержался на участке позже обычного. В одном месте он, разнервничавшись, потащил в заднюю комнату страшную, как смертный грех, особу, которая сперва отбивалась, но потом притихла. Но это ничего не дало: он по-прежнему трясся при мысли, что сейчас ему предстоит заглянуть к Хулерману. Этот приземистый человечек с квадратной головой неизменно подтрунивал над ним, обзывал чуть ли не тупицей. Ларри в конце концов неизменно покупал у него хлеб и печенье, не только для того, чтобы продемонстрировать безобидность своих намерений, но также чтобы предоставить хозяину возможность сказать, что заведение отпускает Ларри его покупку бесплатно: вдруг это станет началом приятельских отношений?

До этого дня все шло без сучка без задоринки. Ларри отлично понимал, что к чему, но пока отказывался взглянуть правде в глаза. Правда же состояла в том, что в один прекрасный день он вынужден будет заставить Хулермана раскошелиться. Желая избежать неприятностей, Ларри пока платил за Хулермана взносы из собственного кармана. Так продолжалось до тех пор, пока ему не преподнесли сюрприз еще двое немцев: нахально улыбаясь, они предложили ему зайти через недельку. Ларри начал подумывать, не вернуться ли ему на железную дорогу...

Пройдя мимо пекарни Хулермана, Ларри заглянул за угол. Там располагался полицейский участок. Теперь понятно, почему этот мерзавец так осмелел: еще бы, ведь у него тут вся полиция в кармане! Шагая дальше по тротуару, Ларри попытался осмыслить свое положение. Если он не заставит Хулермана платить, ему придется возвратиться в депо, на паршивые пятнадцать долларов в неделю. Может быть, дождаться, пока Хулерман останется один, и объявить, что к нему явится мистер ди Лукка собственной персоной? Но он тут же вздрогнул: ди Лукка снова пошлет к несговорчивому булочнику именно его, Ларри. Оставалось взять немчуру на испуг. Если не сработает и это, придется ему расстаться с этой расчудесной работой. Гангстер!.. Октавия расхохочется до визга. Мать, вероятно, возьмется за tackeril, чтобы преподать ему урок. Надо же, все идет насмарку из-за одного чертова упрямца!

Пробродив в нерешительности добрый час, он прошел мимо витрины булочной Хулермана и обнаружил, что магазин пуст. Он вошел. Девушка, стоявшая у витрины, кивком показала ему на дверь задней комнаты. Он прошел мимо печей и пирамид из поддонов и оказался перед Хулерманом, гоготавшим в компании двоих гостей — тех самых пекарей, которые несколькими часами раньше отказались платить Ларри взносы. На столе возвышалась огромная посудина с пивом, окруженная тремя кружками с золотистым напитком.

Ларри почувствовал себя в ловушке. Ему некого было за это винить, кроме самого себя. Увидев его, булочники закатились оскорбительным смехом. Ларри почувствовал себя уязвленным до глубины души. Он понял, что они не обманываются на его счет: он никогда не сможет заставить Хулермана заплатить, ибо он — всего лишь мальчишка, корчащий из себя взрослого, потому что поторопился обзавестись женой и детьми.

Отсмеявшись, Хулерман обрел дар речи:

— О, вот и наш сборщик! Сколько же я должен дать вам сегодня? Десять, двадцать, пятьдесят долларов? Глядите, я готов! — Он встал и вывернул карманы, продемонстрировав груду мелочи и комок зеленых бумажек.

Ларри не смог заставить себя улыбнуться, он забыл о своих чарах. Он всего лишь сказал как можно спокойнее:

— Вы ничего не должны мне платить, мистер Хулерман. Я просто зашел сказать вам, что вы больше не состоите в нашем союзе. Вот и все.

Остальные двое прекратили смеяться, зато Хулерман разбушевался.

— Я никогда и не состоял в вашем союзе! — проревел он. — В гробу я видел ваш союз! Я не плачу взносов и не подаю бесплатно кофе и пирожные. Плевать я на вас хотел!

В последней, отчаянной попытке кончить дело миром Ларри сказал:

— Я сам платил за вас взносы, мистер Хулерман. Я не хотел, чтобы такой хороший пекарь, как вы, попал в беду.

Это отрезвило булочника. Он прицелился в Ларри пальцем.

— Ах ты, попрошайка! — прохрипел он. — Гангстер! Сначала ты берешь меня на испуг, а потом пробуешь говорить по-дружески? Почему бы тебе не трудиться, как это делаю я? Почему ты лодырничаешь, почему покушаешься на мои деньги, на мой хлеб? Я работаю, работаю по двенадцать-четырнадцать часов — и я еще должен отдавать тебе деньги? Проваливай, бродяга! Прочь из моего магазина!

Ларри был так ошеломлен этим решительным отпором, что развернулся и послушно вышел. Еще не опомнившись, но стараясь держать себя в руках и не показывать испуга, он остановился перед продавщицей и попросил буханку кукурузного хлеба и пирог с сыром. Девушка вооружилась тяжелой банкой с сахарной пудрой и присыпала ею пирог. В это время из задней комнаты послышался рев:

— Ничего не продавать этому жулику!

За прилавком вырос сам Хулерман. Вырвав из рук продавщицы банку с сахарной пудрой, он зарычал на Ларри с неподдельной ненавистью:

— Вон, вон отсюда! Вон!

Ларри уставился на него, скованный небывалым потрясением. Булочник потянулся над прилавком и выбросил вперед руку. Лицо Ларри покрылось сахарной пудрой, он почувствовал в ноздрях приторный запах. Полностью утратив контроль над собой, он вцепился левой рукой в правую руку булочника, а правой заехал ему изо всей силы в тупую физиономию. Голова немца качнулась на плечах, как мячик на упругой резинке, и снова стукнулась о кулак Ларри. Тот убрал руку.

Кулак произвел непоправимые разрушения: из расплющенного носа хлынула на мраморный прилавок, присыпанный белой сахарной пудрой, ярко-красная кровь. Губы булочника превратились в кровавое месиво, левая сторона рта лишилась сразу нескольких зубов. Булочник бросил взгляд на лужу собственной крови, образовавшуюся на белом прилавке, обежал прилавок и, пьяно пошатываясь, встал между Ларри и дверью.

— Полиция! Приведите полицию! — промычал он.

Продавщица выскочила из магазина через заднюю дверь. Оба заглянувших к коллеге булочника последовали за ней. Хулерман, растопырив руки, загораживал собой дверь; на его изуродованном лице бешено вращались глаза. Ларри тоже бросился за прилавок, надеясь улизнуть через задний ход. Хулерман кинулся на него и, не смея бить, просто повис на нем. Ларри отшвырнул его. Понимая, что он не может больше прикоснуться к булочнику даже пальцем, что он и так опозорил семью и теперь все равно окажется в тюрьме, он изо всех сил ударил ногой по сияющему витринному стеклу. Отворачиваясь от стеклянных брызг, он нанес следующий удар — теперь по стойке с выставочными пирогами и тортами. Булочник взревел и повалил его на пол. Полиция нашла их барахтающимися среди осколков, измазанных кремом, заключивших друг друга в объятия, какие не снились самым пылким любовникам.

В полицейском участке двое детективов отвели Ларри в кабинет.

— Расскажи нам, что стряслось, парень.

— Я хотел купить пирог, а он сыпанул мне в лицо сахаром. Спросите продавщицу, — сказал Ларри.

— Ты занимался вымогательством?

Ларри отрицательно покачал головой.

В дверь просунул голову другой детектив и сказал:

— Немчура говорит, что парень собирает деньги для ди Лукка.

Полицейский, допрашивавший Ларри, встал и вышел. Вернувшись минут через пять, он закурил. Он больше не задал Ларри ни одного вопроса. Все чего-то ждали.

Ларри находился в полном отчаянии. Он представлял себе, как в газетах появится его имя, как мать сочтет себя опозоренной, как он сам будет объявлен преступником и брошен в тюрьму, как все станут его презирать. Кроме того, он нанес непоправимый вред мистеру ди Лукка.

Детектив посмотрел на часы, вышел и через несколько минут возвратился. Показав пальцем на дверь, он бросил:

— Ладно, парень, проваливай. Все в порядке.

Ларри ничего не понял; он отказывался верить собственным ушам.

— Тебя ждет на улице твой босс, — поторопил его детектив.

Ларри вылетел в предусмотрительно распахнутую для него дверь и увидел ди Лукка, стоящего у ступенек полицейского участка.

— Спасибо, спасибо, — пробормотал ди Лукка, неуклюже пожимая руку полицейскому. Потом он схватил Ларри за руку и поволок его дальше по улице к поджидающей их машине. За рулем сидел парень, которого Ларри смутно помнил по школе; с тех пор он его ни разу не встречал. Они с ди Лукка залезли на заднее сиденье.

Тут Ларри ждал второй по счету сюрприз. Ди Лукка вцепился в его руку и сказал по-итальянски:

— Bravo! Что ты за чудесный мальчик! Я видел, что ты сделал с его рожей. Отлично! Вот негодяй! О, ты славный мальчуган, Лоренцо! Когда мне сказали, что ты двинул ему, потому что он не хотел продавать тебе хлеб, я был на седьмом небе. О, если бы ты был мне родным сыном!

Они катили по Десятой авеню в южном направлении. Ларри посмотрел в окно и увидел сортировочную станцию. Ему казалось, что он с каждой секундой все больше превращается в совершенно другого человека, что в его жилы вливается совсем другая кровь, что меняется сама его плоть. Никогда больше он не станет работать на железной дороге, никогда не испытает страха, всякий раз охватывавшего его в конторе депо. Ди Лукка и детектив пожали друг другу руки — и великолепное здание нерушимой законности развалилось у Ларри на глазах; он был спасен простым мановением руки и теперь восхищенно таращил глаза. Правда, он то и дело вспоминал кровь, залившую лицо булочника, его растопыренные руки, преграждавшие ему путь, взбешенные глазки на его изуродованной физиономии и испытывал приступы тошноты.

Ларри не удержался и сказал правду:

— Мистер ди Лукка, я не могу выколачивать из людей деньги. Я не возражаю просто собирать взносы, но ведь я не гангстер!

Ди Лукка ласково погладил его по плечу.

— Что ты, что ты! Разве кто-нибудь занимается такими делами просто ради удовольствия? Неужели я, по-твоему, гангстер? Что, у меня нет детей и внуков? Разве я — недостойный крестный отец для детей моих друзей? Да знаешь ли ты, что это такое — родиться в Италии? Там ты — всего лишь пес: ты роешься, как собака, в земле в поисках кости на обед. Ты подносишь яички священнику ради спасения души, суешь писарю бутылочку винца, хотя он покатывается со смеху у тебя за спиной. Потом padrone, землевладелец, приезжает на лето в свое имение — и все деревенские девушки торопятся прибраться в его доме и украсить его цветами. Он одаривает их улыбкой и снимает с руки перчатку, чтобы они могли осыпать его пальцы поцелуями. И тут — чудо! Америка! Этого достаточно, чтобы снова уверовать в Иисуса Христа.

В Италии я был слабее других. Если я тайком брал у padrone оливку, морковку или, не дай бог, буханку хлеба, я должен был спасаться бегством, прятаться в Америке от его мести. Зато здесь — демократия, здесь padrone не так силен. Здесь появляется шанс обмануть судьбу. Но за это приходится платить.

Кто он такой, этот немец, этот булочник, чтобы он мог зарабатывать, выпекать свой хлеб — и ни с кем не делиться? Мир — опасное место. По какому праву он выпекает хлеб на этом углу, на этой улице? По закону? Бедные люди не могут подчиняться только закону. Тогда никто из них не выживет. По земле будут расхаживать одни padroni.

Вот ты жалеешь этого немца. И напрасно. Видел, как уважительно обошлись с тобой в полиции? Тут, конечно, главное — то, что ты мой друг, но не только. Этот булочник, обосновавшийся в двух шагах от полицейского участка, даже не присылает им кофе с булочками, не пытается с ними подружиться! Как это тебе понравится? Когда к немцу заглядывает местный полицейский, он заставляет его платить за кофе!

Ди Лукка умолк с выражением безмерного отвращения на лице.

— Этот человек воображает, — снова заговорил он, — что раз он много трудится, раз он честен и ни в чем не нарушает закон, то с ним ничего не может случиться. Дурак он! Послушай лучше меня!

Ди Лукка снова выдержал паузу, а потом продолжал уже более спокойным, вкрадчивым голосом:

— Подумай о себе. Вот ты вкалывал, был честен, тебе в голову не приходило нарушать закон. Вкалывал? Посмотри на свои руки — они у тебя, как у гориллы, от тяжелой работы!

А теперь работы не стало. Никто не придет к тебе с конвертом просто потому, что ты честен. Конечно, раз ты не преступил закон, тебя не бросят в тюрьму.

Это неплохо, но разве ты сможешь прокормить этим жену и детей? Что же делать таким людям, как мы? «Ладно, — говорим мы, — работы нет. Мы сидим без гроша. Мы не нарушаем закон, мы не воруем, потому что честны; значит, нас ждет голод — каждого из нас, наших детей и жен». Верно?

Он ждал, что Ларри засмеется. Но Ларри смотрел на него во все глаза, ожидая продолжения. Тот заметил этот взгляд и веско произнес:

— Но, если взять судьбу в собственные руки, все изменится. Довольно! Так ты работаешь на меня или нет? Сотня в неделю и более приличная территория. Согласен?

— Спасибо, мистер ди Лукка, это меня вполне устраивает, — спокойно ответил Ларри.

Ди Лукка по-отечески погрозил ему пальцем.

— Больше ни за кого не плати взносов.

— Не буду, — улыбнулся Ларри.

Ди Лукка высадил его на Десятой. Ларри прошелся вдоль сортировочной станции. Теперь он смекнул, что, оставаясь неизменно обходительным, трудно ожидать от людей, что они будут поступать так, как нужно тебе, — во всяком случае, когда речь заходит о деньгах. Придется проявлять суровость. Подумать только, сколько уважения вызывает человек, совершивший жестокий поступок! Он вспомнил разбитое в кровь лицо немца и восторг ди Лукка. Вот благодаря чему у него появятся деньги, его жена и дети будут жить как семья, у главы которой есть собственное дело, он сможет помогать матери, братьям и сестрам! Если начистоту, то он ударил булочника вовсе не из-за денег. Разве он все это время не платил за него взносы?

ГЛАВА 15

Усилиями Лючии Санты семейный организм стойко выносил неизбежные в жизни невзгоды: растут дети, умирают родители, мир меняется ежеминутно. Пронеслось пять лет — а ей кажется, что минуло одно мгновение; оглянувшись, она видит длинные тени — память о былом, сущность бытия, опору духа.

За пять лет внешний мир как-то сжался. Поредели черные кучки болтушек на тротуаре, меньше стало детей, оглашающих криками вечернюю улицу. Лязгающие локомотивы вознеслись на эстакаду, поэтому конные проводники в щегольских фуражках с козырьком, поблескивающие шпорами и размахивающие яркими фонарями, отошли в прошлое. Пешеходный мостик над Десятой авеню стал лишним и был снесен.

Пройдет еще пять лет — и западная стена города исчезнет, а люди, ютившиеся в ней, будут развеяны, как пепел, — те самые люди, чьи предки добрую тысячу лет были соседями на итальянской улице, чьи деды умирали в тех же комнатах, где появлялись на свет.

Лючия Санта охраняла близких от более насущных опасностей, с которыми она вела непрестанную битву на протяжении последних пяти лет, но которые в конце концов делали свое дело: смерть, брак, созревание, бедность, затухание чувства долга, свойственное детям, воспитываемым Америкой. Ей не дано было знать, что она держит оборону против неизбывных напастей и что в этой борьбе ей суждено лишиться последних сил, ибо невозможно перечить самой судьбе.

Однако она создала собственный мир, став его

краеугольным камнем. Ее дети, выбирающиеся, позевывая, из теплых постелей, неизменно находили на рассвете свой завтрак и одежду для школы, висящую на спинке стула рядом с плитой. Возвращаясь из школы домой, они всякий раз заставали ее либо с утюгом, либо с иглой, либо в борьбе с неподъемными котлами на огне. Она перемещалась в клубах пара, как милостивое божество, исчезая и снова появляясь, обдавая их запахом влажного белья, чеснока, томатного соуса, тушеного мяса с овощами. С небес на землю ее спускали сладчайшие песенки, льющиеся из старого радиоприемника, напоминавшего очертаниями готический собор, — шедевры Карло Бути, итальянского Бинга Кросби, сводившего с ума поколения итальянок, чья белая шляпа, выдающая вечного новичка на новых берегах, украшала вместе с салями витрину любой продуктовой лавки на Десятой авеню.

Дверь квартиры никогда не закрывалась, чтобы любой из детей мог свободно войти после школы или выбежать на прогулку. Ничье рождение, ничья смерть не мешали матери выставлять на стол дымящиеся блюда. Ночами Лючия Санта ждала, пока утихнет дом, и лишь потом сама отходила ко сну. Никто из детей ни разу не видел ее с закрытыми глазами, ибо сон выдает беспомощность.

В ее жизни выдавались дни, месяцы, сезоны, существовавшие только благодаря редким мгновениям, сиявшим потом в ее памяти, как драгоценные камни. Скажем, одна из зим существовала только потому, что Джино, придя как-то раз из школы, застал мать совсем одну, и они были абсолютно счастливы, в молчании проведя вместе остаток дня.

Джино понаблюдал, как мать гладит белье, пока сгущались серые, холодные сумерки. Потом он встал, приподнял поочередно крышки на всех кастрюлях и принюхался. Он остался недоволен: он не больно жаловал зеленый шпинат с оливковым маслом; еще больше расстроила его кастрюля с вареной картошкой. Брякнув крышкой, он сердито бросил:

— Ма, неужели у нас нечего толком поесть?

Потом он потянулся к радио, чтобы поймать американскую станцию. Мать замахнулась на него, и он тотчас отпрыгнул в сторону. На самом деле ему была по душе итальянская станция, особенно romanze[1] — именно их мать сейчас и слушала. Их герои всегда были на грани кровопролития, и он вполне понимал их речь. Американские «мыльные оперы» здорово им проигрывали. Здесь раздавались настоящие удары, родители не желали слушать детей и не ведали снисхождения, мужчины убивали любовников своих жен преднамеренно, а не случайно. Жены подсыпали мужьям яд, да такой, который вызывал у жертвы страшные мучения, сопровождаемые воплями. Муки радиогероев приносили отдохновение реальным людям.

Джино принес в кухню библиотечные книги и погрузился в чтение. На другом конце стола мать орудовала утюгом. Кухню заволокло паром. В квартире стояла тишина, потому что дома, кроме них, не было ни души: Сал с Леной играли на улице, Винни еще не вернулся с работы. Становилось все темнее, и Джино в конце концов пришлось отложить книгу. Он поднял голову и заметил материнский взгляд —

---

[1] Драматические постановки (*ит.*).

странный и неподвижный. В воздухе сгущался аромат чеснока, горячего оливкового масла, рассыпчатого картофеля; на плите булькала закипевшая вода. Спохватившись, мать потянулась к выключателю.

Джино улыбнулся ей и снова уткнулся в книгу. Лючия Санта, догладив белье, убрала гладильную доску и засмотрелась на читающего Джино. Он редко улыбался, он превратился в очень строгого, непробиваемо-спокойного мальчика. Как меняются дети! Но в одном он не переменился: был по-прежнему упрям и несговорчив, а иногда казался безумным, как его отец. Она отнесла белье в спальню и разложила по ящикам. Потом она вернулась в кухню, очистила еще несколько картофелин, мелко порезала их и освободила на плите место для огромной черной сковороды. Ложка темного домашнего сала быстро растаяла от жара. Она зажарила картошку и полила ее двумя яйцами. Вывалив кушанье на тарелку, она молча поставила ее на книгу под самый нос Джино.

Джино издал радостный вопль.

— Ешь быстрее, — приказала она, — пока не пришли остальные, иначе никто из них не станет есть мой шпинат.

Он наскоро поужинал и помог матери накрыть стол для остальных.

Еще одна зима стала частью ее жизни, потому что в ту зиму умерла тетушка Лоуке. Лючия Санта пролила по старухе больше слез, чем пролила бы по собственной матери. Бедная ведьма скончалась в полном одиночестве, в зимнюю стужу, в квартире из двух пустых комнат, служившей ей гнездом на протяжении двадцати лет. На смертном одре она напоминала высохшего жучка: под ее холодной старческой кожей синели извилистые вены; ноги, превратившиеся в сухие былинки, скрючились. Единственным удобством в квартирке была черная керосиновая плита с водруженным на нее эмалированным ведром с водой.

Тетушка Лоуке, тетушка Лоуке, где же твои родные, которые обрядили бы твое тело? Где дети, которые проливали бы слезы над твоей могилой? Подумать только — ведь она, Лючия Санта, завидовала беззаботности гордой старухи, ее жизни, избавленной от мирских хлопот... Над этим сухоньким трупом она поняла свое счастье: ведь она создала мир, которому не будет конца. Мир этот никогда не отвернется от нее, она не умрет в одиночестве, ее не зароют в землю, как никому не нужное насекомое.

Впрочем, смерть старухи принесла им всем новое чудо — дружбу тетушки Терезины Коккалитти, ставшей в ту зиму, когда умерла тетушка Лоуке, наперсницей Лючии Санты и союзницей семьи Ангелуцци-Корбо.

Терезина Коккалитти внушала на Десятой авеню больше страха и уважения, чем кто-либо другой. Высокая, тощая, в неизменном трауре по умершему двадцать лет назад супругу, она терроризировала зеленщиков, бакалейщиков и мясников; домовладельцы и не заикались о просроченной квартплате, социальные работники подсовывали ей на подпись бумаги, не смея задавать заковыристых вопросов.

Язык ее был ядовит и безжалостен, костлявое лицо казалось дьявольски хитрой маской. Однако при необходимости она становилась и льстивой, и обольстительной, неизменно оставаясь опасной, как змея со смертельным жалом.

Четверо ее сыновей работали не покладая рук, однако она получала семейное пособие. Оплатив дюжину плодов, она неизменно брала с прилавка тринадцатый, бесплатный. Она смешивала мясников с грязью за несвежую телятину или лишний жир на куске. Она всегда была готова дать миру достойный отпор.

Тетушка Коккалитти научила Лючию Санту, как сэкономить лишний доллар. Яйца они покупали у славного малого, воровавшего поддоны из грузовика птицефабрики; иногда у него можно было разжиться и свежими цыплятами. Костюмы и бананы они приобретали у лысых портовых грузчиков — хотя трудно было понять, откуда берутся костюмы на разгружаемых ими судах. Платьевая ткань, шелк и настоящая шерсть предлагались прямо у дверей квартир вежливыми и красноречивыми налетчиками — соседскими юнцами, воровавшими все это добро целыми фургонами. Все эти люди обходились с беднотой более честно, чем торговцы из Северной Италии, прижившиеся на Девятой авеню, как римские стервятники.

Кто жил иначе? Да никто!

Так проходил год за годом. Всего пять лет? А кажется, что гораздо больше... Хотя время несется все быстрее. Безошибочно отмеряет его только смерть.

Наступил день, когда Panettiere нашел мертвой свою жену. Это чудовище и в смерти осталось верным себе: рядом с трупом стояла неподъемная коробка с серебряными монетами, а на лице застыло умиротворенное выражение человека, наконец-то познавшего Христа. Смерть жены полностью изменила Panettiere. Эта не ведающая усталости рабочая лошадка переложила все на плечи сына Гвидо, который вконец исхудал у горячих печей. Теперь хозяин закрывал пекарню все раньше и забросил изготовление мороженого и пиццы. Он день и ночь просиживал с другими стариками в задней комнате парикмахерской, безудержно проигрывая серебро и медь, которое при жизни ревностно хранило и преумножало покойное теперь усатое чудовище. Кроме того, он регулярно выходил подышать воздухом и совершал моцион вдоль Десятой, вышагивая, как князь, с толстой американской сигарой во рту.

Он первым и заметил, как Октавия буксирует своего будущего муженька по Тридцать первой в сторону Десятой. Он с интересом и состраданием наблюдал, как они приближаются к Лючии Санте, невинно восседавшей на своей табуретке без спинки перед родным подъездом. Достаточно было одного взгляда, чтобы понять, что семейству Ангелуцци-Корбо уготованы новые невзгоды.

Франт тащил связку книг — это взрослый-то мужчина! На голове у него была высокая копна черных волос, на носу сидели очки в роговой оправе, горбатый нос на тонком лице выдавал еврея, и не просто еврея, а с довольно-таки слабым здоровьем.

Всем мигом стало известно, что Октавия Ангелуцци собралась замуж за язычника. Скандал! Не в том дело, что еврей, а в том, что не итальянец. Хуже всего было ее своенравие. Господи, да где она нашла своего еврея? Куда ни пойди — на юг, на север, на восток, загляни за западную стену города, — на протяжении многих кварталов обнаружишь одних католиков — ирландцев, поляков, итальянцев. Впрочем, чего еще ожидать от итальянки, скрывающей грудь строгим деловым костюмом?..

Здешний люд не ведал предрассудков. Старухи, дядюшки, тетушки, крестные были счастливы, что их родственница нашла себе кормильца — лучше поздно, чем никогда. Ведь ей уже стукнуло двадцать пять, дальше можно было ждать только неприятностей.

Наконец-то, хвала Иисусу, она выйдет замуж и познает жизнь — иными словами, перестанет сжимать коленки. Ей не придется испить чашу тактичной обходительности, с какой относятся к старым девам, калекам и увечным. Как не радоваться, что Октавия теперь не сгниет, как ненадкушенный плод! Как не вспомнить, что евреи — непревзойденные мастера по части зарабатывания денег! У Октавии Ангелуцци будет все, чего только не пожелает ее душа, и она, оставаясь хорошей итальянской дочерью, даст попробовать, что такое роскошь, своей матери, младшим братьям и сестре. Так твердили соседи, Panettiere, тетушка Коккалитти и старый ревнивый парикмахер, взиравший на пышную шевелюру еврея пылающим, алчным взором.

Лючия Санта не разделяла их оптимизма. Верно, молодой человек красив, строен и нежен, как девушка. Что до того, что он еврей, то у нее не было никаких предрассудков, просто она не испытывала ни малейшего доверия ни к кому — ни к христианам, ни к ирландцам, ни к туркам, ни к евреям. Однако на этом типе красовалось особое клеймо: где бы он ни появлялся, при нем неизменно была книжка — либо под мышкой, либо перед глазами.

Легко высмеять предрассудки бедных людей, но их доводы — плод ни с чем не сравнимого опыта.

Конечно, трудно не вспылить, услышав от вороватого сицилийца: «Если ищешь справедливости, без подношения не обойтись»; представитель достойной профессии оскорбится, услыхав от хитрой Терезины Коккалитти: «Адвокат — значит, вор». У Лючии Санты была своя поговорка: «Семьи книгочеев голодают».

Разве не наблюдала она своими собственными глазами, как Октавия засиживается до поздней ночи, глотая книгу за книгой (она не осмеливалась произнести это вслух, но разве не тут гнездится причина болезни дочери и длительного пребывания в санатории?), вместо того чтобы шить платья для созревающих дочерей Сантини, Panettiere, сумасшедшего парикмахера и зарабатывать невесть сколько долларов? Теперь и сыновья — Винни, Джино, даже Сал — бегали в библиотеку за этими своими пустяковыми книжками, забывая об окружающем их мире и о своих обязанностях в нем. И для чего? Чтобы набивать головы лживыми баснями, чтобы заглядывать в мир, в котором им не суждено жить? Что за глупость!

Она не знала грамоты и потому не подвергалась опасности совращения. Ей была чужда магия книг. И все же она чувствовала их власть и редко возвышала протестующий голос. Но как много она видела людей, уворачивающихся от превратностей жизни, уклоняющихся от каждодневной схватки за существование! Подобно тому, как бедняку не следует попусту тратить деньги на выпивку и карты, а женщине — понапрасну мечтать о счастье, так и юношам, которым предстоит великая битва, не подобает отравлять себе душу сказками и грезами, завоpaństвающими их и заставляющими ночи напролет шелестеть страницами.

Если бы Лючия Санта знала, насколько она права, она бы выгнала Нормана Бергерона из своего дома с помощью tackeril. Ведь он оказался настоящим отступником, не пожелавшим биться с ближними ради куска хлеба. Глупец, беспомощный добряк, он не использовал сполна свой диплом об окончании колледжа и избрал долю социального работника; однако он не был наделен сильным характером, необходимым тем, кто раздает милостыню. Он напоминал скорее мясника, падающего в обморок при виде крови. Дядя устроил его клерком в свою пошивочною фирму, где он и встретил Октавию.

Подобно всем слабым людям, Норман Бергерон имел тайный порок — он был поэтом. Причем, что хуже всего, стихи он писал не по-английски, а на идиш. Этим горе не исчерпывалось: он знал в жизни толком только одно — литературу на идиш, а сей талант, по его же собственным словам, пользовался наименьшим спросом среди всех земных талантов.

Однако все это им только предстояло узнать. Несмотря на все свои опасения, Лючия Санта удивляла дочь тем, что находила некое странное удовлетворение в том, что та избрала в мужья не итальянца.

При этом она, разумеется, мечтала, чтобы все ее сыновья женились на хороших итальянских девушках, знающих с колыбели, что в семье правит мужчина, которому надо прислуживать, как князю, кормить его отменной пищей, приготовление которой отнимает много часов; такая жена ухаживает за детьми и за домом, не взывая о помощи. Да, да, все ее сыновья должны жениться на хороших итальянских девушках! Ее сын Лоренцо уже обрел счастье со своей Луизой — вот вам доказательство.

С другой стороны, какая мать, настрадавшаяся от мужского тиранства, пожелает своей нежной дочери тирана-итальяшку, деспотичного новичка, запирающего жену в четырех стенах, никуда не выводящего ее, кроме свадеб и похорон; вопящего, как дикий козел, если спагетти не дымятся на столе в тот священный момент, когда его высочество соизволит переступить порог; такой муженек и пальцем не пошевелит, чтобы помочь беременной жене, а будет сидеть сиднем как ни в чем не бывало, пыхтя своей вонючей сигарой, пока жена с раздувшимся брюхом балансирует на подоконнике и, моя грязные окна, рискует соскользнуть вниз и медленно, как воздушный шарик, поплыть навстречу мостовой Десятой авеню.

Так что слава богу, что Октавия выходит замуж не за итальянца, а за человека, способного проявить снисхождение к женщине. Лючия Санта всего раз позволила себе оскорбительное замечание в адрес избранника дочери, и то спустя много лет. Как-то раз, судача с женщинами и проклиная детей одного за другим за неблагодарность и тупость, она, не находя за Октавией подходящего преступления, сказала, стараясь разжечь в себе злобу: «А эта, самое рассудительное мое дитя, взяла в мужья единственного из всех евреев, которому невдомек, как делаются деньги...»

Как бы то ни было, свадьба стала подходящим завершением пяти счастливым годам. Лючия Санта настояла на пышной свадьбе и церковном венчании. Норман Бергерон не стал чинить препятствий ее замыслу. В этом смысле книгочейство оказалось достоинством. Он не отказывался жениться по христианскому обряду и воспитывать детей христианами. Его семья тоже не протестовала. Он объяснил Лючии Санте, что из-за такой женитьбы родня отвернулась от него, словно его вовсе нет на свете. Столь радостная весть порадовала Лючию Санту. Это только упрощает дело: значит, Октавия и Норман будут принадлежать ей одной.

ГЛАВА 16

Лючия Санта не поскупилась на расходы. Свадьба, сыгранная в ее квартире, прошла на славу. На лестничной клетке выстроились огромные пурпурные кувшины с вином из подвала пекарни. Стол и застеленные кровати были завалены горами сочащейся жиром ветчины и кругами твердого сыра, красочные свадебные торты и длинные миндальные орехи с кремом отягощали серебряные подносы. В кухне некуда было шагнуть из-за ящиков с содовой — апельсиновой, клубничной и прочих, — громоздящихся до самого потолка.

На свадьбе перебывали все обитатели Десятой авеню; даже возгордившиеся родственнички, перебравшиеся в собственные дома на Лонг-Айленде, — и те на сей раз снизошли до болтовни с нищей деревенщиной, с которой они так спешили расстаться. Кто же не польстится на такую свадьбу, кому не любопытно взглянуть на жениха-язычника?

Молодежь отплясывала в гостиной, усыпанной серпантином, под музыку граммофона, позаимствованного у безумного парикмахера. В другом конце квартиры, в столовой и кухне, судачили старые итальянки, чинно сидя на многочисленных соседских стульях, расставленных вдоль голубых стен. Октавия передала матери огромный шелковый кошелек с презентованными конвертами с деньгами, и та любовно прижимала его к бедру. Время от времени она разжимала его серебряные челюсти, и кошелек проглатывал очередное подношение.

Для Лючии Санты это был день пожинания лавров. Однако даже самый прекрасный день никогда не проходит без неприятностей.

Школьная подружка Октавии, итальянка по имени Анжелина Ламбрекора, семейство которой жило теперь в собственном доме с телефоном, забежала ненадолго, чтобы пожелать Октавии счастья и высокомерно вручить ей дорогой подарок. Однако на эту потаскушку засмотрелись все мужчины на свадьбе, как молодые, так и не очень. На ее лице лежал прекрасный профессиональный грим, тушь была нанесена безупречно, а губная помада скрывала похотливые очертания ее большого рта, но делала его при этом пленительным, как гроздь темного итальянского винограда. Она была одета по невиданной моде — то ли в костюм, то ли в платье, выставив на всеобщее обозрение почти всю грудь. Ни один из мужчин не упустил возможности потанцевать с ней. Ларри совсем забыл из-за нее о собственной жене, так что бедная Луиза даже пустила слезу. Он расхаживал перед ней, распустив хвост, как павлин, используя все свои чары и демонстрируя ровные, белоснежные зубы в самой обезоруживающей из богатого арсенала своих улыбок. Анжелина флиртовала со всеми без исключения и виляла в танце задом так соблазнительно, что и Panettiere, и его сын Гвидо, и прищурившийся по такому случаю парикмахер, и седой семидесятилетний Анжело, вся жизнь которого заключалась в его кондитерской лавке, — все забыли о болтовне и о вине и замерли, как голодные псы, вывалив языки и согнув коленки, чтобы ослабить томление в паху, пожирая ее пылающими взглядами. В конце концов Анжелина, чувствуя, как плывет ее грим от духоты, объявила, что ей пора уходить, иначе она опоздает на свой поезд, идущий на Лонг-Айленд. Октавия быстро чмокнула ее, чтобы поскорее выпроводить, поскольку даже Норман Бергерон, забывший на один вечер о своих книгах, не сводил с Анжелины своих поэтических глаз в роговых очках.

Все понятно: потаскухам принадлежит в мире достойное место. Но настанет время, когда и у нее родятся дети, когда и она разжиреет или постареет и будет сплетничать в кухне, уступив место молодым. Пока же эта бесстыжая штучка, усыпанная блестками, холодно пренебрегая лучшими людьми Десятой авеню, молодыми и старыми, упорхнула на кухню, чтобы попрощаться с Лючией Сантой; она ворковала с ней, как прирожденная американка, словно почтенная мамаша — ровня ей, молодой и обольстительной. Лючия Санта ответила ей самой холодной и отстраненной улыбкой, какими владеют одни баронессы, и, благосклонно принимая комплименты, думала про себя, что ее маленькая Лена, родись она в такой семье, живи она в доме на Лонг-Айленде, превратись она в конце концов в такую же американскую леди, все равно не избежала бы доброй материнской порки.

Анжелина совсем уже собралась уходить, когда стряслась беда: она заметила Джино, шестнадцатилетнего юнца, но уже высокого, смуглого, сильного, красивого, в новом синем костюме с иголочки, купленном по случаю торжества у воришки-грузчика.

До сей поры Джино оставался на подхвате, открывая бутылки с содовой, выбивая пробки из винных бутылок и обнося напитками итальянцев, облюбовавших кухню. Он был спокоен и безразличен, он двигался со стремительностью ртути, придававшей ему привлекательности. Он заставил всех уважать себя, как того требовала старая итальянская традиция, — ведь он прислуживает почтенным старейшинам! Одна Лючия Санта знала, что на самом деле для него не существует людей, собравшихся в кухне. Он не видел их лиц, не слышал их голосов, не заботился об их отношении к себе, для него не имело значения, живы они или мертвы. Он перемещался в мире, которого на самом деле не существовало, но который поймал его и пленил на этот вечер. Да, он прилежно обслуживал их, но только для того, чтобы быстрее пролетело время.

Но, поскольку родственникам все это было невдомек, он произвел на них большое впечатление, особенно на дальнего родственника из Такахо[1] Пьеро Сантини — владельца четырех грузовиков, темнобородого и худого, как рельс, от упорного труда. При нем находилась его толстая и глупая жена, увешанная поддельными драгоценностями, тоннами поглощавшая печенье, а также робкая дочка семнадцати лет от роду, сидевшая между матерью и отцом и не сводившая с Джино глаз.

Пьеро Сантини заметил пылкий взгляд дочери —

---

[1] Пригород Нью-Йорка, расположенный севернее Бронкса.

10 – 2269

и не удивительно, поскольку он стерег ее, как цепной пес. Сперва он только хмурился, но потом призадумался. Его малышка Катерина была воспитана в строгости, в старом итальянском стиле. Ей не позволялись все эти дружки, свидания и танцы вне семейного надзора. «Ха-ха-ха! К черту танцы!» — говаривал он с непристойным хихиканьем.

Он неустанно бубнил дочери, чего домогаются от нее мужчины: загнать в нее свою раскаленную штуковину, обрюхатить, а потом удрать, обрекая ее на позор и на горе, а родителей — на самоубийство. С другой стороны, она уже созрела. Как долго это может продолжаться? Его жена — безмозглая тупица. Ему пришло время подкупить еще парочку грузовиков. Ему уже надоело засиживаться за полночь, подсчитывая деньги и шпионя за подручными, чтобы они не стащили у него самого кое-что между ног.

Итак, Пьеро Сантини, чья гибкость помогала ему в делах, ведь он своевременно переключался с перевозки товара на мусор, а то и на виски, если его соблазнял барыш, задумался о другом. Не пришло ли время?

Глядя на Джино, он одобрял то, что видел. Спокойный паренек и вовсе не ленив. Судя по тому, как он снует по дому, — силен; ему ничего не стоит загрузить грузовик в два раза быстрее, чем двоим ленивым подручным и шоферу. Да ему цены нет! (Здорово бы посмеялись Лючия Санта, все ее подруги и соседи, услыхав такое мнение о Джино — чемпионе по части потери работы на Десятой авеню, единодушно признанном совершенно безнадежным лентяем.) Сантини по-прежнему разглядывал Джино. Когда его жена переместилась к еще не тронутой горке печенья, а Джино поднес ему рюмочку вина, он похлопал ладонью опустевший стул рядом с собой и сказал по-итальянски:

— Посиди со мной минутку, я хочу с тобой поговорить.

Такая благосклонность не прошла незамеченной. Пьеро Сантини, богатый родственник из Такахо, — и так мил с этим полуголодным, погрязшим в бедности юнцом? Теперь все взоры обратились на Джино. Терезина Коккалитти толкнула локтем Лючию Санту, которая, несмотря на свое простодушие, уже смекнула, о чем речь.

Взгляды всех мужчин, словно притянутые магнитом, покинули беседующих и приросли к юной деве. Катерина Сантини была легендой, мифом, нежным итальянским цветком, невинно распустившимся на зловредной американской почве. Услада родителей, она в столь юном возрасте познала все тайны кулинарии и по воскресеньям готовила горячо любимому папочке домашние макароны; она не прибегала к косметике и пренебрегала высокими каблуками, чтобы не ослаблять тазовые кости.

Но вот наступил ее день — а это, как известно, случается даже со святыми. На ее лице отпечаталось греховное вожделение. Краска залила ее лицо, бюст поднимался и опадал от прерывистого дыхания, она была готова выскочить из кожи вон. На расстоянии чувствовалось, как она распалена, и ее скромный, потупленный взор был не в силах никого обмануть.

Какой шанс для Лючии Санты и для ее сына, урода из уродов, — впрочем, он и впрямь великолепное юное животное, чего и следовало ожидать, раз он только и знает, что резвиться на солнышке, вместо того чтобы вкалывать после школы! Благословенное продолжение свадебного торжества! Лючия Санта, прыткая, как волчица, почуявшая кровь, подалась вперед, чтобы расслышать, что там шепчет хитрец Сантини ее сыну, но проклятая музыка, ворвавшаяся в дверь, заглушила слова, которые ей так хотелось услыхать.

Тем временем угрюмый Пьеро спрашивал на своем сладчайшем итальянском:

— Итак, молодой человек, что вы поделываете, как представляете себе дальнейшую жизнь — будете заканчивать школу?

Однако, как ни странно, юноша смотрел на него серьезными глазами, словно не понимал подлинного итальянского. Потом он слегка улыбнулся, и Пьеро сообразил: парень ошеломлен вниманием, проявленным к нему такой недосягаемой персоной, как он, Пьеро, и смущается отвечать. Желая придать ему смелости, он хлопнул Джино по плечу и сказал:

— Моя дочь умирает от жажды. Принеси-ка ей стакан содовой, будь умником. Катерина, ведь ты и впрямь умираешь от жажды?

Катерина не посмела поднять глаз. Происходящее с ней повергало ее в смятение. Она чуть заметно кивнула.

Джино уловил слово «содовая» и увидел кивок девушки. Он встал и направился к ней. Он совершенно не понимал, что творится вокруг, да и не мог понять, потому что всех этих людей для него попросту не существовало. Подав девушке стакан, он тотчас отвернулся и не увидел, что Пьеро Сантини снова хлопает ладонью по стулу. Пьеро, удивленный таким оскорблением, скорчил рожу и театрально пожал плечами, словно спрашивая: «Какой смысл проявлять вежливость с такими невоспитанными мерзавцами?» Все захихикали, радуясь унижению гордеца и скряги Сантини, и жалостливо вздохнули, глядя на его бедную дочку, погрузившую ненапудренный красный носик в стакан и полумертвую от страха. Что за наслаждение — наблюдать, как разъярило Лючию Санту поведение ее сына Джино, такого же безумца, как и его отец, — это каждому известно, который наверняка кончит так же, как и он, — вот вам новое тому доказательство!

Именно под конец этой комедии в кухню впорхнула красотка Анжелина, чтобы попрощаться с гостями; здесь, ко всеобщему удивлению, Джино одержал вторую по счету победу. Правда, вторая была более предсказуема, чем первая. Во-первых, Джино был единственным из всех мужчин, который, глядя на Анжелину, на самом деле не замечал ее, что не могло не возбудить у нее интереса; во-вторых, чувствуя, как не одобряют все присутствующие роль, которую она взялась играть, она наперекор всем решила доиграть ее до конца. Она метнулась к Джино и, не сводя с него глаз, обратилась к Лючии Санте:

— До чего красивый у вас сынок!

Тут Джино очнулся: он учуял аромат ее духов, почувствовал тепло ее руки, увидел ее огромные, мастерски подведенные губы, так и тянущиеся к нему. Еще не зная, что происходит, он все же испытал желание дождаться разъяснений. Стоило Анжелине попросить пальто, как все мужчины бросились исполнять ее просьбу и, более того, будучи галантными кавалерами, хором изъявили желание проводить ее до метро.

— Меня проводит Джино, — проворковала она, — он слишком юн, чтобы вынашивать черные замыслы.

Все кровати в квартире были заставлены едой, ожидающей своей очереди появиться на столе, поэтому квартира Ларри и Луизы этажом ниже использовалась как гардеробная.

— Я спущусь с ним, — сказала Анжелина, взяла Джино под руку, и оба удалились. Празднество продолжалось. Лючия Санта хотела было под каким-нибудь предлогом послать Винченцо в квартиру Ларри, чтобы удостовериться, не происходит ли там чего-нибудь неподобающего, но потом передумала. Ее сын уже достаточно вырос, чтобы попробовать женщину, а тут подвернулась прекрасная, не чреватая никакими опасностями возможность. Manga franca[1]. Ему хотя бы не придется расплачиваться. Будь что будет.

Зашел доктор Барбато — выпить стаканчик вина, попробовать пирожных и потанцевать с невестой. Он залюбовался Лючией Сантой, окруженной болтушками, как королева — фрейлинами, и подошел к ней с конвертом. Она встретила его с монаршей холодностью. Он рассердился: он-то надеялся, что после всего того, что он сделал для этой убогой семейки, вокруг него поднимется суета. Верно говорил отец: «Никогда не жди благодарности ни от осла, ни от крестьянина». Однако стаканчик доброго вина заставил доктора Барбато смягчиться, а второй и вовсе привел его в отличное настроение. Он не хотел понимать этих людей, не испытывал к ним симпатии — и все же понимал их. Разве может такой человек, как

---

[1] Ну и пусть (*неап. диал.*).

Лючия Санта, благодарить каждого, кто оказал ей помощь? Ей пришлось бы всю жизнь простоять на коленях! Принимать помощь от чужих — ее судьба. Она не обвиняла в своих бедах никого из живущих, но и не собиралась благодарить их за проблески удачи, к каким относилось и нечаянное великодушие доктора Барбато.

Доктор пригладил усы и одернул пиджак. Он лечил многих из набившихся в эту квартиру итальянцев, некоторые из них даже были товарищами детства его отца, однако все они относились к нему холодно, словно он — ростовщик, padrone, а то и владелец похоронной конторы. О, ему доподлинно известно, что за чувства кроются за всеми этими учтивыми речами! Signore Dottore, Signore Dottore[1]. Он кормится их невзгодами; их боль — его прямой доход; он появляется тогда, когда без него не обойтись, когда их охватывает страх смерти, и требует денег в обмен на исцеление. Им, неискушенным, его искусство кажется колдовством, небесным даром — а ведь дары небес не продаются и не покупаются. Но кому же тогда расплачиваться за колледж, за долгие годы учебы, за его выматывающий нервы непосильный труд, пока они, невежественные болваны, неотесанная деревенщина, попивают винцо и просаживают в карты заработанные соленым потом гроши? «Пусть они ненавидят меня, — с горечью размышлял он. — Пусть идут в бесплатные больницы, ждут там часами, чтобы неумеха санитар взирал потом на них, как на скот». Пусть мрут, как мухи, в «Белльвю» — он переберется на Лонг-Айленд, где

---

[1] Синьор врач (*ит.*).

люди станут отпихивать друг дружку, торопясь оплатить счета за его услуги, зная, что получат взамен. Доктор Брабато, желая показать, что такая нищая мелкота неспособна его огорчить, расплылся в сладчайшей улыбке, попрощался на своем великолепном университетском итальянском, звучащим для них почти как иностранная речь, и, ко всеобщему облегчению, был таков.

Слыша над головой топот танцоров, Анжелина с Джино занимались поисками ее пальто в груде одежды, которой была завалена квартира Ларри. Страхи Лючии Санты оказались беспочвенными: Анжелина была вовсе не такой безрассудной девчонкой, за какую себя выдавала, а Джино оставался невинным дитя, неспособным воспользоваться ее слабостью. Прежде чем выйти, она наградила его долгим поцелуем, испачкав его рот своей яркой помадой. Ее тело прижалось к нему лишь на краткое мгновение, которому в снах Джино суждено было растянуться до бесконечности.

Да, свадьба прошла успешно, она затмила почти все подобные события, гремевшие прежде на авеню, она сделала честь семье Ангелуцци-Корбо и украсила шляпку Лючии Санты (если бы таковая у нее имелась) лишним пером. Но та не стала почивать на лаврах, а пригласила семейство Пьеро Сантини на воскресный обед, чтобы дать Джино возможность познакомить Катерину с городом, который девушка не могла досконально узнать, проживая в глухом Такахо.

Пьеро Сантини не был бы владельцем четырех грузовиков и контракта на вывоз городского мусора, если бы отличался чувствительностью к унижениям.

Сантини явились на воскресную трапезу точно в назначенный час.

Лючия Санта превзошла саму себя. Воскресным утром она проела преждевременную плешь у Джино на голове, надеясь, что он хотя бы раз откажется от бейсбола. После этого она приготовила соус, которым не побрезговал бы сам неаполитанский король, и соорудила из домашней муки толстенные макароны. Для зеленого салата она не пожалела бутылки почти священного оливкового масла, присланного из Италии бедной сестрой-крестьянкой, — такого нигде не купишь, это первая, волшебная кровь, источаемая оливками.

Джино в новом синем костюме известного происхождения и Катерину в красном шелковом платье заставили сидеть бок о бок. Винченцо, услада пожилых дам, развлекал огромную синьору Сантини, гадая ей на картах. Сальваторе и Лена убирали со стола и мыли посуду, умелые, бессловесные и проворные, как угри. Наконец Джино, повинуясь материнским наставлениям, спросил Катерину, не желала бы та сходить в кино, и та, будучи послушной дочерью, подняла глаза на отца, ожидая дозволения.

Это был чудовищный по решительности момент для Пьеро Сантини. Он чувствовал себя так же, как в те немногие моменты помутнения, когда, отправив грузовики на перевозку виски, не видел их по нескольку дней кряду и знать не знал, куда они запропастились и что с ними стряслось. Сейчас он страдал почти так же сильно. Однако ничего не поделаешь: Америка есть Америка. Он одобрительно кивнул, но напутствовал молодежь:

— Не слишком задерживайтесь, завтра рабочий день.

Уход молодой пары заставил Лючию Санту расплыться в довольной улыбке. Она стала победоносно колоть грецкие орехи и потчевать этим лакомством работящих Сальваторе и Лену. Она наполнила вином рюмку Пьеро Сантини и пододвинула под самый локоть синьоры Сантини блюдечко с мороженым. Ларри и его жена Луиза поднялись выпить с ними черного, как уголь, и масляного от анисовки кофе. Пьеро Сантини и Лючия Санта обменивались хитрыми, довольными взглядами и уже беседовали с небывалой прежде фамильярностью, свойственной без пяти минут родственникам. Однако не прошло и часа, как на лестнице застучали каблучки, и перед взрослыми появилась Катерина — с широко распахнутыми глазами и с заплаканным лицом; не говоря ни слова, она уселась за стол.

Оцепенение. Сантини выругался, Лючия Санта всплеснула руками, моля всевышнего о снисхождении. Неужели этот animale Джино изнасиловал ее прямо на улице или в кинотеатре? Или, может быть, он затащил ее на крышу? Что же случилось, скажи, ради бога? Сперва Катерина помалкивала, но в конце концов прошептала, что оставила Джино в кино: он смотрит фильм, который ей смотреть не хочется. Значит, ничего не случилось.

Да кто ей поверит? Никто. Сразу улетучилось недавнее дружелюбие и благодушие. Речь и взгляды превратились в лед. Что же все-таки стряслось, господи сохрани? О, эти невозможные молокососы, они способны на самые тяжкие грехи при невозможнейших, казалось бы, обстоятельствах. Однако никакие увещевания не могли принудить Катерину раскрыть загадку; в конце концов оглушенные Сантини покинули негостеприимный дом.

Семейство Ангелуцци-Корбо — Лючия Санта, Винни, Ларри с Луизой, напряженный Сал и Лена, — собравшись вокруг стола, ждали, как судьи, когда же появится преступник. Наконец Джино, проторчавший в кино битых четыре часа и оголодавший, как волк, взлетел по лестнице, ворвался в квартиру — и замер, пригвожденный к месту осуждающими взглядами родни.

Лючия Санта грозно поднялась, не зная, впрочем, как себя вести; в ее груди клокотала беспомощная ярость. В чем, собственно, его обвинять? Она предпочла начать с вопроса:

— Animale, bestia, что ты сделал с бедной девочкой в кино?

— Ничего! — ответил Джино, широко раскрывая глаза.

Его невиновность была столь очевидной, что Лючия Санта была склонна заключить, что он окончательно спятил и уже не различает, что хорошо, а что дурно. Она постаралась взять себя в руки и спокойно, терпеливо спросила:

— Почему Катерина убежала от тебя?

Джино пожал плечами.

— Она сказала, что хочет в уборную, но забрала с собой пальто. Когда она не вернулась, я решил, что не понравился ей, — ну, и черт с ней! Я досмотрел фильм до конца. Ма, если я ей не по нраву, то какой смысл тебе и ее отцу заставлять ее гулять со мной? Она все время вела себя как-то странно, даже отказывалась разговаривать!

Слушая его, Ларри жалостливо покачивал головой. Потом он шутя обратился к матери:

— Представляешь, ма, если бы на его месте оказался я, у нас в семье уже был бы грузовик.

Луиза прыснула. Винни ласково сказал Джино:

— Брось, она от тебя без ума.

Семья почти в полном составе была готова обратить все в шутку. Однако Лючия Санта, единственная способная глядеть в корень, рассердилась всерьез. Она взаправду собиралась обрушить на голову Джино не tackeril, а что-нибудь потверже, ибо он определенно пошел в своего безумного папашу.

Говоря, что не понравился девушке, он походил на дурачка-святошу; где горечь, где хотя бы намек на уязвленную мужскую гордость? Кто же тогда Катерина для ее гордеца-сынка? Дерьмо собачье? Дочь богача, который мог бы обеспечить ему будущее и достаток; миловидная, с сильными ногами, высокой грудью, не чета этому никудышному мальчишке, неудачнику, годному только для электрического стула... Ему, значит, наплевать? Ему, видите ли, все равно, нравится он этой бесценной итальянской девушке или нет! За кого он себя принимает — за итальянского короля? Что за дурень, разве он не заметил, как бедняжка Катерина буквально пожирала его глазами? Нет, он безнадежен, безнадежен, весь в отца, его ждет неминуемая беда! Она схватила tackeril, собираясь отдубасить его — пусть беспричинно, всего лишь для собственного успокоения, чтобы унять разлившуюся желчь; но ее сын Джино, наделенный инстинктом преступника, спасающегося бегством, даже когда он невиновен, увильнул и загрохотал башмаками по лестнице. Так была развеяна красивая мечта Лючии Санты; событие это, при всей своей несуразности и смехотворности, заронило в ее душу первое зернышко ненависти.

ГЛАВА 17

Семь лет кряду Фрэнк Корбо не тревожил семью. Теперь он решил побеспокоить ее в последний раз. Далеко на Лонг-Айленде, в штатной больнице для умалишенных, он замыслил последнее бегство. Както темной ночью он, сжавшись в постели в комок, приказал своему мозгу размазаться о черепную коробку. Могучая волна крови, отхлынувшая от потрясенного мозга, швырнула его бренное тело на кафельный пол палаты и навечно загасила хилую искорку, в которую давно уже превратилась его истерзанная душа...

Телеграмма застала Лючию Санту за полуденным кофе, который она вкушала в компании великолепной Терезины Коккалитти. По этому случаю страшная особа, желая подчеркнуть свое дружелюбие, открыла один из своих секретов: оказывается, она умеет читать по-английски! Это поразило Лючию Санту даже больше, чем новость, содержащаяся в телеграмме, выходит, эта женщина прекрасно вооружена для противостояния окружающему миру! Теперь она смотрела на Лючию Санту холодным взглядом, не замутненным ложным состраданием.

Как это ужасно — сознавать, что другое человеческое существо, доверившее тебе свою жизнь, не в состоянии более вызвать у тебя жалость к собственной участи! Лючия Санта была абсолютно честна с собой: смерть Фрэнка Корбо вызвала у нее чувство облегчения, освободила от отвратительного страха, что наступит день, когда ей в очередной раз придется выносить ему приговор на дальнейшее пребывание в клетке. Она страшилась его; она боялась за своих детей; она не желала идти на жертвы, на которые обрекло бы семью его освобождение.

Не останавливайся на полдороге, верь в милосердие господне: смерть мужа снимала с ее души неподъемный камень. Стоило ей увидеть его за решетчатым окном в одно из редких посещений — и она утрачивала веру в жизнь, ее на много дней покидали силы.

Лючия Санта испытывала вовсе не горе, а огромное облегчение от спавшего напряжения. Человек, ставший отцом троим ее детям, постепенно умирал в ее сердце на протяжении долгих лет, которые он провел в сумасшедшем доме. Она уже не могла представить его себе полным жизни.

Терезине Коккалитти представилась новая возможность продемонстрировать свою железную хватку, превратившуюся на Десятой авеню в легенду. Она наставила Лючию Санту на верный путь. Зачем везти тело мужа обратно в Нью-Йорк, платить похоронному агентству, устраивать суету и напоминать всем, что ее муж умер безумным? Почему вместо этого не поехать всей семьей в больницу и не похоронить его там? У Фрэнка Корбо нет в этой стране родни, которая сочла бы себя оскорбленной или явилась оплакивать почившего. Это позволит сэкономить многие сотни долларов и усмирить болтливые языки.

Королева — и та не рассудила бы столь же холодно и мудро.

Лючия Санта приготовила обильный ужин, даже слишком обильный, учитывая летнюю жару, и усадила за стол всю семью Ангелуцци-Корбо. Весть о смерти отца никого не повергла в горе. Лючия Санта была уязвлена небрежностью, с какой воспринял эту весть Джино: он смотрел ей прямо в глаза и только пожимал плечами. Сальваторе и Эйлин, положим, могут и не помнить его, но Джино было уже одиннадцать лет, когда увезли его отца...

За едой они строили планы. Ларри уже дозвонился в больницу и договорился о похоронах в полдень следующего дня и об установке могильного камня на больничном кладбище. Он одолжил хозяйский лимузин — вернее, мистер ди Лукка сам настоял на этом — и отвезет туда всю семью. Они выезжают в семь утра, потому что поездка будет дальней. К вечеру они вернутся домой. Работающие пропустят всего один день. Октавия с мужем переночуют в материнском доме, в прежней спальне Октавии, а Лена проведет одну ночь по старинке, в одной комнате с матерью. Все устраивалось как нельзя лучше.

Джино наскоро поел, а потом надел чистую рубашку и брюки и направился к двери.

— Джино, возвращайся пораньше, — беспокойно окликнула его Лючия Санта. — Мы выезжаем в семь утра.

— О'кей, ма, — отозвался он и исчез.

— Не проходит вечера, чтобы он не бегал в свою Гудзонову Гильдию, — пожала плечами Лючия Санта. — Он там князь в клубе сопляков.

— Разве так горюют по собственному отцу? — укоризненно сказал Ларри. — Я прохожу мимо Гильдии по вечерам — Джино и его приятели любезничают там с девчонками. Нельзя разрешать ему заниматься этим сегодня.

Октавия встретила его слова хохотом. Моральные сентенции, изрекаемые Ларри, всегда веселили ее.

— Болтай, болтай... — проговорила она. — Помнишь себя в его возрасте?

Ларри усмехнулся и покосился на жену. Та возилась с малышом.

— Брось, сестренка, — сказал он.

Немного погодя, словно ничего не произошло, пошли семейные истории и воспоминания о забавных приключениях; Сал и Лена прилежно убирали со стола. Норман Бергерон открыл книжку со стихами. Винни внимательно слушал, положив болезненное лицо на руки. Лючия Санта поставила на стол вазы с грецкими орехами, графин с вином, бутылки с содовой. В квартиру заглянула Терезина Коккалитти, и семейство, воодушевившись присутствием новой слушательницы, принялось пересказывать старые истории о Фрэнке Корбо. Октавия начала со знакомых каждому слов:

— Когда он назвал Винни ангелом, я поняла, что он спятил...

Темы хватило до позднего вечера.

Следующим утром Лючия Санта обнаружила, что Джино так и не вернулся домой ночевать. Жаркой летней порой он часто поступал так, болтаясь где-то с дружками и занимаясь бог знает чем. Но чтобы сегодня, когда это грозит опозданием на похороны?.. Мать рассердилась не на шутку.

Завтрак был съеден, а Джино все не возвращался. На его кровати лежал его костюм, свежая белая рубашка и галстук. Лючия Санта выслала Винни и

Ларри на поиски брата. Они проехали на машине мимо здания Гильдии на Двадцать седьмой стрит и дальше к кондитерской на Девятой авеню, где парни частенько резались в карты ночи напролет. Хозяин лавки с вечно слезящимися глазами сообщил им, что Джино еще час назад торчал поблизости, но потом отправился с дружками на утренний сеанс то ли в «Парамаут», то ли в «Кэпитол», то ли в «Рокси» — одним словом, он не уверен, куда именно...

Когда они, вернувшись, поведали об этом Лючии Санте, она была, как во сне.

— Ладно, значит, он не поедет, — только и сказала она.

Когда все садились в машину, из-за угла Тридцать первой появилась Терезина Коккалитти, чтобы пожелать им счастливого пути. В неизменном черном одеянии, с темным исхудавшим лицом и волосами цвета воронова крыла, она походила на не желающую исчезать ночную тень. В машине теперь образовалось одно свободное место, и Лючия Санта пригласила ее присоединиться к ним. Терезина была польщена приглашением — кто же откажется провести день за городом? Она без колебаний втиснулась в машину и заняла место у окна. Вот почему она могла потом рассказывать подругам на Десятой, как семья Ангелуцци-Корбо катила на Лонг-Айленд хоронить Фрэнка Корбо, как пропал старший сын покойного, так и не удосужившийся взглянуть на лицо родного отца, прежде чем того опустят в могилу, и как проливала слезы Лючия Санта — но то были полные желчи слезы, исторгнутые душой, охваченной не горем, но гневом.

«Придет день, и она посчитается с ним, — приговаривала синьора Коккалитти, тряся черной ястребиной головой. — Он змея, свернувшаяся клубком в материнском сердце».

ГЛАВА 18

Лючия Санта Ангелуцци-Корбо отдыхала; ее неподвижная фигура напоминала в сумерках не человека, а густую тень. Сидя за круглым кухонным столом, она дожидалась, пока на Десятую авеню придет с вечерним ветерком блаженная прохлада.

Этим днем судьба нанесла ей загадочный удар, на один вечер истощивший ее душевные силы. Она сидела теперь в пустой темной кухне, вдали от всех, глухая и слепая ко всему, что любила, чем дорожила. Ей неудержимо хотелось погрузиться в глубокий сон, не тревожимый сновидениями.

Но разве можно оставить этот мир без присмотра? Лена и Сал играют внизу, на улице, Джино прочесывает город, как дикий лесной зверь, Винченцо спит без задних ног в дальней комнате, принадлежавшей когда-то Октавии; его предстоит разбудить и накормить, прежде чем он уйдет на железную дорогу и будет работать там до полуночи. Ее внуки, дети Лоренцо, ждут, чтобы она уложила их спать. Потом она попытается развеселить чашечкой горячего кофе жену Лоренцо, больную и вечно недовольную, вдохнуть в нее веру в жизнь, напомнить, что ее мечты о счастье — всего лишь девичья сказка, на утрату которой обречена каждая женщина.

Лючия Санта не знала, что вот-вот уткнется лбом в стол. Клеенка уже приятно холодила ей лоб; она готовилась погрузиться в глубокую дрему, когда отдыхает все, кроме мозга. Мысли и тревоги вздымались все выше, как волны, пока совсем не захлестнули ее, не повергли в дрожь. Она мучилась так, как никогда не мучилась наяву. Она беззвучно взывала о пощаде.

Америка, Америка, какую разную плоть ты приютила, какая разная кровь бурлит в твоих жилах! Мои дети не понимают моей речи, я не понимаю их слез. Почему рыдает Винченцо, глупышка, почему по его щекам, заросшим бородой взрослого мужчины, стекают горькие слезы? Она только что сидела у его изголовья, гладила его по лицу, словно он так и не перестал быть младенцем, и испытывала небывалый испуг. Он трудится, зарабатывает на хлеб, у него есть семья, дом, место, где преклонить голову, но он все равно рыдает и бормочет сквозь слезы: «У меня нет друзей». Что, что это значит?

Бедный Винченцо, чего же ты хочешь от жизни? Разве тебе недостаточно просто жить? Miserabile, miserabile, твой отец умер, прежде чем ты родился, и его призрак отбрасывает тень на всю твою жизнь. Просто живи — сначала для младших братьев и сестры, потом — для собственной жены и детей; время пролетит быстро, ты состаришься — и все превратится просто в сон, ты станешь видеть сны, вот как я сейчас.

Только не надо говорить ему, что от него отвернулась судьба, хотя так оно и есть. Винченцо и Октавия, самые лучшие ее дети, — и оба несчастливы. Как же так? Почему Лоренцо и Джино, два негодника, лживо ухмыляются ей и, радостно скалясь, живут своим умом? Где же бог, где справедливость? О, их тоже ждет мука — разве они непобедимы? Дурные люди тоже подчиняются судьбе. И все-таки они — ее дети, и те мерзавки, которые нашептывают, что ее Лоренцо — вор и убийца, конечно же, грешат против господа.

Нет, Лоренцо никогда не быть настоящим мужчиной, в отличие от отцов семейств с Десятой авеню, бывших крестьян, в отличие от ее отца: вот кто — настоящие мужья, защитники детей, кормильцы, творцы собственного мира, смиренно принимающие жизнь и судьбу, превращающиеся в камни, в скалу, на которую опирается семья. Ее сыновьям никогда не бывать такими мужчинами. Впрочем, с Лоренцо покончено: она исполнила свой долг, и он перестал быть частью ее жизни.

В тени, в сокровенных глубинах ее сна притаилось невидимое чудовище. Лючии Санте хотелось проснуться, прежде чем она разглядит его. Она знала, что дремлет, сидя в темноте у кухонного стола, но ей казалось, что она уже подхватила свой стул без спинки и спускается теперь по лестнице вниз. Она снова уткнулась головой в прохладную клеенку. Чудовище выступило из тени и приняло угрожающие очертания.

«Вылитый отец!» Этими словами она всегда встречала неповиновение самого любимого из всех своих сыновей. Укоризненный взор Джино будет провожать ее до самой двери. Однако он никогда не держал на нее зла. На следующий день после стычки он всегда вел себя так, словно ничего не произошло.

Разве это не проклятие? У него те же голубые глаза, мерцающие в темноте, то же худое средиземноморское лицо, у него тот же отрешенный вид, то же нежелание говорить, такое же наплевательское отношение к тревогам самых близких людей. Он —

ее враг, подобно тому, как был ее врагом его отец; она мстительно перечисляла все его преступления: он обращается с ней, как с чужой, он никогда не слушается ее приказаний. Он оскорбляет ее и всю семью. Но ничего, он еще всему научится, ведь он — ее сын; она позаботится, чтобы сама жизнь научила его уму-разуму. По какому праву он резвится на улице по ночам и весь день напролет носится по парку, пока его брат Винченцо в поте лица зарабатывает на хлеб? Ему уже скоро восемнадцать; пора ему понять, что он не сможет вечно оставаться ребенком. О, если бы это только было возможно...

В ушах дремлющей Лючии Санты зазвучал смех чудовища. Разве все эти так называемые преступления — не мелочь? Даже в Италии случается, что сыновья находят удовольствие в эгоистической праздности и забвении семейной чести. Другое дело — преступление, в котором она пока ни разу не обвинила его, за которое он еще не поплатился, но за которое не может быть прощения: он отказался взглянуть в лицо родному отцу, прежде чем тот навечно исчез в могиле. И вот сейчас, во сне, она возвысила против него гневный голос, она была близка к тому, чтобы проклясть его, обречь на адские муки...

Кухню залил свет; Лючия Санта наяву различила шаги на лестнице и поняла, что очнется, так и не провозгласив вечного проклятия. Она облегченно приподняла голову. Над ней стояла ее дочь Октавия. Значит, она не произнесла страшного проклятия в адрес Джино и не обрекла его на вечные адские муки.

— Ма! — с улыбкой воскликнула Октавия. — Ты так стонала, что я слышала тебя еще со второго этажа!

Лючия Санта вздохнула и пробормотала:

— Свари кофе. Хотя бы сегодняшний вечер я проведу у себя дома, как встарь.

Сколько вечеров они провели в этой кухне вдвоем? Наверняка не одну тысячу.

Через окошко под потолком до них всегда доносилось мерное дыхание младших детей. Джино с ранних лет был беспокойным ребенком, он еще малышом норовил спрятаться между изогнутыми ножками кухонного стола. Как хорошо знает Октавия эту квартиру! Вот гладильная доска, притаившаяся в углу у окна; вот огромный радиоприемник, напоминающий очертаниями католический собор; вот буфет с ящиками для столовых приборов, кухонных полотенец, пуговиц, лоскутьев для заплат.

В такой комнате можно было и жить, и работать, и есть. Октавии ее очень не хватало. В ее чистенькой квартирке в Бронксе стол был фарфоровым, стулья — хромированными. Раковина была белоснежной, под стать стенам. Здесь же была гуща жизни. После трапезы кухня напоминала поле боя — столько здесь было обгоревших кастрюль и липких от оливкового масла и соуса для спагетти блюд, грязных тарелок же хватило бы, чтобы битком набить ванну.

Лючия Санта сидела без движения, и все ее лицо и поза говорили о небывалом истощении духа. Октавия видела мать такой и в детстве, и тогда ее душа испуганно трепетала, но со временем опыт научил ее, что наступит утро — и мать воспрянет духом, словно родится заново.

Желая сделать ей приятное, Октавия участливо спросила:

— Ма, ты нехорошо себя чувствуешь? Может быть, привести доктора Барбато?

Лючия Санта ответила ей с наигранной горечью:

— Моя болезнь — это мои дети, это сама моя жизнь. — Однако, едва заговорив, она оживилась. Лицо ее покрылось румянцем.

— Вот чего мне не хватает! — улыбнулась Октавия. — Твоих проклятий!

— Тебя я никогда не проклинала, — вздохнула Лючия Санта. — Ты была лучшей из всех моих детей. О, если бы и остальные безобразники вели себя так же, как ты!

Сентиментальные нотки в тоне матери встревожили Октавию.

— Ма, вечно ты говоришь так, словно они из рук вон плохи! А ведь Ларри каждую неделю дает тебе денег. Винни отдает тебе конверт с получкой, даже не вскрывая его. Джино и младшие не попадают в истории. Какого же рожна тебе еще надо, черт побери?

Лючия Санта выпрямилась, от недавней усталости мигом не осталось и следа. Голос ее окреп, она была готова к ссоре, которая на самом деле будет всего лишь оживленной беседой — подлинной усладой ее жизни. Она засмеялась по-итальянски — а язык этот прекрасно приспособлен к насмешке:

— Лоренцо, мой старший сын! Он дает мне десять долларов в неделю — мне, родной матери, которая кормит сирот — его младших братьев и сестру! Остальное — все состояние, которое он загребает в этом своем союзе, — у него уходит на шлюх. В конце концов его несчастная жена прикончит его прямо в постели! Я и слова не скажу ей в осуждение в суде.

Октавия закатилась счастливым смехом.

— Твой любимчик Лоренцо? Ма, какая же ты обманщица! Вот посмотрим: стоит ему заявиться сегодня со своими десятью долларами и лживыми речами — и ты примешь его, как короля! Прямо как эти сопливые потаскушки, помирающие по его деньгам!

Лючия Санта рассеянно бросила по-итальянски:

— Я-то думала, что при муже ты прикусишь свой нечестивый язык!

Октавия залилась краской. Лючия Санта осталась довольна. Вульгарность дочери-американки всегда была поверхностной; она, мать, настоящая итальянка, умела при необходимости завернуть и что-нибудь позаковыристее.

Послышались шаги, и в кухне появился заспанный Винни в одних трусах и майке. Он превратился в невысокого, сухощавого молодого человека, без фунта лишнего веса, отчего казался даже костлявым и неуклюжим. Его смуглое лицо выглядело нездоровым; на щеках росла густая щетина. Острые скулы, большой рот и крупный нос придавали бы его облику излишнюю суровость, если бы не его широко расставленные темные глаза, беззащитные, застенчивые и не привыкшие улыбаться. Октавию больше всего удручало то, что он очень изменился характером. Раньше он был ласков и радушен, причем без капли лицемерия. Теперь же, оставаясь по-прежнему послушным сыном и проявляя учтивость к чужим, он стал каким-то язвительным и насмешливым. Октавия предпочла бы, чтобы он просто послал всех куда подальше. Она тревожилась за него и одновременно злилась. Он не мог не разочаровывать. Она угрюмо усмехнулась. Разве все они внушают что-то еще, кроме разочарования? Она вспомнила своего мужа, в одиночестве читающего и чиркающего ручкой в квартире в Бронксе, поджидая ее.

Винни бурчал в сонном раздражении по-мужски густым и одновременно по-детски срывающимся голосом:

— Ма, чего же ты меня не разбудила? Я же говорил, что мне надо будет уйти. Если бы мне надо было идти на работу, ты бы уж точно подняла меня вовремя!

— Она задремала, только и всего! — одернула его Октавия. — Тоже мне удовольствие — только и заботиться о вас, неблагодарных!

Лючия Санта повернулась к Октавии.

— Зачем ты на него набрасываешься? Он всю неделю вкалывает. Часто ли он видится с сестрой? А ты его бранишь. Пойди, присядь, Винченцо, хлебни кофейку и перекуси. Давай, сынок, вдруг у сестры найдется для тебя ласковое словечко?

— Сколько фальши, ма! — не выдержала Октавия. Но тут она увидела в лице Винни нечто такое, что заставило ее прикусить язык. Сперва, пока мать отчитывала Октавию, Винни выглядел довольным и каким-то униженно-признательным за заступничество, но, когда Октавия засмеялась, он внезапно понял, что мать к нему подлизывается. Он сперва усмехнулся при мысли, что его так легко приструнить, а потом засмеялся громче, потешаясь вместе с Октавией над матерью и над собой. Они попили кофе и поболтали с фамильярностью, знакомой дружным семьям, которая не дает им уставать друг от друга, независимо от того, занимательна ли тема разговора.

Октавия наблюдала, как замкнутое лицо Винни разглаживается и успокаивается, и вспоминала его былую жизнерадостность. Он встречал рассказы Октавии о ее работе в магазине улыбкой и даже смехом, и сам отпускал шуточки насчет своей работы в депо. Октавия поняла, что брат скучает по ней, что ее замужество нарушило жизненный ритм семьи — и чего ради? О, теперь-то она знала, ради чего! Она внимала зову плоти, тело ее познало страсть, и, обретя ее, она не могла бы снова от нее отказаться — и все же это не было счастьем.

Нет, с мужем она не была так же счастлива, как сейчас, когда ей удавалось прогнать тень одиночества и страдания с лица младшего брата, поднятого с постели и не успевшего прикрыться щитом безразличия. Ей всегда хотелось много сделать для него, но она так ничего и не сделала — что же ей помешало? Зов плоти, которому она была вынуждена повиноваться. Она нашла ласкового мужа, который помог ей преодолеть былые страхи. У них не будет детей, и благодаря этой и другим элементарным предосторожностям, оберегающим от произвола судьбы, они с мужем преодолеют бедность и обретут лучшую жизнь. Настанет день, когда она все-таки узнает, что такое счастье.

Винни оделся, и Лючия Санта и Октавия залюбовались им с особым чувством, всегда испытываемым в семье женщинами к младшим мужчинам. Обе воображали, как он пройдется по улице, разгоняя девчонок палкой. Они не сомневались, что ему предстоит приятный вечер, полный развлечений, в кругу друзей, которые наверняка восхищаются им, боготворят его, ибо он — кому, как не им, матери и сестре, знать это! — по-настоящему достоин восхищения и обожания.

Винни надел голубой костюм и тонкий шелко

вый галстук в красную и белую полоску. Он намочил и гладко расчесал на симметричный пробор свои черные волосы.

— Кто же твоя девушка, Винни? — поддела его Октавия. — Почему ты не приводишь ее домой?

Мать без лишней суровости, а, наоборот, с американской светскостью, поощряющей шутку, подхватила:

— Надеюсь, ты нашел себе хорошую итальянскую девушку, а не ирландскую шлюху с Девятой авеню.

Глядя в зеркало, Винни удивился своей самодовольной улыбке, словно у него на счету набралась уже дюжина девушек. Повязывая галстук и дивясь своей лживой улыбке, он только огорчился и помрачнел. Он давно привык к семейной лести, к замечаниям вроде: «Он тихоня, а в тихом омуте черти водятся; за ним нужен глаз да глаз; одному богу известно, сколько девушек он покорил в соседнем квартале». Слыша их похвалы, ему трудно было удержаться от бессмысленной ухмылки; но откуда у них эта уверенность?

Господи, да ведь он работает с четырех вечера до полуночи, со вторника по воскресенье. Где же ему видеться с девушками? Он незнаком даже с парнями собственного возраста, а только с мужчинами старше его, с которыми работает уже четыре года в грузовой конторе. Он заторопился прочь, грубо хлопнув за собой дверью.

Лючия Санта тяжело вздохнула:

— Куда это он так поздно? С кем он якшается? Чем они там занимаются? Им наверняка помыкают другие — он такая невинная овечка!

Октавия уселась поудобнее. Ей недоставало книги перед глазами; жаль, что на другом конце квартиры ее больше не ждет своя постель. Но там, далеко, в их чистенькой квартире в Бронксе, муж не уснет, пока она не вернется. Он станет читать и чиркать ручкой в уютной гостиной с застеленным ковром полом, под абажуром, чтобы потом встретить ее с любящей, но одновременно снисходительной улыбкой: «Ну что, хорошо посидела с семьей?» — и поцеловать ее с мягкой грустью, делавшей их чужими друг другу.

Лючия Санта сказала:

— Ты бы не засиживалась. Не хватало только, чтобы ты ездила в подземке в поздний час, когда туда набиваются все убийцы.

— У меня еще полно времени, — успокоила ее Октавия. — Я переживаю за тебя. Может быть, мне остаться на пару дней, чтобы ты отдохнула от детей?

Лючия Санта пожала плечами.

— Позаботься лучше о муже, иначе станешь вдовой — тогда узнаешь, что довелось пережить твоей матери.

— Тогда я просто опять переберусь к тебе, — беззаботно ответила Октавия. Однако, к ее удивлению Лючия Санта устремила на нее угрюмый вопрошающий взгляд, словно не поняв шутки. Она покраснела.

Видя, что задела чувства дочери, мать стала оправдываться:

— Ты разбудила меня в неудачное время. Я во сне как раз собралась проклясть своего чертова сынка — наверное, мне и впрямь следовало бы его проклясть

— Ма, забудь ты об этом! — безмятежно посоветовала Октавия.

— Никогда не забуду! — Лючия Санта прикрыла глаза ладонью. — Если есть на небе бог, не избежать ему кары. — Она потупилась и снова стала казаться бесконечно утомленной. — Отца засыпали землей, а его старший сын не пролил ни слезинки! — Ее голос звенел гневом. — Значит, Фрэнк Корбо жил на этой земле зря, напрасно страдал и обречен корчиться в аду. А ты еще заставила меня впустить Джино домой без взбучки, даже без словечка осуждения... Его никогда не беспокоили наши чувства. Я-то думала, что с ним случилось что-то страшное, что он спятил, как его папаша. А он как ни в чем не бывало заявляется и даже отказывается давать объяснения! Я сдержала гнев, но он душил и душит меня! Что он за зверь, что за чудовище? Заставляет мир презирать его отца и его самого, а потом смеет возвращаться, есть, пить, спать без малейшего стыда! Он мне сын, но в своих снах я проклинаю его и вижу мертвым в отцовском гробу!..

— К черту! К черту!!! — заорала Октавия. — Я была на похоронах, хотя и ненавидела его. Что же из того? Ты была на похоронах, но не выдавила и слезинки. За целый год перед его смертью ты ни разу не навестила его в больнице.

Эти слова успокоили обеих. Они ухватились за кофейные чашки.

— Джино возьмется за ум, — сказала Октавия. — У него хорошая голова. Может быть, из него еще выйдет толк.

Лючия Санта презрительно усмехнулась.

— Да уж, толк: лодырь, преступник, убийца! Но я точно знаю, кем ему ни за что не быть: мужчиной, приносящим домой деньги, заработанные честным трудом.

— А-а, вот почему ты бесишься — потому что Джино не работает после школы! Потому что он — единственный, кем тебе не удается помыкать.

— Кто же должен им помыкать, если не родная матушка? — подбоченилась Лючия Санта. — Или ты полагаешь, что у него никогда не будет босса? И он надеется на то же самое. Неужто он всю жизнь будет есть бесплатно? Не выйдет! Что с ним станет, когда он узнает, что такое жизнь, как она трудна? У него слишком большие ожидания, он получает от жизни слишком много удовольствий! Я тоже была такой в его возрасте — и потом страдала. Я хочу, чтобы он научился жизни от меня, а не от чужих людей.

— Ничего не получится, ма. — Октавия помялась. — Посмотри на своего любимчика Ларри: сколько ты с ним возилась — а он теперь без пяти минут гангстер, собирающий деньги для своего дутого профсоюза.

— О чем ты? — Лючия Санта презрительно отмахнулась. — Я не могла даже заставить его поколотить младших братьев — до того он был малодушный.

Октавия покачала головой и медленно произнесла, не скрывая удивления:

— Ма, иногда ты бываешь очень проницательной. Откуда же такая слепота?

Лючия Санта рассеянно отхлебнула кофе.

— Ладно, он теперь не имеет отношения к моей жизни. — Она не увидела, как Октавия поспешно отвернулась, и продолжала: — Джино — вот кто не выходит у меня из головы. Ты только послушай: ему дают прекрасное место в аптеке, но он вылетает оттуда через два дня. Два дня! Другие люди держатся за место по сорок лет, а мой сын — два дня!

— Он сам ушел или его выставили? — со смехом спросила Октавия.

— Ты находишь в этом что-то смешное? — осведомилась Лючия Санта на вежливейшем итальянском, свидетельствовавшем о крайнем огорчении. — Да, его выбросили! В первый день он, отучившись, остался поиграть в футбол и только потом изволил явиться на работу. Наверняка надеялся, что магазин закроется еще до того, как он там появится, — этакий дурень! Наверное, он вообразил, что padrone пожертвует ради него своей торговлей. Конечно, нашего славного Джино не продержали там и недели!

— Я с ним поговорю, — решила Октавия. — Когда он возвращается домой?

Лючия Санта в очередной раз пожала плечами.

— Кто его знает? Король приходит и уходит когда ему вздумается. Ты мне вот что скажи: о чем эти сопляки болтают до трех часов ночи? Я выглядываю из окошка и вижу его на ступеньках: они все болтают и болтают, хуже старух.

— Вот уж не знаю, — вздохнула Октавия и засобиралась.

Лючия Санта сама убрала со стола чашки. Мать и дочь не обнялись и не поцеловались на прощание. Можно было подумать, что дочь уходит в гости и скоро вернется. Мать, подойдя к окну, провожала ее взглядом, пока она не свернула с Десятой авеню, направившись к входу в метро.

ГЛАВА 19

В понедельник вечером Винни Ангелуцци отдыхал от железной дороги. В этот вечер он вознаграждал свою плоть за нищую жизнь.

Подтрунивание матери и сестры смутило его, потому что на самом деле он собирался отдать кровные пять долларов за простые и эффективные услуги продажной женщины. Он стыдился этого как свидетельства жизненной неудачи. Он помнил, с какой невольной гордостью мать упрекала Ларри за шашни с девчонками. Мать и Октавия отвернулись бы от него в отвращении, узнай они, чем он собирается заняться.

Винни выходил на работу в четырехчасовую смену с тех самых пор, как бросил, недоучившись, школу. Он никогда не бывал на вечеринке, ни разу не целовался с девушкой, ни разу не разговаривал с девушкой в тишине летней ночи. Его выходной неизменно приходился на понедельник, а в понедельник вечером делать совершенно нечего. В довершение зол он был застенчив.

Вот почему Винни согласился на эту жалкую, но честную замену — респектабельный публичный дом, рекомендованный старшим клерком грузовой конторы, который заботился о том, чтобы его подчиненные не ошивались по барам, становясь добычей вконец опустившихся шлюх. Иногда старший клерк составлял молодежи компанию.

Ради такого случая все клерки наряжались по-праздничному, словно их ждала встреча с будущим нанимателем. Все надевали костюмы, галстуки, шляпы и плащи — форменную одежду выходного, седьмого дня недели, когда наступает время порадовать душу. Винни вечно дразнили гангстером из-за его черной шляпы, хотя он был моложе остальных. Местом встречи был бар «Даймонд Джим», где подавали «хот доги», сандвичи с горячей жареной говядиной и холодное мясо, не отличающиеся цветом от цвета лица старшего клерка. Церемония требовала, чтобы каждый заказал виски, и кто-нибудь из клерков то и дело повелительно провозглашал: «Сейчас моя очередь» — и выкладывал деньги на стойку. Дождавшись, пока каждый из присутствующих угостит коллег, они высыпали на Сорок вторую стрит, в неоновые сполохи кинотеатров, протянувшихся бесконечными рядами по обеим сторонам улицы. К этому часу шатающихся по тротуарам становилось такое множество, что им приходилось прикладывать немало усилий, чтобы не потерять друг друга, будто потерявшийся будет унесен волнами и уже не найдет остальных. Вдоль Сорок второй их приветствовали огромные фанерные красотки, чья нагота, подсвеченная электричеством, выглядела особенно непристойно.

Их целью был чинный четырехэтажный отель, скрывающийся за сполохами холодной фанерной плоти. Войдя, они направлялись прямиком к лифту. Им не приходилось пересекать холл, поскольку они пользовались входом, предназначенным только для таких посетителей, как они. Лифтер подмигивал им — серьезно, по-деловому, вовсе не намекая на фривольную цель посетителей, — и вез их на верхний этаж. Здесь лифтер выпускал клиентов в застланный коврами холл и совсем по-домашнему, не закрывая лифта, стучался в одну из дверей и произносил пароль; клиенты заходили в комнату, ежась под пристальным взглядом лифтера.

11 – 2269

Теперь они толпились в гостиной двухкомнатного номера, уставленной кожаными креслами. В одном из кресел неизменно сидел ожидающий своей очереди посетитель. В кухонном закутке пряталась почти невидимая особа, попивающая кофе и распоряжающаяся людским потоком. Кроме того, в ее ведении находился буфет с бутылками виски и рюмками. Любой, испытывающий жажду, мог подойти к ней и выложить доллар, однако все обыкновенно происходило так быстро, что для этого не оставалось времени. Женщина почти не общалась с клиентами и выступала здесь скорее надзирательницей, чем барменшей.

Винни всегда помнил ее внешность и никогда — внешность девушек, трудившихся в спальнях. Она была мала ростом и имела тяжелую шапку коротких черных волос: угадать ее возраст было невозможно, но, надо полагать, она была уже стара для работы в спальне. Кроме того, у нее был совершенно нечеловеческий голос и лицо.

Голос ее был страшно хриплым, как часто бывает у проституток, словно потоки заразного семени, вливающиеся в их чрево, вредят и голосовым связкам. Чтобы произнести слово, ей требовалось немалое усилие воли. Черты ее лица, с точки зрения юного Винни, были маской порока. Бесформенные губы были плотно сжаты и почти никогда не открывали отвратительных зубов. Щеки и челюсти у нее были широкими и обвисшими, как у горюющей вдовы, погруженной в траур, нос же был сплющен не природой, а какими-то иными, неведомыми силами; черные бездушные глазки походили на два уголька. Кроме того, каждое ее слово, каждый жест свидетельствовали не о ненависти или презрении к миру, а просто о том, что она более не чувствует ничего и ни к кому. Она была совершенно беспола. Проскальзывая мимо клиента, она поводила в стороны бессмысленными глазами, как акула. Однажды она проходила мимо Винни, и он отпрянул, словно она была способна откусить кусок от его тела. Стоило выйти из спальни очередному клиенту, как она указывала на следующего, однако перед этим успевала заглянуть в спальню и прокаркать: «О'кей, девочка?» При звуке этого голоса у Винни застывала в жилах кровь.

Однако молодость брала свое. Оказавшись в спальне, он снова чувствовал себя разгоряченным. Он почти не глядел на раскрашенное лицо очередной утешительницы и вряд ли смог бы отличить одну от другой. Особа эта, чаще блондинка, перемещалась в золотом круге, отбрасываемом лампой с тяжелым абажуром, и краска на ее лице, казалось, отражает свет; Винни всякий раз видел только ярко-красный рот, длинный бледный нос, поблескивающий сквозь пудру, впалые, как у призрака, щеки и обведенные черным провалы вместо глаз с зеленым мерцанием на дне.

Последующие события неизменно повергали Винни в смущение: женщина подводила его к низенькому столику в углу комнаты, на котором стоял тазик с теплой водой. Он снимал туфли, носки и брюки, и она после тщательного, под стать врачебному, осмотра совершала омовение его полового органа.

Затем она подводила его к кровати у противоположной стены (на нем оставалась рубашка и галстук; как-то раз, дрожа от страсти, он хотел сбросить и их, но женщина простонала: «Нет, ради бога, не на всю же ночь...») и, скинув платье, представала пред ним нагой в тусклом свете лампы, горящей у изголовья кровати.

Противоестественно красные соски, круглый живот с жирком, аккуратный треугольник черных волос, колонноподобные бедра, покрытые густым слоем пудры, — все било в одну цель. Стоило проститутке скинуть платье и продемонстрировать свое тело, как кровь приливала к голове Винни с такой силой, что головная боль не проходила у него весь остаток вечера.

Объятие было чистой формальностью и напоминало пантомиму; женщина торопливо опрокидывалась на застеленную покрывалом кровать, увлекая за собой Винни. Оказавшись зажатым ее бедрами, как тисками, он терял самоконтроль. Чувствуя под собой ее горячую плоть, он зажмуривал глаза. Ее тело напоминало теплый, податливый воск, липкое мясо без крови и нервов. Его тело впитывало, как губка, ее тело, его силуэт впечатывался в этот размягченный воск... Мгновение — и он чувствовал себя свободным, исцеленным от одиночества.

Этим все и кончалось. Приятели-клерки дожидались последнего и шли гурьбой в китайский ресторанчик, а потом на сеанс в «Парамаут» или в кегельбан; завершающим аккордом становился стаканчик кофе в автопоилке. Даже заводя постоянных девушек, а то и невест, клерки не отказывались от посещения заветного отеля, но тогда, не успев выйти, торопились к подружкам.

Для Винни это было все равно, что пища, родная постель, получка. Это превратилось в неотъемлемую часть жизни, без которой он не смог бы существовать. Но с течением времени он замечал, что все больше отрывается от окружающего мира и населяющих его существ.

ГЛАВА 20

Куда подевались все подлецы, проклинавшие Америку и американскую мечту? Кто теперь может в ней усомниться? Теперь, когда в Европе разгорелась война, когда англичане, французы, немцы, даже Муссолини миллионами посылают людей на смерть, вдоль западной стены города не осталось ни одного итальянца с пустыми карманами. Страшная Депрессия отошла в прошлое, людям больше не приходится побираться, социальных работников теперь дружно посылают к черту, не пуская на порог. Планы приобретения домов на Лонг-Айленде снова обрели реальность.

Конечно, новое благосостояние опирается на смертоубийство. Новые рабочие места появляются только благодаря войне в Европе. Так ворчали те, кому хотелось неприятностей. В какой другой стране мира люди могут богатеть благодаря невзгодам остального мира?

Выходцы с Юга — из Сицилии, Неаполя, Абруццо, — заселившие Десятую авеню, не переживали за Муссолини и не желали ему победы. Они никогда не любили родину, которая ровным счетом ничего для них не значила. На протяжении долгих веков власти там были худшими врагами их отцов, отцов их отцов и так далее до десятого колена. Богатые там неизменно плевали на бедных. Негодяи из Рима и с Севера всегда пили их кровь. Что за удача — оказаться здесь, в Америке, в полной безопасности!

Недовольна была одна Терезина Коккалитти: в эти благословенные времена она не могла больше записывать сыновей безработными, поэтому ее исключили из списка получателей семейного пособия. Теперь она кралась вдоль стен, как тень, и мешками закупала сахар, десятками банок — жиры, рулонами — ткани. Лючии Санте она загадочно шептала: «Придет день — обязательно придет...» Тут она хваталась за рот и умолкала. Что она хотела этим сказать? Конечно, был объявлен призыв в армию, однако с Десятой авеню пока забрали всего одного юношу. Ничего серьезного до сих пор не произошло.

Лючия Санта была слишком занята, чтобы уделять время словам тетушки Коккалитти. На жителей авеню пролился золотой дождь. Дети, придя из школы, тут же спешили на работу. Сал и Лена работали неполный рабочий день на новой фабрике медикаментов на Девятой авеню. Винни работал семь дней в неделю. Пусть европейцы убивают друг друга на здоровье, раз так им больше нравится. Деревня, где жили родители Лючии Санты, была так мала, а земля так бесплодна, что никому из ее родни не могла грозить опасность.

Один мерзавец Джино отлынивает от работы. Впрочем, и он бездельничает последнее лето. В январе он окончит среднюю школу, и его праздность лишится всякого оправдания. Лючия Санта тщетно упрашивала знакомых найти ему работу: его неизменно выбрасывали за дверь.

Вот, впрочем, дело, которое можно поручить даже этому mascaizone: Винни снова забыл дома сумку с обедом; пусть Джино отнесет ее ему. Лючия Санта загородила Джино дорогу, когда тот, вооружившись бейсбольной битой и нацепив на руку свою чертову акушерскую перчатку, пытался проскочить мимо ее грузной фигуры. Ни дать ни взять князь с тросточкой!

— Отнесешь это брату на работу, — распорядилась она, протягивая ему замасленный бумажный пакет и скрывая усмешку при виде его брезгливой гримасы. Как же он горд — подобно всем тем, кому не приходится проливать пот, зарабатывая на хлеб! Какая неженка!

— Я опаздываю, ма! — буркнул он, не замечая пакета.

— Куда же это, интересно? — нетерпеливо осведомилась Лючия Санта. — Жениться? Положить в банк все заработанное тобой за эту неделю? На встречу с приятелем, обещавшим пристроить тебя на достойное место?

— Ма, Винни может поесть в буфете! — взмолился Джино.

Это уж слишком!

— Твой брат гробит себя ради тебя! — горько упрекнула мать сына. — Он-то никогда не играет и не носится в парке. Ты никогда не приглашаешь его составить тебе компанию — а ведь ему так одиноко! Куда там, ты даже не можешь отнести ему еду! Ты позоришь семью! Иди, играй, околачивайся с дружками! Я сама схожу к нему.

Пристыженный Джино взял у нее пакет. В глазах матери зажегся победный огонек, но ему не было до этого дела: просто ему захотелось хоть что-то сделать для Винни.

Он легко затрусил по Десятой в сторону Тридцать седьмой стрит, а потом по ней — к Одиннадцатой авеню. Ему нравилось, как стремительно движется его тело, рассекая жаркое летнее марево. В детстве он совершал гигантские прыжки, чтобы удостовериться, может ли он летать — ему казалось, что это возможно; теперь то время прошло. У самого здания конторы он подбросил пакет высоко в воздух и тут же развил бешеную скорость, чтобы поймать пакет, прежде чем он ударится о тротуар.

Он медленно ехал на последний этаж в забранном решетками лифте, вдыхая крысиную вонь. Лифтер в пыльной серой форме с какими-то желтыми червяками в петлицах распахнул перед ним дверь с загадочной презрительностью, с какой относятся к юношам многие взрослые, и Джино оказался в зале, занявшем весь этаж.

Зрелище напоминало кошмар — такой видится тюрьма человеку, который не сомневается, что в конце концов окажется в неволе. Зал был заставлен рядами столов, на которых лязгали печатные машинки, выстреливавшие целые мили погрузочно-разгрузочных накладных. Клерки, склонившиеся над машинками, были все как один в пиджаках, белых рубашках и галстуках с ослабленными узлами. Все они были старше Винни годами и работали, как метеоры. Машинки тарахтели как одержимые. На каждом столе стояло по желтой лампе; остальной зал был погружен в темноту, свет горел только над длинным стеллажом, заваленным отпечатанными бланками. Вдоль этого стеллажа перемещался скрюченный, тощий человечек с устрашающе серой физиономией. В зале не было слышно человеческих голосов, снаружи не просачивалось ни единого лучика света.

Казалось, все эти люди заперты в небывалой гробнице, громоздящейся над путями, по которым грохочут бесчисленные товарные составы. Джино долго крутил головой, прежде чем заметил Винни.

Винни был тут единственным, на ком не оказалось пиджака; кроме того, на нем была цветная рубашка, которую можно носить несколько дней, не меняя. Его кудрявые черные волосы казались влажными в желтом свете лампы на стальной ножке. Джино видел, что брат работает медленнее остальных, хотя лицо его выражало крайнюю степень сосредоточенности. Прочие клерки, напротив, напоминали сомнамбул.

Неожиданно Винни поднял глаза, без всякого выражения скользнул взглядом по Джино и зажег сигарету. Джино удивился: оказывается, Винни не видит ни его, ни других сидельцев в зале; Джино стоял в темноте, вне желтого мирка у стола брата. Он обогнул несколько столов и подошел к Винни. Клерки приподнимали головы, когда он проходил мимо, словно он затмевал им солнце. Винни снова поднял глаза.

На его лице отпечаталась такая радость, что у Джино защемило сердце. Улыбка Винни была необыкновенно радушной, как когда-то в детстве. Джино прицелился и метнул в него бумажным пакетом. Винни ловко подхватил пакет. Джино неуверенно остановился у его стола.

— Спасибо, братишка, — сказал Винни. Ближайшие клерки прервали работу, и Винни сказал им: — Это мой младший брат Джино.

Джино покоробила гордость, с которой Винни

произнес эти слова. Двое клерков отозвались, окинув его холодными оценивающими взглядами:

— Привет, парень!

Джино стало стыдно своих спортивных штанов и белой майки, он почувствовал себя глупо, словно явился в легкомысленном наряде на собрание серьезных мужей. Тут подал голос серолицый:

— Эй, ребята, пошевеливайтесь, не то отстанете.

После этого он приковылял к Винни и вручил ему пачку счетов. Он походил на старую исхудавшую крысу.

— Ты задерживаешься, Винни, — пожурил он его.

Винни нервозно бросил в удаляющуюся спину:

— Наверстаю в перерыве.

Джино собрался уходить. Винни встал и вышел из своего желтого круга, чтобы проводить брата до лифта. Они ждали, слушая, как скрипят стальные тросы и дребезжит ползущая вверх кабина.

— Ты можешь срезать, если пройдешь через сортировочную станцию, — посоветовал ему Винни. — Только будь осторожен, следи за локомотивами. — Он положил руку Джино на плечо. — Спасибо за ленч. Ты играешь в субботу?

— Ага, — откликнулся Джино. Лифт полз наверх еле-еле. Ему не терпелось унести отсюда ноги. Он видел, как озабоченно оглядывается Винни на тарахтящие машинки; через секунду старший брат вздрогнул, увидев, как серая крыса подслеповато вглядывается в потемки, пытаясь высмотреть их у лифта.

— Если успею встать, приду посмотреть, — пообещал Винни. Тут с ними поравнялся лифт. Стальные двери распахнулись, Джино сделал шаг вперед. Начался томительно-медленный спуск. От запаха плесени, крыс и старых испражнений у Джино подступила тошнота к горлу. Выйдя на волю, он задрал голову, наслаждаясь теплыми лимонными лучами сентябрьского солнца. Он радовался свободе.

Он больше не вспоминал Винни, а припустился бегом через сортировочную станцию — необъятное поле разбегающихся во все стороны серебристых рельс, которые то и дело сходились, чтобы снова разойтись. Он согнул правую руку, словно сжимая мяч, и стал еще быстрее перепрыгивать со шпалы на шпалу, стараясь не касаться рельсов, которые, смыкаясь, грозили поймать его ногу в западню. Он ловко уворачивался от черных мастодонтов-паровозов, отпрыгивая то вправо, то влево и все больше набирая скорость. За его спиной раздался свисток, и Джино пустился наперегонки с паровозом; через несколько минут машинист, окинув его безразличным взглядом, пришпорил своего мастодонта, который загрохотал еще оглушительнее и обогнал Джино. Когда соперник замер поблизости от гурта коричневых и желтых товарных вагонов, Джино тоже остановился, с трудом переводя дыхание. Его белая майка намокла от пота, он чувствовал, что его мучают голод и жажда, но зато он обрел прежнюю силу и свежесть. Он снова припустился бегом и в конце концов выскочил с территории сортировочной станции неподалеку от Челси-парка. Здесь его уже поджидали приятели, пинавшие мяч.

ГЛАВА 21

Спустя неделю Лючия Санта, проснувшись поутру, почувствовала смутную тревогу. Сал с Леной все еще нежились в постелях. На рассвете Лючия Санта слышала, как вернулся домой Джино: она знала, как беспечно и шумно он раздевается. Прихода же Винни она так и не расслышала. Потом она припомнила, что в понедельник у него выходной и в этот день он иногда является даже позже, чем Джино.

Зная, что никто не может проникнуть в квартиру так, чтобы ей не стало известно об этом, она все же заглянула в комнату Винни. Теперь он спал в прежней спальне Октавии, единственной комнате во всей квартире с закрывающейся дверью. Кровать осталась нетронутой, однако Лючия Санта не торопилась начинать волноваться по-настоящему. Позже, отослав детей в школу, она облокотилась о лежащую на подоконнике подушку и принялась ждать, когда сын появится на авеню. Время шло; когда через мостовую потянулись железнодорожники, торопящиеся домой на обед, она смекнула, что наступил полдень. Тут уж она забеспокоилась не на шутку. Облачившись в толстый вязаный жакет, она спустилась к Лоренцо.

Она знала, что старший сын всегда пребывает с утра в дурном настроении, однако слишком нервничала, чтобы ждать и дальше. Она застала Ларри с чашкой кофе; из-под старенькой майки выбивались густые черные волосы, покрывающие всю его грудь. Прихлебывая кофе, он, не скрывая раздражения, отрезал:

— Ма, он больше не дитя, господи боже мой! Наверное, где-то задержался, и было уже поздно возвращаться. Вот проспится — и пожалует домой как миленький.

— Вдруг с ним что-то случилось? — продолжала тревожиться Лючия Санта. — Как мы узнаем об этом?

— Не беспокойся, полицейские повсюду суют нос, — сухо ответил Ларри.

Луиза налила матери кофе. На ее отяжелевшее, но все еще красивое лицо, обычно безмятежное, тоже легла тень волнения. Она симпатизировала Винни, поскольку знала его лучше, чем кто-либо еще, исключая мать, и тоже отказывалась воспринимать его отсутствие как нормальное явление.

— Пожалуйста, Ларри, поезжай и попробуй разузнать о нем, — обратилась она к мужу.

Слышать от нее такое было настолько необычно, что Ларри сдался. Он погладил мать по плечу.

— Я загляну к Винни в контору, ладно, ма? Дай только допью кофе.

Лючии Санте пришлось возвратиться наверх и ждать там, сгорая от беспокойства.

К трем часам из школы вернулись Джино и младшие, а Ларри все не было. Мать попыталась задержать Джино дома, чтобы не так убиваться, но тот так ничего и не понял и улизнул с мячом, ни о чем не спросив. Сал и Лена делали уроки, примостившись у круглого кухонного стола, и мать дала им по бутерброду с оливковым маслом и уксусом. Наконец в пять вечера вернулся Ларри: Винни нет на работе, о нем никто ничего не слышал. Она видела, что теперь и Ларри встревожен; она принялась заламывать руки и взывать по-итальянски к господу.

Луиза поднялась к матери вместе с детьми и попыталась ее успокоить. В суматохе никто не расслышал прозвучавших на лестнице шагов. Внезапно в дверном проеме вырос черный силуэт железнодорожного «быка», позади которого маячил посеревший Panettiere. Последний шагнул вперед, словно не желая, чтобы Лючия Санта увидела «быка» и расслышала его слова, и инстинктивно поднял вверх обе руки, ладонями к Лючии Санте; в его жесте было столько невысказанной скорби, что Лючия Санта утратила дар речи. Первой заголосила Луиза.

Джино как ни в чем не бывало сидел на крыльце Гудзоновой Гильдии вместе с друзьями, когда к нему подошел Джои Бианко. Джои сказал:

— Шел бы ты домой, Джино, у вас там большой переполох.

Теперь Джино редко виделся с Джои. Они переросли былое приятельство, как часто бывает с детьми, и теперь чувствовали в обществе друг друга смущение. Джино не стал окликать Джои, когда тот продолжил путь, и не спросил его, в чем, собственно, дело. Сперва он даже не хотел идти домой, но потом все-таки решил взглянуть, что там еще стряслось.

Он пересек Челси-парк по диагонали и легко побежал по Десятой авеню. От угла Тридцатой стрит он увидел перед своим крыльцом большую толпу и перешел на медленный шаг.

В толпе не оказалось ни одного родного лица. Джино бегом преодолел лестницу и ворвался в квартиру. Она была забита соседями. У окна в углу стояли Сал с Леной, одинокие и побелевшие от страха. Толпа расступилась, и взору Джино предстала мать, усаженная на стул. Над ней возвышался доктор Барбато, держащий наготове шприц. Ларри крепко обнимал мать обеими руками, не давая ей биться в конвульсиях.

Вид матери был ужасен: казалось, порвались все

мускулы ее лица, которое утратило какое-либо выражение. Рот ее странно кривился, словно она хотела что-то сказать. Глаза ее уставились в одну точку, как у слепой. Внезапно она сделала резкое движение, словно собираясь соскочить со стула, но тут доктор Барбато нанес ей удар шприцем в руку и стал ждать последствий.

Черты лица Лючии Санты постепенно разгладились, приобретая выражение покоя. Веки ее закрылись, тело расслабилось.

— Отнесите ее на кровать, — распорядился доктор Барбато. — Пусть поспит часок. Позовите меня, когда она проснется.

Ларри и несколько женщин понесли мать в спальню. Джино обнаружил, что стоит рядом с Терезиной Коккалитти. Он впервые в жизни заговорил с ней — тихим, почти неслышным голосом:

— Что случилось с матерью?

Тетушка Терезина была рада удовлетворить его любопытство: хоть в чем-то она наведет порядок в этот несчастливый день.

— О, с матерью ничего не случилось, — произнесла она, взвешивая каждое слово. — А вот твоего брата Винченцо нашли на сортировочной станции — его переехал паровоз. Что до твоей матери, то так всегда бывает с родителями, оплакивающими детей. Пожалел бы ее хоть сейчас!

Джино навсегда запомнил выражение ненависти на ее черном, ястребином лице; ему было не суждено забыть, как мало горя доставила ему смерть брата и каково было его удивление, что кто-то, даже мать, способен так убиваться.

Выйдя из спальни, Ларри подозвал Джино. Они вместе спустились по лестнице и залезли в машину Ларри. Опускались сумерки; они доехали до угла Тридцать шестой стрит и Девятой авеню, где остановились у дома из бурого камня. Ларри впервые обратился к Джино:

— Ступай на третий этаж и вызови Левшу Фея. Я хочу с ним поговорить. — Но тут на ступеньках крыльца появилась мужская фигура, и Ларри, опустив стекло, позвал: — Эй, Левша! — Обращаясь к Джино, он приказал: — Пусть сядет на твое место. Лезь назад.

Левша Фей был высоким, широкоплечим ирландцем; Джино помнил, что они выросли с Ларри вместе и что Фей был единственным, кто мог победить Ларри в кулачной схватке. Пока мужчины прикуривали, Джино перебирался на заднее сиденье. Жестокие слова тетушки Терезины до сих пор оставались для него набором слов. Он еще не почувствовал, что Винни не стало.

Голос Ларри прозвучал в темноте вполне спокойно, хоть и устало:

— Боже, какой плохой сегодня день — для всех!

— Это точно, — вздохнул Левша Фей. Его голос был грубым от рождения, но сейчас в нем прозвучала неподдельная печаль. — Я вышел опрокинуть рюмочку. За ужином мне кусок не лез в горло.

— Как же получилось, что ты не знал, что твой паровоз сбил именно моего брата? — В голосе Ларри не было слышно осуждения, но Левша Фей взвился:

— Боже, Ларри, в чем ты меня обвиняешь? Это произошло в самой глубине сортировочной станции, недалеко от Сорок второй стрит... — Ларри ничего не ответил, и Фей заговорил спокойнее: — Я видел его только ребенком, когда мы с тобой были приятелями. С тех пор он здорово изменился. У него не было никаких документов.

— Да не обвиняю я тебя... — Голос Ларри был очень усталым. — Но «бык» говорит, будто ты написал в докладной, что мой брат прыгнул тебе под самые колеса. Как же так?

Джино замер в темноте, дожидаясь ответа Фея. Молчание затянулось. Наконец зазвучал грубый голос — но уже совсем по-иному:

— Ларри, клянусь господом, так мне в тот момент показалось! Если бы я знал, что это твой брат, я бы ни за что не написал этих слов. Но так мне показалось!

Теперь Джино расслышал в тоне брата напор.

— Брось, Левша! — процедил он сквозь зубы. — Ты же знаешь, что мой брат Винни никогда бы не сделал ничего подобного. Еще ребенком он пугался даже собственной тени. Может, он был выпивши или просто растерялся? Словом, ты еще можешь переделать докладную.

— Не могу, Ларри! — торопливо ответил Фей. — Ты же знаешь, что не могу! Иначе копы примутся за меня как следует. Я мигом лишусь работы.

Ларри безапелляционно произнес:

— Я гарантирую тебе работу.

Ответа не последовало.

Ларри поднажал:

— Левша, я знаю, что ты не прав. Если ты оставишь все, как есть, знаешь, что случится с моей матерью? Она лишится рассудка! Она кормила тебя, когда мы были мальчишками. Неужели ты так поступишь с ней?

Голос Фея дрогнул.

— Я тоже забочусь о жене и детях. — Ларри ничего не ответил. — Если я изменю текст, то железной дороге, возможно, придется выплачивать твоей матери компенсацию. Значит, они меня наверняка взгреют. Не могу я этого сделать, Ларри! И не проси.

— Получишь половину компенсации, — пообещал Ларри. — И потом, я тебя прошу!

Фей нервно хохотнул.

— Раз ты работаешь на ди Лукка, то считаешь, что можешь меня заставить? — Это прозвучало почти как вызов, призванный напомнить былые деньки, когда они были мальчишками и Левша играючи поколачивал Ларри.

Внезапно в машине раздался голос, которого Джино не узнал и при звуке которого его кровь застыла от животного страха. Говорящий преднамеренно пропитал свои слова всем ядом, всей безжалостностью, всей ненавистью, какие только можно почерпнуть в самых низменных закоулках души. Голос принадлежал Ларри:

— Я тебя распну! — молвил он. Это была даже не угроза, а смертельное по серьезности обещание, в котором не было ни капли человечности.

Теперь в спертом воздухе салона разлился страх, от которого Джино стало по-настоящему дурно. Он распахнул дверь и выбрался на свежий воздух. Он хотел уйти от них пешком, но его остановило опасение, что без него Ларри что-нибудь сделает с Феем. Потом он увидел, как Фей вылезает из машины и Ларри протягивает ему в окно несколько свернутых бумажек. Проводив Фея взглядом, Джино снова плюхнулся на переднее сиденье. Он не мог заставить себя взглянуть на брата. Крутя руль, Ларри произнес прежним утомленным голосом:

— Не верь его болтовне, Джино. Всякий раз, стоит произойти несчастному случаю, кто-нибудь начинает врать. Никому не хочется брать вину на себя. «Бык» сказал мне, что Винни был пьян — от него разило виски. Ладно, пусть он виноват — но не прыгал же он под паровоз! — Помолчав, он закончил, словно испытывая потребность объясниться до конца: — Я беспокоюсь за нашу старушку. Господи, как я за нее беспокоюсь!

Ни тот ни другой не могли говорить о Винни.

ГЛАВА 22

Даже смерть приносит немало хлопот: изволь варить кофе самым близким среди скорбящих, обносить их вином, благодарить и баловать вниманием горюющих родственников и друзей.

Изволь оповестить родственников почившего, всех до одного: крестных, обитающих в Нью-Джерси, ершистую родню, роскошествующую в собственных замках на Лонг-Айленде, старых друзей из Такахо... Всех их придется обхаживать, как князей: ведь убитые горем люди привлекают к себе всеобщее внимание, поэтому поведение их должно оставаться безупречным.

Кроме того, только вновь прибывшая на новые берега зелень оплакивает своих умерших под родной крышей; здесь же положено нести вахту в траурном зале, и кому-то из семьи обязательно надо находиться при усопшем, чтобы приветствовать новых скорбящих. Пока тело бедняжки Винченцо не предано земле, его нельзя оставить ни на минуту. Смерть подарила ему куда больше попутчиков, чем за весь его жизненный путь.

В первый вечер траура по Винченцо, лишь только начали сгущаться сумерки, семья Ангелуцци-Корбо сошлась в кухне квартиры на Десятой авеню. Здесь было зябко: намечалось долгое отсутствие, поэтому было решено не зажигать керосиновую плиту.

Лючия Санта восседала за столом очень прямо, но фигура ее в черном облачении выглядела обрюзгшей, глаза заплыли от слез, лицо приобрело болезненно-желтый оттенок. Она прихлебывала кофе, потупив взор. Октавия сидела рядышком, то и дело поглядывая на мать, готовая исполнить любое ее поручение. Необычная неподвижность матери повергала дочь в смятение.

Наконец Лючия Санта обвела комнату взглядом, словно впервые узрев собравшихся, и сказала:

— Накормите Сальваторе и Лену.

— Я все сделаю, — поспешно встрял Джино. На нем был черный костюм, левый рукав был перехвачен черной шелковой повязкой. Он маячил у матери за спиной, у подоконника, чтобы не попадаться ей на глаза. Сейчас он заторопился к леднику в передней, радуясь возможности хоть минуту побыть вне тоскливой кухни.

Он провел дома целый день, помогая матери. Он подавал кофе, мыл тарелки, приветствовал посетителей, занимал их чад. За весь день мать не сказала ему ни единого словечка. Один раз он спросил ее, не хочется ли ей перекусить. Она окинула его долгим, но по-прежнему холодным взглядом и отвернулась, так и не разомкнув уста. Больше он с ней не заговаривал и вообще старался держаться в тени.

— Кто-нибудь чего-нибудь хочет? — взвинченно спросил он. Мать оторвалась от созерцания клеенки и посмотрела ему прямо в глаза; на ее щеках разгорелись красные пятна.

— Налей маме еще кофе, — попросила его Октавия тихим голосом, почти шепотом — все они в этот день стали шептунами.

Джино схватил кофейник и долил чашку матери до краев. Занимаясь этим, он ненароком прикоснулся к матери, но она отпрянула, окинув его испепеляющим взглядом, от которого он врос в пол, застыв с по-дурацки воздетым кофейником.

— Кажется, пора, — сказал Ларри. Он выглядел писаным красавцем в черном костюме, черном галстуке и белоснежной рубашке. Траурная повязка сползла у него на рукаве с локтя на кисть. Лючия Санта взялась укрепить ее на локте булавкой.

— Ты не забыл о тетушке Коккалитти? — спросила его Октавия.

— Я заеду за ней позже, — ответил Ларри. — Заодно захвачу Panettiere и родителей Луизы.

Октавия озабоченно молвила:

— Надеюсь, в траурном зале не будет слишком много шалящих детей. Сообразили бы они оставить малышей дома!

Ей никто не ответил. Все ждали, пока встанет Лючия Санта. Джино свесился в окно, вобрав голову в плечи, чтобы ни на кого не смотреть и не мозолить матери глаза. Октавии первой изменило терпение: она встала и принялась натягивать пальто. Потом она занялась траурными повязками на рукавах Сала и Лены. Второй поднялась Луиза. Ларри уже нетерпеливо переминался у двери. Однако Лючия Санта никак не двигалась с места. Все слегка перетрухнули, видя ее спокойствие. Октавия шепнула:

— Джино, подай матери пальто.

Джино сходил в спальню и вернулся оттуда уже одетым, держа в руках пальто для матери, и встал у нее за спиной. Он держал пальто широко распахнутым, чтобы матери не составило труда продеть руки в рукава. Однако мать не удостаивала его вниманием.

— Давай же, ма! — не вытерпел он. В его ласковом голосе впервые прозвучала жалость, которую он все-таки испытывал к ней.

Только тогда она повернулась, не вставая со стула, и устремила на него до того безжалостный и холодный взор, что Джино отшатнулся. Наконец она спокойно произнесла:

— Так на эти похороны ты пойдешь, да?

На какое-то мгновение все замерли, как громом пораженные, не понимая смысла ее слов, а потом — не в силах поверить в их жестокость; побелевшее лицо потрясенного Джино все же убедило их, что они не ослышались. Теперь распахнутое пальто, которое он все так же держал в руках, стало щитом, загораживавшим его от матери. Он казался завороженным.

Однако мать словно вознамерилась уничтожить его своим страшным, безжалостным взглядом. Голос ее звучал по-прежнему спокойно:

— За что нам такая честь? Ты же не соизволил взглянуть на собственного отца в гробу! Пока твой брат был жив, ты и не думал помогать ему, у тебя не хватало времени, чтобы оторваться от возлюбленных друзей и сделать приятное самому близкому человеку. Ты не проявлял к нему ни малейшего снисхождения, ты был для него никем. — Она помолчала, чтобы придать тону оскорбительную нотку снисходительного презрения. — Тебе захотелось продемонстрировать свое горе? Ты наливаешь кофе, подаешь мне пальто. Значит, ты по большому счету не такой уж бесчувственный зверь. Значит, даже от тебя не ускользнуло, как любил тебя твой брат, какой безграничной была его доброта. — Она еще помолчала, словно давая ему время для ответа, а потом заключила просто: — Уходи. Не хочу тебя видеть.

Он заранее знал, что она скажет все это. Он инстинктивно огляделся, словно взывая о помощи, однако на лицах близких отразился только сочувственный ужас людей, лицезреющих искалеченную жертву несчастного случая. Потом он словно ослеп. Выронив пальто, он стал пятиться, пока не уткнулся спиной в подоконник.

То ли он зажмурился, то ли просто отвернулся, но он не видел лица матери, когда она наконец повысила голос:

— Я не хочу, чтобы ты шел на похороны. Снимай пальто! Оставайся дома, прячься, как зверь, — ведь ты и есть зверь!

Но тут Октавия, вопреки ее натиску, тоже крикнула, вложив в свой крик мольбу:

— Ма, ты в своем уме? Замолчи, ради бога!

Лена уже начала скулить от страха. Наконец раздалось шарканье ног: кухня стала пустеть. Джино узнал нелепый материнский смех, заглушивший неуклюжий шорох новой одежды. Потом до него донесся шепот Октавии:

— Не обращай внимания на маму. Немного подожди и приходи в траурный зал. На самом деле она хочет, чтобы ты пришел. — После паузы она встревоженно спросила: — Джино, ты себя хорошо чувствуешь?

Он растерянно кивнул, все еще не открывая глаз.

В кухне стало тихо. К Джино постепенно вернулось зрение. Электрическая лампочка отбрасывала круг грязно-желтого света, в котором казался еще более неуклюжим, чем на самом деле, огромный круглый стол, заставленный кофейными чашками и залитый кофе, просачивающимся в порезы на древней клеенке. Чтобы не бездельничать, дожидаясь, когда можно будет отправиться в траурный зал, он принялся прибираться в кухне и мыть посуду. Потом он надел свой пиджак с черной повязкой и вышел из дому. Перед этим он, заперев дверь огромным ключом, подсунул его под ледник. Выходя из подъезда, он зацепил рукавом венок с успевшими почернеть цветами.

Джино побрел вниз по Десятой авеню, мимо того места, где раньше вздымался пешеходный мост, вдоль рельсовой эстакады, пока ее не проглотил огромный домина. Ему в глаза бросилась табличка «Сент-Джон-парк», хотя здесь не росло ни единого деревца. Он вспомнил, что его брат Ларри, работая живым дорожным знаком, всегда выезжал на свою конную тропу в Сент-Джон-парке; маленький Джино воображал тогда, что это настоящий парк — с деревьями, травой, цветами.

Траурный зал находился на Малберри-стрит, и Джино знал, что ему надо свернуть на восток. Оставив позади Десятую, он зашел в кафе за сигаретами.

У прилавка сидели рабочие ночных смен и клерки в поношенной одежде. Прокуренный воздух был насквозь пропитан неизбывным одиночеством; посетители были безнадежно отчуждены друг от друга. Джино поспешил на улицу.

На улице было темно; Джино шагал от одного круга света, отбрасываемого уличным фонарем, к другому. В отдалении показался маленький неоновый крест. Внезапно Джино почувствовал, как слабеют и трясутся его ноги, и присел на ступеньку, чтобы выкурить сигарету. В первый раз за все время он понял, что сейчас увидит Винни мертвым. Он вспомнил, как детьми они с Винни клевали носами на подоконнике, считая звезды, мерцающие над штатом Нью-Джерси.

Он уронил лицо в ладони, удивляясь своим слезам. По темной улице промчалась от одного пятна желтого света к другому ватага ребятишек. Завидев на ступеньках Джино, они остановились рядом с ним с бесстрашным смехом. Ему пришлось встать и продолжить путь.

От двери траурного зала тянулся через весь тротуар черный навес, призванный защитить скорбящих от стихии. Джино вошел в небольшую прихожую, а оттуда, через сводчатый проход, — в огромный, заполненный людьми зал, напоминающий размерами и убранством церковь.

Даже знакомые казались здесь чужими. Panettiere в своем старом черном костюме казался неуклюжим, как кусок угля; на подбородке его сына Гвидо успела отрасти за день траурная щетина. Даже парикмахер, безумец-одиночка, сидел на этот раз спокойно, со смягчившимися в присутствии умершего зоркими очами.

Вдоль стен сидели чинными рядами женщины с Десятой авеню; клерки из вечерней смены Винни собрались несколькими кучками. Здесь же был Пьеро Сантини из Такахо с успевшей выйти замуж дочерью Катериной; живот Катерины походил на барабан, щеки розовели, глаза же были холодны и спокойны, свидетельствуя о познанной и удовлетворенной страсти. Луиза с искаженным неподдельным горем красивым лицом забилась со своими детьми в угол, откуда наблюдала за своим мужем.

Ларри стоя беседовал с группой мужчин с железной дороги. Джино был поражен, как они могут вести себя как ни в чем не бывало, улыбаться, вести свои обычные разговоры о сверхурочных и о покупке домов на Лонг-Айленде. Ларри разглагольствовал о бизнесе хлебопеков, и его добродушная улыбка помогала собеседникам забыть о напряжении. Можно было подумать, что они собрались попить кофейку в уютной булочной.

Приметив Джино, Ларри жестом подозвал его и представил своим друзьям, которые стали торжественно и крепко жать ему руку, демонстрируя уважение и симпатию. Потом Ларри отвел брата в сторонку и прошептал:

— Пойди взгляни на Винни и поговори с матерью.

Джино поразили его слова «взгляни на Винни», словно тот жив и здоров. Ларри повел его в глубь зала, где оказался еще один сводчатый проход, поменьше, загороженный толпой.

Два маленьких мальчугана проехались мимо Джино по черному полированному паркету; их мамаша гневно шикнула, но дети не угомонились. Девочка-подросток не старше четырнадцати лет перехватила их, деловито отшлепала и, не произнеся ни слова, потащила к стульям у стены. Джино, пригнув голову, прошел во второй зал. У противоположной стены он увидел гроб.

Винни лежал на белой атласной простыне. Скулы, брови, тонкий нос вздымались над его запавшими глазами, как холмы. Лицо знакомое, но разве это — его брат? Здесь не было и следа от Винни. Где его неуклюжая фигура, его вечно оскорбленный взгляд, где осознание неудачи, где мягкость и уязвимая доброта? Джино видел в гробу только статую, лишенную души, и не ощущал к ней интереса.

Однако поведение женщин, набившихся в эту маленькую залу, все равно показалось ему оскорбительным. Они сидели вдоль стен, повернувшись к гробу в профиль, и разговаривали хоть и вполголоса, но на общие темы. Мать была сейчас не слишком говорлива, но голос ее показался ему спокойным и вполне естественным. Желая сделать ей приятное, Джино подошел к гробу и застыл над братом, глядя больше на белый атлас, чем на мертвое тело, и ничего не чувствуя — ведь перед ним лежал совсем не Винни, а лишь доказательство его смерти в форме безжизненного тела.

Он уже собрался выйти, но Октавия, поднявшись со стула, взяла его за руку и подвела к матери. Обращаясь к соседке, Лючия Санта сказала:

— Это мой сын Джино, старший после Винченцо.

Подразумевалось, что Джино — ее сын от второго мужа.

Одна из женщин, старуха с морщинистым, как грецкий орех, лицом, произнесла почти сердито:

— Eh, giovanetto, видишь, как страдают матери

из-за своих сыновей! Смотри, не доставь ей еще горя!

Она приходилась им близкой родственницей и поэтому могла говорить что ей вздумается, не опасаясь отповеди, хотя Октавия гневно прикусила губу. Джино опустил голову.

— Ты что-нибудь ел? — спросила его Лючия Санта.

Джино кивнул. Он не мог ни говорить с ней, ни глядеть на нее. У него поджилки тряслись от страха, что она отвесит ему оплеуху в присутствии всех этих людей. Однако голос ее звучал ровно. Она разрешила ему удалиться:

— Ступай, помоги Лоренцо: участвуй в беседе и делай все, что он говорит. — И тут мать вымолвила нечто такое, что Джино не поверил собственным ушам. Обращаясь к женщинам, она удовлетворенно произнесла: — Как много здесь людей! У Винченцо было столько друзей!

Джино не мог вытерпеть такого: никто из присутствующих знать не знал Винни и не дал бы за него ломаного гроша.

Мать увидела выражение его лица и все поняла. Это было ребячество, невежественное презрение к притворству, свойственное юности. Что ж, молодость не ведает горькой необходимости заслоняться от ударов судьбы. Пусть идет; придет время — и он прозреет.

В сумрачном зале время остановилось. Джино приветствовал новых гостей и вел их по зеркальному черному полу в следующую залу, где их встречали мать и Винни. Он наблюдал, как мать принимает утешения от всех этих людей, не значащих ровно ничего ни для нее, ни для мертвого брата. Тетушка

Лоуке — вот кто искренне оплакивал бы крестного сына. Но тетушка Лоуке сама уже в могиле. Даже Октавия горевала не так сильно, как он ожидал.

Джино, двигаясь, словно во сне, показывал всем этим незнакомым людям, где лежит книга для росписей и где висит ящичек для пожертвований. После этого он выпускал их, словно голубей, чтобы они, преодолев, как на крыльях, пространство черного блестящего паркета, предстали перед родней, с которой не виделись с прошлых похорон.

Впервые в жизни Джино исполнял роль члена семьи. Он подводил людей к гробу и выпроваживал их восвояси. Он вел легкую беседу, справлялся о членах семьи, вежливо качал головой, выслушивая соболезнования по случаю постигшей его семью трагедии, все больше входя в роль старшего сына своей матери от второго мужа и наблюдая, как собеседники мысленно присваивают ему ярлык «disgrazia». Члены семейства Сантини не могли скрыть облегчения, что не породнились с этой семейкой и ее бедами. Доктор Барбато заглянул всего на пару минут: он с неожиданной лаской потрепал Джино по плечу, в кои-то веки не чувствуя вины и отчуждения. Panettiere, более близкий для семьи человек, почти родной (ведь усопший какое-то время работал у него), сказал Джино:

— Слушай, так это несчастный случай или всетаки нет? Бедный мальчик всегда был так печален!

Джино ничего не ответил.

Тетушка Терезина Коккалитти, эта акула в человеческом обличье, ни с кем не обмолвилась даже словечком. Она сидела рядом с Лючией Сантой, парализованная страхом, будто смерть, оказавшаяся в непосредственной близости от нее, вот-вот обнаружит, что существует также и она с четырьмя сыновьями, продолжающая обманом получать семейное пособие и таскающая домой все новые мешки с сахаром и мукой и все новые коробки с жирами, которым суждено заложить основу ее грядущему процветанию.

Гвидо, сын Panettiere, явился в военной форме. Он был одним из первых молодых людей квартала, угодивших под призыв, да еще в первом своем увольнении. В искренности его скорби трудно было усомниться: когда он наклонился, чтобы поцеловать Лючию Санту в щеку, в глазах его блестели слезы. Пришел также дон Паскуале ди Лукка, чтобы засвидетельствовать свое уважение Ларри и его семье; не приходилось сомневаться, что стодолларовая бумажка в ящике для пожертвований была его вкладом, хотя, будучи истинным джентльменом, он положил ее в конверт, не сопроводив запиской. В огромном переднем зале теперь было тесно от людей; на стульях вдоль стен спали дети.

Часов в одиннадцать вечера, когда поток людей схлынул, Ларри взял Джино за руку и сказал:

— Пойдем выпьем кофе. Я попросил Гвидо приглядеть здесь за всем.

Они вышли в одних пиджаках. Сидя за кофе в небольшом кафе, Ларри ласково проворковал:

— Не беспокойся из-за того, что старушка так на тебя раскричалась. Завтра она обо всем забудет. Можешь не тревожиться, братишка, мы с Октавией поможем тебе тащить груз. И она, и я станем давать вам по пятьдесят долларов в месяц.

Сперва Джино не мог сообразить, что имеет в

виду Ларри. Но потом он понял, что его мир становится отныне совсем другим. Теперь от него зависят мать, сестра, брат. Все эти годы прошли только для того, чтобы подвести его к тому, что так или иначе было для него уготовано. Его ждет работа, сон, сон и работа; между ним и матерью отныне не будет стены. Семья втягивает его в себя; судьба семьи отныне превращается и в его судьбу. Ему уже не удастся сбежать... Однако, как ни удивительно, он с ходу согласился с новым положением и даже испытал что-то вроде облегчения. Кажется, это неплохая новость.

— Придется мне найти работу, — сказал он Ларри.

Ларри кивнул:

— Я уже обо всем договорился: ты заменишь Винни на его месте. Ты собираешься заканчивать школу?

Джино усмехнулся:

— А как же!

Ларри одобрительно похлопал его по руке.

— Ты всегда был славным парнем, Джино. Только теперь тебе придется подтянуться. Ты понимаешь, что я хочу сказать?

Джино отлично понимал его: настала пора подумать о семье; прежней беззаботности и своеволию пришел конец; надо стараться угождать матери; хватит вести себя, как безответственное дитя. Он кивнул и тихо спросил:

— Ты считаешь, что Винни действительно сам полез под паровоз?

Лицо Ларри изменилось с пугающей стремительностью. Он остался по-прежнему красив, лицо его напоминало цветом начищенную бронзу, которая теперь, казалось, дымилась ядовитой яростью.

— Все это — пустая болтовня. Я уже разобрался и с инженером, и с пожарником. Если ты снова услышишь хоть от кого-нибудь — неважно от кого — такие ехидные слова, дай знать мне — я с ним с удовольствием разберусь. — Он помолчал. — Кстати, не вздумай разболтать, как прошел наш разговор с Левшой Феем. — Кровь отхлынула от его лица, оно снова прояснилось. — Если старушка о чем-нибудь таком спросит, клянись на кресте, что с Винни произошел несчастный случай.

Джино согласно кивнул.

Они побрели назад, в траурный зал. Крепко держа Джино за руку, Ларри говорил:

— Главное, не волнуйся. Через пару годиков я огребу кучу денег — война здесь очень кстати; тогда я возьму семью на буксир, а ты сможешь заняться тем, что тебе больше понравится. — Он заговорщически подмигнул. — Я сам был в свое время таким же, как ты.

Под черным навесом их поджидала Октавия, дрожащая от холода.

— Куда вы подевались? — сварливо спросила она. — Мать страшно переполошилась — она решила, что Джино опять пропал.

— Господи! — закатил глаза Ларри. — Ладно, я с ней поговорю. Ты со мной не ходи, Джино.

Джино снова почувствовал уже знакомый страх и понял, что выглядит, наверное, очень испуганным. Ничего, Ларри его отстоит; он устал за вечер от накатывающихся на него одна за другой волн страха.

Вернувшись через несколько минут, Ларри с улыбкой сказал:

— Октавия, как всегда, шумит без причины. Просто старушка хотела убедиться, что мы здесь, — ведь скоро конец церемонии.

Люди потихоньку расходились. Появился хозяин похоронной конторы и, словно близкий родственник умершего, помог Ларри и Джино выпроводить последних скорбящих; наконец в зале остались только члены семьи и самые близкие им люди. Теперь, когда зал опустел, Джино услышал, как в меньшем помещении задвигали стульями: мать и ее подруги решились расстаться с гробом. Длительное бдение подошло к концу. До Джино не доносилось ни единого слова; он уже подумывал, не отправиться ли домой впереди всех, чтобы не сталкиваться с матерью. В этот день она внушала ему такой страх, какой он не испытывал еще ни разу в жизни.

Страшный вопль застиг Джино врасплох и заставил похолодеть от ужаса. За первым воплем раздался второй, сменившийся душераздирающим воем, в котором уже можно было различить слова: «Винченцо, Винченцо!..» В голосе матери звучало столько горя, что Джино еле справился с собой, чтобы не пуститься наутек: ему очень хотелось оказаться там, куда не сможет проникнуть этот тоскливый вопль. Хозяин похоронной конторы, не утративший спокойствия, покровительственно положил руку на плечо Джино, словно, понимая его чувства, только и дожидался этого момента.

Неожиданно в сводчатом проходе возникла группа в черном: там неровно, словно извиваясь, двигались четыре женщины. Октавия, Луиза и тетушка Терезина пытались вывести Лючию Санту и прила-

12 – 2269

гали к этому немало усилий. Несколько минут назад они уже пробовали воздействовать на нее словами и лаской, но это ни к чему не привело. Напрасно они напоминали Лючии Санте о ее долге — как-никак, она остается матерью пяти детей: она только крепче впивалась ногтями в сыновний гроб. Тогда они отбросили приличия и поволокли ее силой. Они не позволят ей оставаться там, не позволят спятить от горя. Еще чего: отвернуться от жизни, от долга! Они действовали безжалостно. Октавия волокла ее за одну руку, Луиза — за другую, однако у них не хватало сил, чтобы преодолеть сопротивление Лючии Санты, которой в данном случае помогал собственный вес. Оставалось надеяться на тетушку Терезину, которая изо всех сил тянула Лючию Санту за плечи. Это давало плоды: безутешная мать поневоле скользила по натертому до зеркального блеска черному паркету.

Минута — и мать, подобно упрямому животному, собралась в комок — это был довольно-таки массивный комок — и отказалась двигаться дальше. Она не протестовала, не закатывалась в визге; ее черная шляпка и вуаль вульгарно съехали набок; на ее разбухшем от нечеловеческого страдания лице лежала печать непоколебимого упрямства. Ни разу еще она не выглядела столь несокрушимой скалой, о которую обречен разбиться вдребезги мир смерти, не выдержавший ее властного горя.

Все три женщины отступились от нее. Луиза расплакалась. Октавия закрыла лицо ладонями, из-под которых донесся ее искаженный голос:

— Ларри, Джино, помогите нам!

Братья бросились на зов и вместе с женщинами

предприняли решающее наступление. Однако Джино не посмел притронуться к матери. Лючия Санта подняла голову и обратилась к Джино с такими словами:

— Не оставляй брата одного. Пусть хоть в эту ночь ему не будет одиноко. Он никогда не был храбрецом. Он был слишком добр, а это мешает смелости.

Джино согласно опустил голову.

— Ты никогда меня не слушался, — упрекнула его мать.

— Я пробуду здесь всю ночь, — еле слышно проговорил он. — Обещаю. — Он заставил себя протянуть руку и поправить на ней шляпку. Движение было стремительным. Впервые в жизни он сделал для нее что-то в этом роде. Мать неуверенно подняла руку, чтобы одернуть вуаль, но вместо этого сняла ее вместе со шляпкой. Шагая к двери, она держала головной убор в руке, словно ей было невыносимо иметь перед лицом помеху в виде вуали; с непокрытой же головой она снова могла взглянуть в лицо жизни, ее непреклонной справедливости, неизбежным на протяжении жизни поражениям.

Хозяин конторы предложил принести Джино кушетку и, извиняясь, уведомил его, что будет вынужден запереть входную дверь; он показал Джино колокольчик, за который тому надо будет дернуть — тогда дежурная выпустит его на волю. Сам хозяин ночевал этажом выше. Джино усердно кивал, демонстрируя понимание, пока хозяин не оставил его в покое.

Оставшись совсем один в темном траурном зале, отделенном стеной со сводчатым проходом от лежащего в гробу брата, Джино чувствовал себя в полной безопасности — впервые с тех пор, как брат погиб. Он составил деревянные стулья рядком, чтобы можно было на них растянуться, и, скатав пальто, подложил образовавшуюся подушку себе под голову. Лежа и покуривая, чувствуя локтем холодную стену, он размышлял о том, как изменился для него мир.

Он обдумывал все, что успел узнать. Значит, Ларри — настоящий гангстер, и люди боятся, что он может их убить. Вот так фокус! Это Ларри-то, который и пальцем не мог тронуть никого из младших братьев... Впрочем, Левша Фей выдумывает, будто Винни сам бросился под паровоз — Винни был настолько робок, что уже давно опасался сидеть на подоконнике. А мать?! Кричит, бранится, всех заводит... Он сонно отпустил вожжи и позволил внутреннему голосу произнести то, что он чувствовал на самом деле: что горе ее чрезмерно, что она превращает смерть в помпезную церемонию. Но тут он припомнил, как сам проливал слезы на крыльце. Но нет, он-то оплакивал Винни-мальчишку, товарища по играм и соратника по бдениям на залитом звездным светом подоконнике. Постепенно он пришел к заключению, что в горе содержится очень мало жалости к самому умершему. Конечно, близкие голосят, убиваясь по утраченному, но в этом слишком мало подлинного чувства; поэтому-то смерть и превращают в такую церемонию — чтобы скрыть то, в истинности чего никто не сомневается: смерть человека — не столь уж важное событие...

Бедный Винни! Кто же на самом деле станет о нем горевать? Он давно превратился в хнычущего зануду, общества которого никто не мог выдержать. Даже мать порой теряла с ним терпение. Так что и она оплакивает множество малышей-Винсентов, прошедших перед ней чередой, прежде чем сын вырос. Их же будет не хватать и Джино. Потом-то ему было уже наплевать на него. Как и Ларри. Даже Октавия махнула на него рукой. Вот о Луизе этого не скажешь, почему-то участь Винни была ей не безразлична. Старая тетушка Лоуке тоже всплакнула бы по нему. Прежде чем погрузиться в сон, Джино всерьез собирался наведаться в соседнее помещение и приглядеться к мертвому лицу брата, чтобы заставить себя страдать; однако усталость взяла верх. Сигарета выпала из его пальцев; красная точка на блестящем черном полу походила на уголек в аду. Во сне он подтянул колени к подбородку, чтобы спастись от холода, которым так и веяло от стены. Ему очень хотелось проснуться; помимо воли он испустил крик, разбудивший хозяина похоронной конторы в комнате этажом выше.

Это неправда! Не убивал он брата! Он держал пальто матери у нее перед лицом, но его руки все больше немели. Ее осуждающий взгляд заставлял его пятиться все дальше, и, моля о пощаде, он шептал: «Я плакал на ступеньках там, на улице! Гляди, мое лицо до сих пор мокро от слез». Однако мать только фыркала и бурчала: «Это всего-навсего очередной твой трюк. Animale, animale, animale...»

И тут она улыбнулась ему. Что за ослепительная улыбка, совсем как у молоденькой девушки! Джино едва не угодил в ловушку, которая обрекла бы обоих на неминуемую гибель, едва не заговорил о том дне, когда он ждал у родных ступенек, что она привезет домой его отца. Но, вовремя опомнившись, он поспешно повесил голову, радуясь собственной осмотрительности. Раз она не обвиняла его вслух наяву, он тоже не станет упрекать ее, даже во сне. Содрогаясь от обреченности, он обещал себе и ей, что станет новым Винни, что будет, как и он, трудиться на железной дороге, женится, совьет гнездо в одном из домов на их авеню, станет ждать на остановке трамвая, сжимая в объятиях собственное дитя, прикует себя цепями к знакомой до тошноты бесцветной жизни, для которой, выходит, рожден и он.

ГЛАВА 23

Старухи с Десятой собрались как-то летним вечером в кружок и принялись перечислять горести семьи Ангелуцци-Корбо. Их завывания звучали как заклинания.

Сперва они жалостно взывали:

— О, какая страшная жизнь! Бедняжка Лючия Санта, она похоронила первого мужа, второй загубил свою и ее жизнь, а теперь удар пришелся по взрослому сыну, уже успевшему стать кормильцем! Что за трагедия, что за беда! Будь проклят создатель, его мир, все его святые и праздники!

Седые головы согласно кивали. Но тут взяла слово другая пострадавшая от житейских бед — особа, снискавшая уважение чередой неудач.

— Все верно! И все-таки у нее осталась взрослая дочь, уважаемая приказчица — умная, вышедшая замуж за трезвого человека. У нее есть сыновья, какими могла бы гордиться любая мать. Лоренцо — женатый, уже одаривающий ее внуками, набредший на клад в профсоюзе пекарей, Джино теперь — почтительный сын, глава семьи, работающий, не покладая сил, как примерный итальянец, на железной дороге и совершенно не связывающийся с полицией, Сальваторе, завоевывающий медали отличной учебой в школе — быть ему профессором! Наконец, у нее есть Лена — итальянская дочь в добром старом стиле, безотказно выполняющая всю работу по дому, послушная, неизменно почтительная. Поглядите только, как все они чтут Лючию Санту! Двое детей, создавшие собственные семьи, по-прежнему дают ей деньги, Джино приносит домой конверт с получкой ненадорванным.

Пятеро прекрасных детей! Верно, у нее нет мужа, но если взглянуть, что за мужья бывают на Десятой, то не такое уж это несчастье. На радость Лючии Санте, у нее теперь небольшая семья. Даже смерть бедняжки Винченцо не запятнала семью как disgrazia. Он заболел и свалился под паровоз — несчастный случай, что поделаешь! Он похоронен в освященной земле. Бедный Винченцо, он родился под несчастливой звездой, ему с самого начала была уготована печальная судьба.

Равновесие было восстановлено. Немало женщин страдали не меньше, а то и поболее. Гибнут на работе мужья, рождаются уродцами младенцы, умирают от безобидной простуды и ерундовых травм дети. В этом кружке не было ни одной женщины, которая не похоронила хотя бы одного ребенка.

А представьте себе только, каких невзгод Лючии Санте посчастливилось избежать! Сколько вокруг дочерей беременеют без малейшего намека на присутствие мужа; сколько сыновей превращаются в завсегдатаев тюрем, а то и умудряются кончить свои непутевые дни на электрическом стуле; как часто вырождаются в пьяниц, распутников, пропащих картежников самые благочестивые мужья!

Нет, нет! Лючии Санте еще повезло, она очень долго могла не подносить к устам горестную чашу, которую иная в ее положении принуждена была бы испить до дна. Теперь ее дети сильны, здоровы, красивы, у их ног лежит целый мир. Скоро она пожнет плоды своего самоотверженного труда. Крепитесь! Америка — это вам не Италия, в Америке человек может обмануть судьбу. Сыновья здесь вырастают верзилами и сидят себе в конторах в воротничках да галстучках, не задыхаясь на ветру и не ковыряя землю; дочери обучаются грамоте, щеголяют в туфельках и шелковых чулочках, вместо того чтобы резать свиней и таскать хворост на собственных спинах, чтобы дать передохнуть разлюбезному ослу.

Разве застрахован от невзгод даже самый расчудесный рай? Разве вправе кто-нибудь зарекаться от горя? Кому выпало пройти по жизни, не пролив ни слезинки? Не ведают страданий одни мертвецы. Вот кто счастливцы! Старухи дружно всплеснули руками: да будет благословен тот день, когда они покинут бренную землю, злосчастную юдоль горьких слез. Да, да, мертвый счастлив: ведь он больше не ведает страданий!

Глаза их гневно пылают, фигуры, обернутые в черную ткань, источают энергию и силу. Пусть они заняты увлекательной беседой — от их взоров не ускользает ничего из творящегося на авеню. Они обрушивают громовые проклятия на головы шалунов-ребятишек, жадно поглощают лимонное мороженое из мятых стаканчиков, откусывают огромные куски от дымящейся пиццы, впиваясь несокрушимыми коричневыми зубами в лаву томатного соуса, перемешанного с брызжущим из глубин дрожжевого теста упоительным сыром. Они готовы растерзать любого, кто посмеет протянуть хотя бы ниточку поперек жизненного пути их детей и их самих. Они — непримиримые враги смерти, они — воплощение жизнелюбия. Величественные камни города, вся его сталь и стекло, вымощенные синей плиткой тротуары и булыжные мостовые — все обратится в прах, они же пребудут вечно.

ГЛАВА 24

Неужто даже дьявол способен обернуться ангелом? Panettiere, безумный парикмахер, доктор Барбато, даже хитроумная тетушка Терезина Коккалитти — все восхищались переменой, происшедшей с Джино Корбо. Подумать только: катастрофа превратила мальчика в мужчину, и он теперь вкалывает, как бессловесный крестьянин, на железной дороге, жадно прихватывая сверхурочные и вручая матери нераспечатанный конверт с получкой.

Лючия Санта была так довольна происходящим, что выделяла Джино в два раза больше денег на карманные расходы, чем прежде Винни. Октавии она клялась, что поступает так потому, что Винни оставлял деньги за сверхурочные себе. «Вот видишь! — твердила она Октавии, когда та наведывалась по пятницам с традиционным визитом. — Джино всегда был хорошим мальчиком». Октавия была вынуждена соглашаться с ней: ведь, несмотря на работу по ночам и даже по воскресеньям, Джино не оставил школу; в январе он станет выпускником. Более того, впервые в жизни Джино попал в список лучших учеников. Это вызывало у Лючии Санты безудержное ликование. «Разве я была не права? — спрашивала она Октавию. — У ребенка устают мозги от беспрерывных игр на улице, а не от честного труда».

Октавия, которой никак не удавалось окончательно оправиться после смерти Винни, была поражена, как быстро пришла в себя мать. Она стала спокойнее, разрешала Салу и Лене куда больше, чем прежде, в остальном же осталась прежней. Лишь однажды она обнаружила свои истинные чувства. Както раз, во время воспоминаний о том, каким был Винни в детстве, Лючия Санта горько упрекнула саму себя:

— Если бы я оставила его в Джерси, у Филомены, он был бы сейчас жив.

Она не пожалела самого горделивого своего воспоминания; однако она продолжала жить, всецело полагаясь на судьбу и веруя в удачу.

А впрочем, так ли это удивительно? Никогда раньше жизнь не проявляла к семейству Ангелуцци-Корбо такой благосклонности: Джино огребает состояние в депо, Сал прекрасно учится и наверняка поступит в колледж, Лена — тоже прекрасная ученица, мечтающая об учительской карьере. Оба подрабатывают теперь в panetteria после школы, торгуя хлебом и неплохо зарабатывая, благодаря чему по вечерам в пятницу Лючия Санта с Октавией могут удовлетворенно рассматривать сберегательную книжку. Единственной трезвой нотой, способной умерить опасный оптимизм Лючии Санты, служило ее напоминание самой себе, что всего через несколько месяцев, перед самым Рождеством, закончится год армейской службы Гвидо, сына Panettiere, и он займет место Сала и Лены за прилавком. Она не могла рассчитывать, что поток денег будет изливаться на семью бесконечно.

Даже муж Октавии теперь работал. Бедняга Норман Бергерон, презирая себя, писал памфлеты по заказам правительственных служб — а это означало, что, став государственным служащим, он получил надежное место и неплохие деньги. Октавия знала, как он страдает, но полагала, что это его личные трудности. Пусть возвращается к своим стихам, когда европейцы перестанут убивать друг друга и разразится новая депрессия.

Но больше всего радовало Лючию Санту то, что Джино становится мужчиной, вливается в живую жизнь. Ей больше не придется с ним ссориться, и она почти простила ему все оскорбления, которые терпела от него раньше. Он заметно посерьезнел. Неужели ей не придется больше бороться? В это Лючия Санта ни капельки не верила, однако ни на минуту не могла допустить, чтобы кто-нибудь назвал ее безвольной тряпкой, отказывающейся воспользоваться удачей, плывущей ей в руки.

Каждый вечер, приходя на службу, Джино ловил себя на том, что не верит собственным глазам и ушам. Поднимаясь на лифте, а потом вступая в круг света и слыша лязг машинок, выплевывающих накладные, он чувствовал себя как во сне. Однако мало-помалу он начинал понимать, что это и есть реальность.

Его смена начиналась в полночь и длилась до восьми утра; все эти часы пыльный зал вовсе не кишел призраками, стеллажи с бумагами и черные машинки не думали покидать своих мест; в темноте становилась незаметной стальная сетка, за которой обычно прятался кассир. В этой обстановке Джино как одержимый колотил по клавишам. Он прекрасно справлялся с обязанностями — сказывалась спортивная координация движений и зоркий глаз. Норма составляла триста пятьдесят счетов за ночь, но он легко перевыполнял ее. Иногда у него выдавался свободный часок, который он посвящал чтению; потом снизу, где грузились и разгружались вагоны, поступали новые счета.

Он никогда не вступал в разговоры с людьми, в обществе которых работал, никогда не участвовал в их беседах. Главный по ночной смене поручал ему самые трудные счета, но он никогда не возмущался. Все это не имело для него никакого значения — слишком он ненавидел окружающее: само здание, пропахший крысами зал, грязные на ощупь стальные клавиши печатной машинки; ненавидел тот момент, когда входил в желтый круг света, где работали, согнувшись, шестеро клерков и главный по смене.

Это была настоящая физическая ненависть; иногда она становилась настолько невыносимой, что по его телу пробегал холодок, волосы вставали дыбом, а во рту делалось до того кисло, что он отбрасывал стул, выходил из круга света и торопился к темному окну, за которым тянулись напоминающие тюремные коридоры узкие улицы, освещаемые фонарями со столбов, смахивающих на караульные вышки. Когда главный по смене, молодой человек по имени Чарли Ламберт, окликал его: «Займись-ка счетами, Джино!», причем в голосе его звучало нескрываемое осуждение, он никогда не отвечал, никогда не торопился назад к машинке. Даже узнав, что числится в черном списке, он не нашел в душе и отдаленного подобия ненависти к Чарли Ламберту. Он испытывал к нему такое холодное презрение, что вообще не считал его человеком и не мог поэтому питать к нему каких-либо чувств.

Гнуть спину только ради того, чтобы выжить; тратить жизнь только на то, чтобы остаться живым, — это было для него ново. Не то что для матери, Октавии, разумеется, отца. Наверное, и Винни провел у этого темного окна не одну тысячу ночей, пока сам Джино прочесывал улицы города в компании дружков или безмятежно спал в своей кровати.

Однако шли месяцы, и ему становилось все легче мириться с такой жизнью. Об одном он не мог думать — что такая жизнь может затянуться. Однако холодный рассудок подсказывал ему, что она может длиться бесконечно.

Как и подобает матери семьи при столь благоприятных обстоятельствах, Лючия Санта правила своим домом, как истинная синьора. В квартире было неизменно тепло, независимо от того, сколько денег приходилось тратить на уголь и керосин. На плите всегда оставалось достаточно спагетти для друзей и соседей, которые заглядывали к ней поболтать. Никто из детей не мог припомнить случая, чтобы, вставая из-за стола, они не оставили на блюдах достаточно еды в дымящемся соусе. По случаю воскресной трапезы на столе раскладывалось особенно много вилок и ложек, чтобы полакомиться могли все члены семьи — и несемейные, и семейные, — хотя уговаривать никого никогда не приходилось.

В первое воскресенье декабря готовилось особое peranze[1]. Старший сын Ларри дорос до первого причастия, и Лючия Санта приготовила по этому случаю ravioli. Она рано поставила тесто, и теперь они с Октавией возводили на просторной доске крепость из муки. Сперва они разбили дюжину яиц, потом еще дюжину, и еще, пока четыре белые стены не рухнули в море белка, расцвеченное желтками. Перемешав все это, они изготовили груду рыхлых золотистых шариков. Раскатывая эти шарики, Октавия и Лючия Санта кряхтели от напряжения. Сал с Леной поднесли им большой сосуд с сыром ricotta, куда они, заранее облизываясь, добавили перца, соли и яиц.

Пока варились ravioli и булькал густой томатный соус, Лючия Санта перетаскивала на стол блюда с prosciutto и сыром. Затем настал черед блюд с говядиной, фаршированной яйцами и луком, и огромного куска свинины, темно-коричневого и до того размягшего от долгого кипения в соусе, что достаточно было одного прикосновения вилкой, чтобы нежнейшее мясо тотчас отделилось от кости.

За едой Октавия, вопреки обыкновению, шушукалась с Ларри и с готовностью отзывалась на его рассказы и шуточки. Норман расслаблено тянул вино и беседовал с Джино о книгах. После еды Сал и Лена убрали со стола и приступили к мытью огромной груды посуды.

Воскресенье выдалось чудесным для декабря; подошли и гости: Panettiere с Гвидо, наконец-то расквитавшимся с армией, неутомимый парикмахер, рассматривающий сквозь пелену красного вина го-

---

[1] Застолье (*ит.*).

ловы присутствующих, ревниво отыскивая следы от чужих ножниц. Panettiere мигом умял целую тарелку горячих ravioli: он питал слабость к этому блюду, на которое его жена — почившее чудовище — вечно жалела времени, целиком уходившего у нее на подсчитывание денег.

Даже тетушка Терезина Коккалитти, превратившая свою жизнь в тайну для окружающих и извлекавшая из этого немалую прибыль, преспокойно накапливая жирок и огребая семейное пособие при четырех здоровенных работящих сыновьях — никто не догадывался, как это у нее получается, — даже она отважилась на несколько стаканчиков вина, добрую порцию вкусной еды и беседу с Лючией Сантой о тех счастливых деньках, когда они девчонками разгребали в Италии навоз. Пусть правило тетушки Коккалитти состояло в том, чтобы немедленно запирать рот на замок, услыхав от кого-либо личный вопрос, — сегодня она изменила себе и благодушно улыбнулась, когда Panettiere поддел ее на предмет махинаций с пособием. Две рюмки вина сделали свое дело: раскрасневшись и расчувствовавшись, она посоветовала всем присутствующим отхватывать у государства все, что только можно, ибо, в конце концов, все равно придется отдать ему, проклятому, вдесятеро больше, независимо от прежней прыти.

Джино, уставший от болтовни, уселся на пол перед фасадом соборополобного радиоприемника и включил его. Ему хотелось послушать спортивный репортаж. Лючия Санта насупилась, сочтя это грубостью, хотя радио верещало так тихо, что никто ничего не слышал. Потом она оставила его в покое.

Норман Бергерон первым заметил странную перемену в поведении Джино. Тот, припав к радио ухом, внимательно смотрел на сидящих за столом. Отложив книгу, Норман понял, что Джино смотрит на мать. На его губах играла улыбка — но не радостная, а какая-то жестокая. Октавия, проследив взгляд мужа, повернулась к радио. Она так ничего и не расслышала, но в глазах Джино горело такое оживление, что она не вытерпела и спросила:

— Джино, в чем дело?

Джино отвернулся от них, чтобы спрятать румянец.

— Японцы напали на Соединенные Штаты, — сказал он и крутанул ручку громкости. Взволнованный голос диктора заглушил все голоса в комнате.

Джино ничего не предпринимал, пока не прошло Рождество. Потом ранним утром, сразу после смены, он отправился на призывной пункт. В тот же день он позвонил мужу Октавии на службу и попросил передать Лючии Санте, где он находится. Вскоре его послали в учебный лагерь в Калифорнии, откуда он регулярно писал и слал домой деньги. В первом письме он объяснял, что пошел добровольцем, чтобы спасти от призыва Сала, однако впоследствии не упоминал об этом.

ГЛАВА 25

— Aiuta mi! Aiuta mi!

Надрываясь от горя, преследуемая призраками троих погибших сыновей, Терезина Коккалитти металась по кромке тротуара. Туловище ее нелепо раскачивалось, утренний ветерок трепал ее черные одежды. Добежав до угла, она развернулась и устремилась назад, восклицая:

— Aiuto! Aiuto!

Однако при первых же звуках ее голоса все окна на Десятой авеню мигом захлопывались.

Несчастная стояла теперь на мостовой, широко расставив ноги. Задрав голову, она проклинала всех и вся. Ради этого она вспомнила вульгарный говор родной итальянской деревни. Страдание стерло с ее худого ястребиного лица все следы хитрости и алчности.

— О, я знаю вас всех! — вопила она, обращаясь к закрытым окнам. — Вы хотели меня надуть — вы, шлюхи и дочери шлюх! Хотели обвести меня вокруг пальца, все хотели, но я вас перехитрила!

Она раздирала себе лицо острыми, как когти, ногтями, пока кожа на щеках не повисла кровавыми клочьями. Воздев руки к небесам, она взывала:

— Только бог! Он один!..

Она вновь припустилась бегом, норовя лишиться своей черной шляпки, опасно вздрагивавшей у нее на голове. Тут, на счастье, из-за угла Тридцать первой стрит показался ее единственный оставшийся в живых сын, поймал ее и потащил домой.

Все это происходило уже не впервые. Сначала Лючия Санта выбегала на улицу, стремясь помочь старой подруге, теперь же она только наблюдала за ней из окна, как и все остальные. Кто мог предположить, что судьба нанесет Терезине Коккалитти подобный сокрушительный удар? Всего за один год война отняла у нее троих сыновей — это у нее-то, такой хитрюги, всегда соблюдавшей крайнюю таинственность, всегда способной на любой подлог! Значит, тут уж ей ничто не смогло помочь? Значит, все обречены? Раз самое совершенное зло оказывается бессильным против рока, то откуда взяться даже слабой надежде на спасение?

ГЛАВА 26

Пока над миром свирепствовала война, итальянцы, ютившиеся вдоль западной стены города, наконец-то сумели взять осуществление великой американской мечты в свои мозолистые руки. На их убогие дома пролился золотой дождь. Мужчины работали на железной дороге сверхурочно и даже сверх того; те, чьи сыновья пали или получили ранения, работали усерднее прочих, ибо знали, что горе проходяще, бедность же может отнять всю жизнь.

Для клана Ангелуцци-Корбо наступили чудодейственные времена: наконец-то был приобретен вожделенный дом на Лонг-Айленде — по дешевке, у людей, для которых война каким-то загадочным образом обернулась разорением. Дом на две семьи, чтобы Ларри с Луизой и их дети оставались под бдительным оком Лючии Санты. В этом доме для каждого будет отведена отдельная спальня со своей дверью — даже для Джино, когда он вернется с войны.

В последний день Лючия Санта уже не помогала детям паковать вещи, набивая скарбом огромные дощатые ящики и оставляя сиротливо оголенными углы и стены квартиры. В последнюю ночь, лежа в одиночестве в постели, она не смогла сомкнуть глаз. Ветер тихонько посвистывал в трещинах оконных рам, которые были прежде всегда закрыты шторами. На стенах, в тех местах, где долгие годы висели картины, белели светлые пятна. Квартира полнилась странными звуками: в шкафах шла потусторонняя жизнь, словно разом ожили все призраки, побывавшие здесь за сорок лет.

Глядя в потолок, Лючия Санта наконец задремала. Она протянула руку, чтобы поймать ребенка, скатывающегося к стенке. Погружаясь в сон, она слушала, как ложатся спать Джино и Винченцо, как возвращается домой Фрэнк Корбо. Куда снова задевался Лоренцо? Не бойся, сказала она маленькой Октавии, пока я жива, с моими детьми ничего не случится; еще минута — и она предстала перед собственным отцом и стала с дрожью клянчить у него белье для своей супружеской постели. Потом разразилась слезами, но отец не стал ее утешать, обрекая на вечное одиночество.

Она никогда не собиралась становиться странницей, не собиралась переплывать через внушающий ужас океан.

В квартире стало холодно, и Лючия Санта очнулась. Одевшись в темноте, она положила подушку на подоконник. Нависнув над Десятой, она стала ждать рассвета и впервые за многие годы услышала, как трутся друг о дружку паровозы и товарные вагоны на сортировочной станции напротив ее окна. В темноту летели искры, в воздухе стоял отчетливый металлический лязг. Вдали, на джерсийском берегу, не было света — как-никак война, — и звезды были бессильны рассеять ночную мглу.

Утром они нетерпеливо ждали фургонов. Лючия Санта общалась с соседями, заходившими пожелать им счастья. Впрочем, среди них не оказалось старых друзей, ибо таковых на Десятой уже не осталось. Panettiere продал свою пекарню, когда его сын Гвидо вернулся с войны израненным и не смог работать, и забрался далеко на Лонг-Айленд — все равно что в Вавилон. Безумный парикмахер с целым выводком дочерей тоже забросил ремесло; теперь, когда ему из-за войны не хватало мужских голов, он тоже переехал на Лонг-Айленд, в городок под названием Массапека, достаточно близко к Panettiere, чтобы они могли встречаться по воскресеньям, чтобы переброситься в картишки. Разъехались и все остальные — по местам со странными названиями, столько лет бередившим их мечты.

Доктор Барбато, ко всеобщему удивлению, пошел добровольцем в армию, служил в Африке и сделался там чуть ли не героем — во всяком случае, журналы пестрели его фотографиями, а рассказы о его подвигах оказались настолько устрашающими, что его отца хватил удар — он не смог вынести сыновней безмозглости. Бедная Терезина Коккалитти так и осталась в своей квартире, бдительно охраняя бесчисленные банки с оливковым маслом и жирами, которые в один прекрасный день станут выкупом, способным вернуть ее сыновей к жизни. Друг детства Джино Джои Бианко каким-то хитрым способом уклонился от армии — никто так и не понял, как это ему удалось, — разбогател и купил матери с отцом настоящий дворец в Нью-Джерси. Значит, пришло время сниматься с места и семейству Ангелуцци-Корбо.

Наконец-то Пьеро Сантини сам пригнал из Тахо свои грузовики. Из-за военного времени такие услуги стали безумно дороги, однако Сантини сделал поблажку своей родственнице и землячке по итальянской деревушке. Кроме того, он за последнее время смягчился сердцем и только радовался возможности посодействовать счастливому завершению давней истории.

Лючия Санта предусмотрительно не стала прятать кофейник и несколько чашек. Она угостила

Сантини кофе, и они смиренно примостились с чашками на подоконнике. Октавия и Лена носили вниз свертки помельче, в то время как двое старых мускулистых итальянцев, покрякивая, как терпеливые ослики, взваливали себе на спины огромные шкафы и кровати.

Настала минута, когда в квартире не осталось ничего, кроме видавшего виды кухонного стула без спинки, признанного негодным для чудесного дома на Лонг-Айленде и приговоренного к свалке. Луиза и трое ее малолетних детей поднялись к Лючии Санте, и маленькие проказники затеяли возню в груде отбракованной одежды, негодных ящиков и старых газет.

Наконец наступил торжественный момент. Лимузин мистера ди Лукка, уже перешедший к Ларри, просигналил у крыльца. Октавия с Луизой выволокли малышей через опустевшие комнаты на лестницу. Октавия позвала мать.

— Пойдем, ма, бросай эту свалку.

Но тут, ко всеобщему удивлению, на лице Лючии Санты появилось недоверчивое выражение, словно она всегда сомневалась, что ей придется когда-либо навечно покинуть эти стены. Вместо того чтобы шагнуть к двери, она плюхнулась на свой стул без спинки и залилась слезами.

Октавия выгнала Луизу с детьми на улицу, а потом занялась матерью. Голос ее был резким, она потеряла всякое терпение:

— Ма, какого черта, что ты придумала? Пошли, доплачешь в машине. Все ждут одну тебя.

Однако Лючия Санта только закрыла лицо ладонями. Ей никак не удавалось унять слезы.

Тут раздался сердитый голос Лены:

— Оставь ее в покое!

Сал, который никогда не открывал рта, поддержал сестру:

— Мы сами приведем ее! Спускайся!

Октавия сбежала по лестнице. Мать подняла голову. Младшие дети почтительно встали рядом с ней. Впервые за все время она увидела, что они уже выросли. Лена очень миловидная, темноволосая, с голубыми отцовскими глазами; впрочем, лицом она напоминает Джино. На плечо матери легла рука Сальваторе. У этого глаза человека, совершенно не способного сердиться. Мать припомнила, как Сал с Леной, забившись в угол и храня молчание, следили за их жизнью, верша свой суд. Ей было невдомек, что они воспринимали мать как героиню тяжелой пьесы. У них на глазах на нее обрушивались удары судьбы, отцовский гнев; они со страхом наблюдали за ее безнадежной борьбой сначала с Ларри, потом с Джино, вместе с ней безутешно горевали по погибшему Винни. Прикоснувшись к ним, она поняла, что юные судьи вынесли ей оправдательный приговор.

Тогда почему Лючия Санта рыдает в опустевшей квартире? Кто, в конце концов, счастливее ее?

Ей предстоит зажить в собственном доме на Лонг-Айленде, нянча внуков. Сальваторе и Лена станут врачами или учителями. Ее дочь Октавия — старшая приказчица в магазине одежды, сын Лоренцо — президент профсоюза, величественно дарующий другим людям работу, как итальянский князь. Ее сын Джино остался жив, когда миллионы других погибли. У нее всегда будет довольно еды и денег, она будет окружена в старости почтительными, любящими детьми. Кто же счастливее ее?

Сорок лет назад, в Италии, даже в самых безумных мечтах она не покушалась на такое. Теперь же миллион никому не слышных голосов твердил ей: «Лючия Санта, Лючия Санта, ты обрела в Америке счастье!» Но Лючия Санта, рыдая на своей табуретке без спинки, гневно возражала им: «Я хотела достичь всего этого, но не ценой таких страданий! Я не хотела оплакивать двоих мужей и любимого сына! Я не хотела, чтобы меня возненавидел сын, зачатый в любви! Я не хотела греха, не хотела скорби, не хотела страха смерти и дрожи в ожидании Судного дня. Я мечтала остаться чистой!»

Америка, Америка, богохульная мечта! Ты даруешь так много — почему же не все? Лючия Санта оплакивала преступления, которых она не могла избежать и которые совершила против тех, к кому питала любовь. В прежней жизни, ребенком, она лелеяла всего одну безумную мечту: избавиться от страха голода, болезней, беспомощности перед беспощадностью естества. Тогда мечталось об одном: как бы остаться живой. О большем не помышлял никто. Однако здесь, в Америке, становились реальностью совсем уже дичайшие грезы, о существовании которых она и не подозревала. Оказалось, что человеку недостаточно хлеба и крыши над головой.

Октавии захотелось стать учительницей. Чего хотелось Винни? Ей уже не суждено об этом узнать. А Джино — о чем мечталось ему? Наверняка о чем-то таком, что никому из них не могло прийти в голову. Даже теперь, несмотря на слезы и муку, в ее душе вспыхнула неуемная ненависть: больше всего на свете ему хотелось удовольствий для самого себя! Ему хотелось жить, как живут сыновья богачей... Но тут она вспомнила, как в свое время нанесла удар в самое сердце своему собственному отцу, отказавшись добиваться белья для супружеского ложа так, как этого хотелось ему.

Ей стало как никогда ясно, что Джино ни за что не вернется домой после войны, что он ненавидит ее так же люто, как она ненавидела своего отца. Он тоже станет странником и будет искать неведомую Америку своих грез. И впервые за всю жизнь Лючия Санта взмолилась о пощаде. *Позволь мне услышать его шаги у двери — и я проживу все эти сорок лет сначала. Я обреку на слезы родного отца, превращусь в странницу и устремлюсь поперек страшного океана. Я переживу первого мужа, осыплю проклятиями Филомену вместе с ее домом в Нью-Джерси, сжимая Винченцо в объятиях, — чтобы спустя годы рыдать у его гроба. Если надо, я еще и еще раз пройду через все это!*

Мысленно произнеся этот зарок, Лючия Санта почувствовала, что с нее хватит. Подняв голову, она обнаружила, что Сальваторе и Лена внимательно наблюдают за ней. Серьезность их лиц вызвала у нее улыбку. К ней вернулись силы. «Как красивы мои младшие дети!» — подумала она. Впрочем, они выглядели настоящими американцами, и это позабавило ее, словно этим двоим удалось-таки оставить с носом и ее, и всю остальную семью.

Сальваторе распахнул у нее за спиной пальто, чтобы она, вставая, легко могла продеть руки в рукава. Лена пробормотала:

— Как только мы переедем, я пошлю Джино письмо с новым адресом.

Лючия Санта метнула на нее удивленный взгляд: кажется, она не произнесла вслух ни единого словечка! Однако лицо девушки так напоминало лицо Джино, что у нее снова защипало глаза. Она взглянула напоследок на голые стены и навсегда покинула дом, где прожила сорок лет.

На Десятой ее поджидали, сложив руки на груди, три женщины, старые знакомые. Одна подняла дряхлую руку, чтобы помахать ей, и крикнула:

— Buona fortuna[1], Лючия Санта!

Пожелание прозвучало искренне, в нем не было задней мысли, однако оно содержало предупреждение, словно старуха хотела сказать: «Берегись, тебе еще жить и жить, жизнь не кончена». Лючия Санта склонила голову, благодаря ее за мудрое напутствие.

Ларри нетерпеливо барабанил пальцами по рулю, пока они забирались к нему в лимузин. Наконец он медленно тронулся с места, прокладывая дорогу двум фургонам. Путь их лежал на восток, к мосту Квинсборо. Сначала все молчали, удрученные материнскими слезами, но вскоре трое малышей подняли визг и затеяли возню.

Луиза прикрикнула на них и стала раздавать шлепки. Напряжение спало, завязался разговор — конечно, о новом доме. Ларри предупредил, что дорога займет час. Не проходило и двух минут, чтобы кто-нибудь из малышей не пристал с вопросом:

— Мы уже на Лонг-Айленде?

— Еще нет, — терпеливо отвечали либо Сал, либо Лена.

---

[1] Удачи (*ит.*).

Лючия Санта опустила стекло, чтобы глотнуть воздуху. Она усадила себе на колени одного из мальчуганов, и Ларри, обернувшись к ней, с улыбкой сказал:

— Здорово будет жить всем вместе, а, мам?

Лючия Санта покосилась на Лену, но та пошла в Джино и, значит, — слишком простодушна, чтобы понять материнскую ухмылку. Октавия тоже усмехнулась. Они с матерью всегда видели Ларри насквозь. Ларри радовался тому, что у Луизы с детьми будет с кем коротать время, пока он, бесстыжий хищник, станет домогаться девушек, страдающих в военное время без мужчин.

Тем временем лимузин уже мчался по мосту Квинсборо, стремительно отсчитывая тени, отбрасываемые толстыми стальными тросами. Дети приподнялись, чтобы разглядеть стальную воду Истривер; не прошло и минуты — а они уже съехали с моста и понеслись прочь по широкому, обсаженному деревьями бульвару. Дети радостно заголосили, и Лючия Санта, заразившись их настроением, молвила:

— Вот мы и на Лонг-Айленде.

Литературно-художественное издание

Марио Пьюзо

СЧАСТЛИВАЯ СТРАННИЦА

Редактор *Л. Корзун*
Художественный редактор *С. Курбатов*
Технический редактор *Н. Носова*
Компьютерная верстка *Т. Жарикова*
Корректор *Е. Самолетова*

Налоговая льгота — общероссийский классификатор продукции ОК-005-93, том 2; 953000 — книги, брошюры

Подписано в печать с готовых диапозитивов 23.11.2000
Формат 84 × 108 1/32. Гарнитура «Таймс».
Печать офсетная. Усл. печ. л. 20,16.
Тираж 10 100 экз. Заказ 2269.

Отпечатано в полном соответствии
с качеством предоставленных диапозитивов
в ОАО «Можайский полиграфический комбинат».
143200, г. Можайск, ул. Мира, 93.

ЗАО «Издательство «ЭКСМО-Пресс»
Изд. лиц. № 065377 от 22.08.97.
125190, Москва, Ленинградский проспект, д. 80, корп. 16, подъезд 3.
Интернет/Home page — www.eksmo.ru
Электронная почта (E-mail) — info@ eksmo.ru